“十二五”国家重点图书出版规划项目

CHINA WETLANDS RESOURCES
Hunan Volume

中国湿地资源

湖南卷

◎ 国家林业局组织编写

中国林业出版社

图书在版编目（CIP）数据

中国湿地资源 · 湖南卷 / 国家林业局组织编写；周树怀分册主编 . – 北京：中国林业出版社，2015.12

“十二五”国家重点图书出版规划项目

ISBN 978-7-5038-8323-1

Ⅰ. ①中… Ⅱ. ①国… ②周… Ⅲ. ①湿地资源 – 研究 – 湖南省 Ⅳ. ① P942.078

中国版本图书馆 CIP 数据核字（2015）第 296665 号

总 策 划： 金　旻

策划编辑： 徐小英

主要编辑： 徐小英　刘香瑞　李　伟　何　鹏　于界芬

美术编辑： 赵　芳

出版发行　中国林业出版社（100009　北京西城区刘海胡同 7 号）

http://lycb.forestry.gov.cn

E-mail:forestbook@163.com　电话：(010)83143515、83143543

设计制作　北京天放自动化技术开发公司

北京捷艺轩彩印制版有限公司

印刷装订　北京中科印刷有限公司

版　　次　2015 年 12 月第 1 版

印　　次　2015 年 12 月第 1 次

开　　本　787mm × 1092mm　1/16

字　　数　331 千字

印　　张　13

定　　价　95.00 元

中国湿地资源系列图书
编撰工作领导小组

顾　问： 陈宜瑜　李文华　刘兴土

组　长： 张永利

副组长： 马广仁

成　员：（按姓氏笔画排序）

王文宇　王忠武　王海洋　韦纯良　邓乃平　邓三龙
兰宏良　刘建武　刘艳玲　刘新池　李　兴　李三原
李永林　来景刚　吴　亚　张宗启　陆月星　陈则生
陈传进　陈俊光　林云举　呼　群　金　旻　金小麒
周光辉　降　初　孟　沙　侯新华　夏春胜　党晓勇
徐济德　奚克路　阎钢军　程中才　雷桂龙　蔡炳华
樊　辉

中国湿地资源系列图书
编撰工作领导小组办公室

主　任： 马广仁

副主任： 鲍达明　唐小平　熊智平　马洪兵

成　员： 王福田　姬文元　刘　平　闫宏伟　李　忠　田亚玲
王志臣　张阳武　但新球　刘世好　王　侠　徐小英

《中国湿地资源·湖南卷》
编辑委员会

主　　任：邓三龙

副 主 任：吴剑波

成　　员：周树怀　周国生　欧阳叙回　李昌珠　黄　勇
张灿明　陈红长　王福生　徐永新　李婷婷
杨海军　何　沙

《中国湿地资源·湖南卷》
编写组

主　　编：周树怀

副 主 编：陈红长　徐永新

编 著 者：李锡泉　田育新　李有志　牛艳东　吴小丽　徐佳奕
马丰丰　袁穗波　姚　敏　曾掌权　罗　佳　吴子剑

主　　审：李锡泉

地图绘制：杨海军　吴天乐

插图编绘：徐佳奕　吴小丽

照片摄影：陈凯军　韦宝玉　姚　毅　李剑志　梁春根　申福春
刘溅根　熊　伟　张翼飞　马金辉　张京明　朱辉峰
蒋志洲　阳冬华　周怀宽　周志刚　张翼飞　杨一九
刘军剑　赵志伟　蒋新国　张　帜　刘　衡　李锡鹏
但新球　徐永新　陶接来　陈建中　阿　康　郑运生
刘　科　李　钢　石述威　陈振坤　龙福云　梅亚丰
陈桐清　易立新　周　萍　宁　宇　易合成　张纪祥
王先柱　邵直芳　蒋本毛　王年生　肖冬日　陈　华

总 序

湿地是地球表层系统的重要组成部分，是自然界最具生产力的生态系统和人类文明的发祥地之一。在联合国环境规划署（UNEP）委托世界自然保护联盟（IUCN）编制的《世界自然资源保护大纲》中，湿地与森林和海洋一起并称为全球三大生态系统。湿地具有类型多样、分布广泛的特点；湿地更重要的是还具有多种供给、调节、支持与文化服务功能，是人类重要的生存环境和资源资本。湿地与人类生产生活和社会经济发展息息相关。湿地的重要性受到世界各国和国际社会的普遍关注。早在1971年，国际社会就建立了全球第一个政府间多边环境公约，即《关于特别是作为水禽栖息地的国际重要湿地公约》（简称《湿地公约》）。同时，该公约也是全球最早针对单一生态系统保护的国际公约。1992年中国加入《湿地公约》，自此我国湿地保护事业进入了新的发展时期。

我国加入《湿地公约》后，在国家林业局设立了专门的湿地保护和履约机构，对内负责组织、协调、指导和监督全国湿地保护工作，对外负责《湿地公约》的履约工作。近年来，中国各级政府在湿地保护方面开展了大量卓有成效的工作，采取了一系列保护和合理利用湿地资源的措施，在湿地保护规划和重点工程建设、财政补贴政策制定实施、法规制度建设、保护体系建设、科研监测、宣传教育和国际合作等方面取得了长足进步。但我国湿地生态系统仍然面临着盲目围垦与改造、污染、水土流失、泥沙淤积、生物资源过度利用等多种因素的破坏和威胁，导致面积减少，生态功能下降，生物多样性丧失。因此，切实保护和合理利用湿地资源，既是保障生态安全和国土安全的当务之急，更是中国实施可持续发展战略势在必行的要务。

开展湿地资源调查，摸清湿地资源家底，把握湿地资源动态，是所有湿地保护工作的基础，也是履行《湿地公约》各项工作的根基。2009～2013年，在中央财政的支持下，国家林业局组织开展了第二次全国湿地资源调查工作。在此期间，我有幸作为第二次全国湿地资源调查专家技术委员会的主任委员，和其他专家一起全程参与了此次湿地资源调查的主要技术环节和成果鉴定。

我认为此次调查具有以下几个特点：一是，此次调查的湿地分类、界定标准、调查方法基本与《湿地公约》规定相接轨，使得调查数据符合《湿地公约》的要求，调查成果易于被国际认可，便于国际间的对比和交流。二是，制定了内容全面、方法科学、符合国际标准的统一技术规程《全国湿地资源调查技术规程（试行）》，进行了同标准、同口径的分期分批调查。三是，本次调查利用“3S”技术与现地验证相结合的技术方法，查清了全国范围内（未包括香港、澳门、台湾）8公顷以上的湿地资源基本情况。四是，湿地调查分为一般调查和重点调查。重点调查包括，国际重要湿地、国家重要湿地、自然保护区（含自然保护小区）和湿地公园内的湿地以及其他特有、分布濒危物种和红树林等具有特殊保护价值的湿地。五是，组织保障有力。国家层面上，成立了第二次全国湿地资源调查领导小组、专家技术委员会、中央技术支撑单位和国家质量检查组；省级层面上，分别成立了湿地调查专职机构，组建了省级专业调查队伍。

需要指出的是，第二次全国湿地资源调查期间，我国湿地保护事业发展迅速。2009年，中央启动了"湿地生态效益补偿试点"工作；2010年开始，中央财政设立了湿地保护补助专项资金；2012年，党的十八大将建设生态文明纳入中国特色社会主义事业"五位一体"总体布局，提出要"扩大森林、湖泊、湿地面积，保护生物多样性"。期间，国家林业局会同相关部门认真实施了《全国湿地保护工程实施规划(2005～2010年)》和《全国湿地保护工程"十二五"实施规划》。2013年，国家林业局出台的《推进生态文明建设规划纲要》划定了湿地保护红线，到2020年中国湿地面积不少于8亿亩。2013年，国家林业局出台了第一部国家层面的湿地保护部门规章《湿地保护管理规定》。应该说，历时5年的湿地资源调查与同期湿地保护事业的发展，是休戚相关，相互促进的。

第二次全国湿地资源调查取得了丰硕成果。在全球范围内，我国率先完成了《湿地公约》倡导的国家湿地资源调查，首次科学、系统地查明了《湿地公约》所定义的我国湿地资源情况。建立了完整的全国湿地资源空间数据库和属性数据库，掌握了近10年来湿地资源动态变化情况，建立了稳定的湿地资源调查专业队伍和专家团队，形成了较为完整的湿地资源调查监测技术规范，完成了全国湿地资源总报告、分省报告和多个专题报告，编制了系列成果图。调查成果达到国际先进水平。

党的十八大对建设生态文明作出了全面部署，强调把生态文明建设放在突出地位，融入经济建设、政治建设、文化建设、社会建设各方面和全过程。在全国第二次湿地资源调查成果的基础上，系统编著形成了中国湿地资源系列图书，为新时期我国湿地保护事业奠定了坚实基础。希望本系列图书能够为我国湿地工作者在开展湿地研究、保护与合理利用工作时提供参考和借鉴。

中国科学院院士 [signature]

2015年9月

前　言

湖南湿地资源丰富，湖泊河流纵横三湘，湘资沅澧蜿蜒全境，浩荡洞庭湖北枕长江。根据《中国湿地资源 · 湖南卷》编制要求，对湖南省第二次调查的湿地包括面积为 8 公顷（含 8 公顷）以上的湖泊湿地、沼泽湿地、人工湿地以及宽度 10 米以上、长度 5 公里以上的河流湿地进行了资料收集和现场调查。《中国湿地资源 · 湖南卷》以《湖南省第二次湿地资源调查》资料为基础，经历了资料收集、现场查勘、核实数据、文本编制等一系列过程。编制历时一年有余，取得了以下几个方面的成果：

（1）通过区划、核实、调查，基本摸清了全省湿地资源的分布、类型、数量以及主要生态特征。湖南省湿地资源丰富，有河流湿地、湖泊湿地、沼泽湿地、人工湿地 4 个湿地类中的永久性河流、季节性或间歇性河流、洪泛平原湿地、永久性淡水湖、草本沼泽、灌丛沼泽、森林沼泽、沼泽化草甸、库塘、运河 / 输水河、水产养殖场等 11 个湿地型。全省湿地总面积 1019727.25 公顷，占全省国土总面积的 4.81%。其中，自然湿地面积 813484.66 公顷，占湿地总面积的 79.77%；人工湿地面积 206242.59 公顷，占湿地总面积的 20.23%。此外，根据《湖南农村统计年鉴（2010 年）》数据，湖南省还有水稻田 290.97 万公顷。

（2）湖南省湿地动植物资源丰富，共有湿地植物 491 种，隶属于 95 科 278 属。其中，苔藓植物 3 科 3 属 3 种，蕨类植物 10 科 12 属 17 种，裸子植物 1 科 3 属 4 种，被子植物 81 科 260 属 467 种（被子植物中双子叶植物 64 科 176 属 304 种，单子叶植物 17 科 84 属 163 种）。共有湿地脊椎动物 639 种，隶属于 5 纲 39 目 111 科 317 属。其中，鱼纲 11 目 24 科 102 属 205 种，两栖纲 2 目 9 科 28 属 63 种，爬行纲 3 目 8 科 27 属 39 种，鸟纲 16 目 56 科 132 属 286 种，哺乳纲 7 目 15 科 28 属 46 种。湿地无脊椎动物（贝、虾、蟹类）108 种，隶属于 3 纲 5 目 18 科。其中，腹足纲 1 目 8 科 37 种，瓣鳃纲 3 目 5 科 57 种，软甲纲 1 目 5 科 14 种。

（3）资源调查中新发现多个面积较大的山地沼泽湿地，丰富了湖南省湿地资源类型，如位于邵阳市城步县三浪田的山地沼泽湿地、株洲市炎陵县桃源洞山地沼泽湿地。其次，也发现了动植物新记录种，如在湖南石门、蓝山县新发现的窄叶泽泻，在城步县新发现的棒尾凤仙花、沼泽蕨等。

（4）系统而全面地建立了涵盖全省所有湿地在内的湿地资源数据库，包括湿地类型、面积、分布、野生动植物等多个方面，为进一步建设全省湿地资源管理信息平台奠定了基础，编写了《中国湿地资源 · 湖南卷》。

《中国湿地资源·湖南卷》的编写得到了国家林业局湿地保护管理中心、国家林业局调查规划设计院、国家林业局中南林业调查规划设计院、湖南省林业调查规划设计院、湖南省林业厅野生动物保护处及湖南省林业科学院等单位的大力支持。各市州、县（市、区）林业局技术人员对本书的编制也给予了技术支持和配合。在此，谨对参与调查的单位和人员一并表示衷心的感谢。

本书是在湖南省湿地资源调查报告的基础上修编而成的，难免有错漏不详之处，欢迎专家学者和业内人士批评指正。

《中国湿地资源·湖南卷》编辑委员会

2014 年 11 月

目　录

第一章 基本情况

第一节 自然概况

1 地理位置

湖南省位于长江中游南部，因大部分地区在洞庭湖之南，故名湖南。由于湘江贯穿全省南北，又简称为湘。自古，当地民众喜广植木芙蓉而又有“芙蓉国”之称。湖南东临江西，西接重庆、贵州，南毗广东、广西，北连湖北，辖13个地级市和1个自治州，共有县级行政区单位122个(包括34个市辖区、16个县级市、65个县、7个自治县)，省会设在长沙市。全省辖域面积21.1829万平方公里(占全国国土总面积的2.2%，居全国第10位)，地理位置为东经108°47′~114°15′，北纬24°38′~30°08′。

2 地质地貌

2.1 地　质

湖南分属两个大地构造单元，大致以罗翁绥宁大断裂向东北经安化、宁乡至长寿永安大断裂一线为界。其西北为扬子准地台的一部分，其东南为南华准地台的一部分。湖南有三大岩系(沉积岩、岩浆岩、变质岩)发育，晚元古代以后的地层出露齐全，地史上各期大的构造运动在湖南均表现明显，中、酸性岩浆活动强烈。有两组断裂带或深断裂带发育，一组呈北东向或北东东向深断裂带横贯全省；另一组是北北西和北北东远南北向的断裂带或深断裂带纵贯湘中和湘南地区。湖南地质构造复杂，区域地球化学条件良好，给外生矿床和内生矿床的生成提供了必要条件。

湖南受到三个地质成矿构造单元的控制：一为八面山褶皱区，地处湘西土家族苗族自治州和常德地区的西北部。区内地壳运动比较缓和，岩浆活动微弱，沉积作用普遍发育，主要矿产有磷、锰、铁、煤、汞、砷、铅、锌等。二为雪峰山隆起区(即江南地轴的一部分)，由湘桂黔边境伸向东北，经洞庭湖盆地东延出省，区内地层出露单一，主要为一老一新的沉积岩层和变质岩层，岩浆活动较弱，仅在东北端局部地区有较强的岩浆活动。区内主要矿产有磷、岩盐、芒硝、石膏、萤石、金刚石、砂矿、钨、锑、金、铅、锌、铜等。三为湘中、湘东南褶皱区，古生代海相碳酸盐岩沉积发育，岩浆活动极为频繁，多次侵入，形成许多大小不等的复式岩体或同期的多次侵入体，造成岩浆成矿作用的多期性和矿化作用的多样性，构成了湘中、湘东南两个大的成矿带，是湖南矿产资源高度富集地区。内生矿产有铅、锌、铜、钨、锡、钼、铋、锑、金及分散元素矿产；外生矿产有煤、铁、石墨、高岭土、石膏、岩盐、芒硝、耐火黏土及工业用的石灰岩。

2.2 地 貌

湖南处于云贵高原向江南丘陵和南岭山地向江汉平原的过渡地带，山丘平湖齐备、地形地貌复杂多样。全省东、南、西三面山地环绕，中部丘岗起伏，北部湖泊平原展布，形成向北开口的马蹄形地貌。东面是湘赣交界的罗霄山脉(含幕阜山、连云山、武功山、万洋山和诸广山等)，山体呈东北至西南走向，是湘江水系和赣江水系的分水岭，山峰海拔多在1000米以上，斗笠顶高达2052米；南面是五岭山脉(含大庾岭、骑田岭、萌渚岭、都庞岭、越城岭)，山体多呈东北至西南走向，为长江水系与珠江水系的分水岭，山峰海拔多在1000米以上；西面有雪峰山脉，走向为西南至东北，是资水、沅江的分水线，南段海拔1500米左右，最高峰2021米，北段海拔多在500～1000米之间；西北面为武陵山脉，呈东北至西南走向，海拔多在1000米以上，最高峰2099米；湘中大都为起伏的丘陵和岗地，地势南高北低，海拔大多在500米以下；湘北洞庭湖平原，一般海拔在45米以下，地表平坦，水道纵横，湖泊众多，是全省最平坦和地势最低的地区。

湖南省以山地、丘陵为主，其中，山地面积1084.90万公顷，占全省总面积的51.22%；丘陵面积326.27万公顷，占15.40%；岗地面积293.80万公顷，占13.87%；平原面积277.90万公顷，占13.12%；水面135.33万公顷，占6.39%(图1-1)。

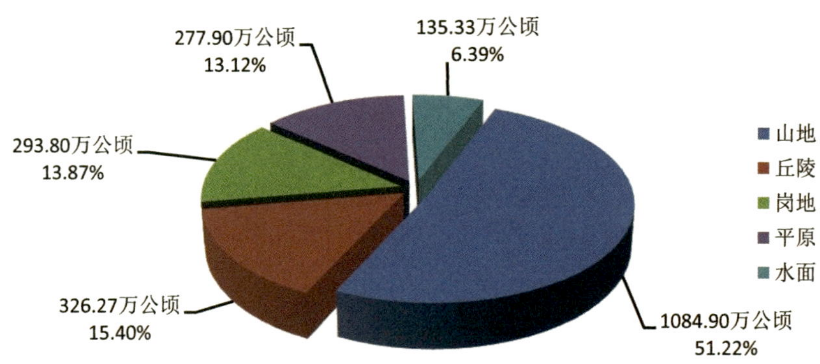

图1-1 湖南省地貌面积与比例构成

据地貌形态特征的区域性差异和分布状况，以及成因类型的不同，全省可大致分为以下6个地貌区域。

(1)湘西北褶皱侵蚀、溶蚀山原山地区：位于湖南省西北部，主要由碳酸盐岩构成，属云贵高原东北部地带，具山原地貌特征。山体高大，山势雄伟，山顶呈多级剥夷面，四周峡谷深切，边坡悬崖陡壁。

(2)湘西断褶侵蚀、剥蚀山地区：分布于雪峰山山脉及沅陵、麻阳一带，地貌形态上除中低山外尚有山间盆地的丘陵谷地。盆地丘陵低山多为红层及部分碳酸盐岩构成，岩溶地貌景观典型。

(3)湘南断褶侵蚀、溶蚀山地丘陵区：分布于湘南地区，由碳酸盐岩为主构成的丘陵坡地，分布较广，常为岭间盆地谷地地貌，岩溶地貌景观极为典型，部分地段发育成峰林平原或孤峰平原岩溶地貌。

(4)湘中断褶剥蚀、溶蚀丘陵区：位于湘中一带，其西部以碳酸盐岩组成的溶蚀丘陵为主，东部则以红层及碎屑岩等构成的剥蚀丘陵为主，并构成红层盆地。

(5)湘东断褶侵蚀、剥蚀山丘区：位于湖南东部，为由浅变质岩和岩浆岩构成的中、低山地貌和红层构成的岭间谷地丘陵地貌。

(6)湘北洞庭湖拗陷盆地堆积平原区：位于湘北，为第四系松散层堆积而成。

3　气　候

湖南属中亚热带季风湿润气候。受到大气环流的影响，冬季多为西伯利亚干冷气团控制，北方寒潮频频南下，致使湖南雨、雪、冰、霜俱全，北风盛吹，气候寒冷干燥；夏季为低纬度海洋暖湿气团所盘踞，盛吹东南风，温高湿重，降雨连连，当副热带高压周期性减弱东退时，如有冷空气侵入，常发生极不稳定的对流性天气。因此，7 月末到 8 月上旬为雷雨大风期；春季则由于冷暖气流的互相进退，气温升降剧烈；春末夏初处于冷暖气流交替过渡期，锋面与气团活动频繁，阴湿多雨，形成 4 ~6 月的梅雨天气。加之受复杂地形的影响，全省具有“春温多变，阴湿多雨；夏热期长，温高湿重；秋季多旱；冬寒期短”的气候现象。长沙市气候平均数据见表 1-1。

表 1-1　湖南省长沙市气候平均数据

长沙市(平均数据 1987 ~2010 年，极端数据 1951 ~2010 年)气候平均数据													
月份	1 月	2 月	3 月	4 月	5 月	6 月	7 月	8 月	9 月	10 月	11 月	12 月	全年
极端高温 ℃(℉)	26.9 (80.4)	30.6 (87.1)	32.7 (90.9)	36.1 (97)	36.3 (97.3)	38.2 (100.8)	39.7 (103.5)	40.6 (105.1)	38.2 (100.8)	34.8 (94.6)	30.9 (87.6)	24.9 (76.8)	40.6 (105.1)
平均高温 ℃(℉)	8.4 (47.1)	11.2 (52.2)	15.3 (59.5)	22.0 (71.6)	26.9 (80.4)	30.1 (86.2)	33.5 (92.3)	32.6 (90.7)	28.4 (83.1)	23.3 (73.9)	17.6 (63.7)	11.8 (53.2)	21.8 (71.2)
平均气温 ℃(℉)	5.1 (41.2)	7.6 (45.7)	11.3 (52.3)	17.6 (63.7)	22.4 (72.3)	25.9 (78.6)	29.2 (84.6)	28.3 (82.9)	24.0 (75.2)	18.6 (65.5)	12.9 (55.2)	7.6 (45.7)	17.5 (63.5)
平均低温 ℃(℉)	2.7 (36.9)	5.0 (41)	8.5 (47.3)	14.3 (57.7)	19.1 (66.4)	22.8 (73)	25.9 (78.6)	25.1 (77.2)	20.9 (69.6)	15.4 (59.7)	9.6 (49.3)	4.6 (40.3)	14.5 (58.1)
极端低温 ℃(℉)	-9.5 (14.9)	-11.3 (11.7)	-2.3 (27.9)	1.9 (35.4)	8.9 (48)	13.1 (55.6)	18.9 (66)	16.7 (62.1)	11.8 (53.2)	2.4 (36.3)	-2.8 (27)	-10.3 (13.5)	-11.3 (11.7)
降水量 (mm)	79.8	94.4	141.9	185.4	193.1	225.0	161.9	114.7	82.4	67.6	73.3	49.3	1468.8
相对湿度 (%)	81	81	80	79	79	81	74	78	80	79	77	77	78.8
平均降水日数 (≥ 0.1 mm)	14.2	14.1	17.4	16.4	15.9	14.2	10.3	10.5	8.4	9.9	8.5	9.8	149.6
日照时数	60.4	60.1	76.8	107.5	138.1	146.1	227.9	204.2	150.6	131.9	119.6	101.2	1524.4

注：该气候平均数据为望城坡气象站(站号 57687)1987 ~2010 年的数据，极端数据还包括马坡岭气象站(站号 57679)1951 ~1986 年的数据。长沙的国际交换站已于 1987 年从马坡岭迁到望城坡。

湖南年平均气温 16～18℃，1 月最冷，月平均气温 4～7℃，7 月最热，月平均气温 26.5～30℃，≥10℃的活动积温 5000～5800℃，全年无霜期 260～310 天。年日照时数 1300～1800 小时，年降水量 1300～1800 毫米，年蒸发量 700～1000 毫米。由于湖南省的自然条件和气候差异，导致降水量时空分布不均。雪峰山、南岭、武陵山为多雨地区，可达 1800～3200 毫米，且春夏之交多暴雨，4～6 月降水占全年降水量的 40%，常有伏旱、秋旱现象。

4 水 文

湖南水系发育完整，河流众多，河网密布。全省长度 5 公里以上的河流有 5341 条，总长度 9 万公里；长度 50 公里以上的 185 条，总长 4.3 万余公里。多年平均径流量为每年 2330.04 亿立方米。流域面积大于 5000 平方公里的河流有 17 条，分属长江和珠江两大流域。水文以长江流域的洞庭湖水系为主，主要支流有湘、资、沅、澧四大水系，其流域面积占全省总面积的 96.7%，仅有 3.3% 的面积属于珠江流域和长江流域的鄱阳湖、黄盖湖水系。

湖南省内主要河流多来源于东、南、西边境的山地。湘、资两大水系由南向北，沅水自西南向东北，澧水自西向东，新墙河与汨罗江由东向西分别注入洞庭湖。湘江是湖南最大的河流，也是长江七大支流之一。

洞庭湖是全省最大的湖泊，也是我国第二大淡水湖。它吞吐长江，接纳四水，北通巫峡，南及潇湘，源远流长，海拔高程一般在 25～50 米。洞庭湖除接纳湘、资、沅、澧、汨罗江、新墙河水外，还通过松滋、太平、藕池三口分泄长江水入湖，天然湖泊面积 2691 平方公里，洪道面积 1258 平方公里。

5 土 壤

根据《中国土壤分类与代码》(GB/T17296—2000)和《湖南土壤》(农业出版社，1989 年 5 月)，湖南土壤共划分为 11 个土类：红壤、黄壤、黄棕壤、石灰(岩)土、紫色土、粗骨土、石质土、潮土、山地草甸土、沼泽土、水稻土。

湖南土壤可分为地带性土壤和非地带性土壤。地带性土壤主要是红壤、黄壤、黄棕壤等，大致以武陵—雪峰山东麓一线划界，此线以东红壤为主，以西黄壤为主。地带性土壤垂直分布也很明显，一般是海拔 500 米以下为红壤，海拔 500～700 米为黄红壤，海拔 700～1000 米为山地黄壤，海拔 1000 米以上为山地黄棕壤和山地灌丛草甸土。非地带性土壤主要有潮土、水稻土、石灰土和紫色土等。

红壤是全省的主要土壤，面积约占全省土地总面积的 36.8%。红壤土层深厚，酸性强，富含铁、铝，含有机质少，养分缺乏，肥力较低，主要分布于武陵—雪峰山以东的丘陵山麓及湘、资两水流域，宜于发展油茶、茶叶、柑橘等经济作物。黄壤面积占全省土地总面积的 15.4%，主要分布于雪峰山、南岭山区，呈酸性，自然肥力比红壤高。潮土是由江河、湖泊沉积物形成，土层深厚，质地适中，养分丰富，适应性较广，大部分已发育为水稻土，占全省土地总面积的 2.5%。水稻土是湖南省的主要农用土壤，占全省土地总面积的 19%，一般层次明显，有犁底层，有机质含量 2.3%，铁活动性强。水稻土和潮土分布于洞庭湖地区和湘、资、沅、澧四水流域沿岸，适宜发展水稻、棉花、麻类、油菜等农作物。石灰土面积占全省土地总面积的 6.9%，主要分布于西北部的武陵山地区。湘中和湘南的石灰岩地区，表土近中性，石灰含量丰富，适宜油桐、乌桕、生漆和柏木等生长。紫色土面积约133.33万公顷，占全省土地面积的6.3%，主要分布于衡阳盆地和沅麻盆地，富含磷、钾，宜于经济作物生长。沼泽土是在特殊条件下形成的一种水成土壤，全省分布少，约0.25万亩，分布零散，主要分布在山区峰峦重叠的山间汇水盆地或峰丛溪谷沿岸局部排水不畅的低湿地段。

6　动植物概况

湖南属中亚热带季风湿润气候区，植被类型有常绿阔叶林带、常绿落叶与阔叶混交林带、落叶阔叶林带和山顶苔藓矮林带，具有明显过渡性特点。动物地理区划上属于古北界华北区和东洋界华中区的交汇区，动物区系较古老，古北界成分和东洋界成分兼有。

6.1　植物概况

6.1.1　植物种类

湖南植物资源种类丰富，现有维管束植物266科1553属6500余种，其中种子植物6100余种，占全国种子植物总数的21.68%；木本植物2380种，列为国家Ⅰ、Ⅱ级保护的植物43种。按用途分，有药用植物1700余种，纤维植物157种，油料植物189种，淀粉植物109种，化工原料类植物41种，果用植物41种，青饲料类植物349种。优良的用材林、经济林和农作物品种繁多。

6.1.2　植被概况

湖南属中亚热带季风湿润气候区，森林植被具有明显的过渡性特点。根据吴征镒先生主编的《中国植被》中的区划方案，湖南森林植被属“Ⅳ(亚热带常绿阔叶林)—ⅣA(东部常绿阔叶林亚)—ⅣAii(中亚热带常绿阔叶林)”。而根据祁承经等主编的《湖南植被》的划分，湖南的中亚热带常绿阔叶林可划分为2个植被亚地带，5个植被区，18个植被小区。而按照植被型组—植被型—群系(丛)的三级划分单位与方法，湖南森林生态系统共有7个植被型组13个植被型202个群系。13个植被型包括常绿阔叶林(34种群系)，常绿、落叶阔叶混交林(20种群系)，落叶阔叶林(17种群系)，山顶矮林(7种群系)，竹林(13种群系)，针叶林(17种群系，其中低山针叶林6种，中山针叶林11种)，针阔混交林(27种群系，其中低山针阔混交林12种，中山针阔混交林15种)，灌丛(16种群系)，灌草丛(6种群系)，草甸植被(14种群系)，沼泽植被(10种群系)，水生植被(20种群系)，沙生植被(1种群系)。

6.2　动物概况

湖南省野生动物资源极为丰富。据文献资料表明，全省共有哺乳动物89余种，鸟类437种，爬行类89种，两栖类动物63种，鱼类205种。另根据“国家陆生野生动物资源调查”，结合相关文献，确定湖南省有(或曾有)自然分布的国家重点保护野生动物54种，其中国家Ⅰ级保护野生动物10种，国家Ⅱ级保护野生动物54种。

据全省第二次湿地资源调查，湖南省湿地脊椎动物有639种，隶属于5纲39目111科317属。其中鱼纲11目24科102属205种，两栖纲2目9科28属63种，爬行纲3目8科27属39种，鸟纲16目56科132属286种，哺乳纲7目15科28属46种。

6.2.1 鸟 类

湖南省湿地鸟类共有286种，隶属于16目56科，占湖南鸟类的65.45%。湿地鸟类中，属于国家重点保护的鸟类有41种，国家Ⅰ级保护鸟类6种，包括中华秋沙鸭、白尾海雕、白鹤、白头鹤、黑鹳和大鸨。国家Ⅱ级保护鸟类有赤颈䴙䴘、卷羽鹈鹕、红胸黑雁、白额雁、小天鹅、大天鹅等35种。

6.2.2 鱼 类

湖南共有鱼类205种，属11目24科102属，约占全国鱼类总数4621种的4.44%。其中鳗鲡目、颌针合鳃鱼目和鲀形目鱼类种类较少，均为1种，分属1目1科；而鲤形目鱼类最多，共计134种，分属4科72属。据全省第二次湿地资源调查，自然分布的鱼类分属上述11目23科205种，占全省所有鱼类数量的100%。其中，属于国家Ⅰ级保护的鱼类有2种，即中华鲟和白鲟。国家Ⅱ级保护鱼类有1种，即胭脂鱼，该物种也是《濒危野生动植物种国际贸易公约》(简称《国际贸易公约》)附录Ⅱ的保护物种。

6.2.3 两栖类

湖南省共有两栖动物63种，属2目9科28属，占全国两栖动物种数的20%。其中，有尾目有3科7属9种，无尾目有6科21属54种。两栖动物中，国家Ⅱ级保护动物有大鲵、细痣疣螈和虎纹蛙3种，湖南省特有种有挂榜山小鲵、桑植角蟾、尾突角蟾、莽山角蟾、华西雨蛙、寒露林蛙和桑植趾沟蛙7种。此外，还有41种中国特有种，其数量占湖南两栖动物的65.1%。据全省第二次湿地调查，两栖动物63种均来自湿地。

6.2.4 爬行类

湖南省共有爬行动物89种，分属3目15科，占全国爬行动物总物种数的21.87%。据全省第二次湿地调查数据，属于湿地爬行类的有39种，隶属于3目8科，占省内爬行动物总物种数的43.82%。在湖南省湿地爬行动物中，有3种是《国际贸易公约》附录Ⅱ的保护物种，即黄缘闭壳龟、滑鼠蛇和眼镜蛇，有6种属中国特有物种，即股鳞蜓蜥、北草蜥、黑链(坡普)游蛇、山溪后棱蛇、环纹华游蛇和乌梢蛇，其数量占全省爬行动物总物种数的15.38%。

6.2.5 哺乳类

湖南省共有哺乳类89种，分属9目26科，占全国哺乳动物总物种数的15.32%。据全省第二次湿地调查数据，分布于湖南省湿地的哺乳类动物有46种，隶属于7目15科28属。其中，国家Ⅰ级保护动物2种，即麋鹿和白鳍豚。国家Ⅱ级保护动物5种，即獐、水鹿、江豚、水獭和小灵猫。

第二节 社会经济状况

1 行政区划、人口、民族

湖南省国土面积21.18万平方公里，辖长沙、株洲、湘潭、衡阳、邵阳、岳阳、常德、张家界、益阳、郴州、永州、怀化、娄底和湘西土家族苗族自治州等14个市州，地级市及自治州下设122县(市、区)，其中市辖区34个、县级市16个、65个县、7个自治县等。湖南简称“湘”，省会长沙(表1-2)。

至2009年年末，湖南省常住人口6900.2万人，比上年增加55万，增长0.58%(表1-3)。其中，城镇人口2980.89万人，城镇化率43.2%。全年出生率1.3%，死亡率0.69%，人口自然增长率0.6%。年末从业人员3935.21.0万人，比上年末增加25.15万人。

表1-2 湖南省行政区划

省辖市	县(市、区)名称
长沙市	岳麓区、芙蓉区、天心区、开福区、雨花区、望城县、长沙县、浏阳市、宁乡县
株洲市	天元区、荷塘区、芦淞区、石峰区、醴陵市、株洲县、炎陵县、茶陵县、攸县
湘潭市	岳塘区、雨湖区、湘潭县、湘乡市、韶山市
衡阳市	雁峰区、珠晖区、石鼓区、蒸湘区、南岳区、常宁市、耒阳市、衡阳县、衡东县、衡山县、衡南县、祁东县
邵阳市	双清区、大祥区、北塔区、武冈市、邵东县、洞口县、新邵县、绥宁县、新宁县、邵阳县、隆回县、城步苗族自治县
岳阳市	岳阳楼区、君山区、云溪区、临湘市、汨罗市、岳阳县、湘阴县、平江县、华容县
常德市	鼎城区、武陵区、津市市、澧县、临澧县、桃源县、汉寿县、安乡县、石门县
张家界市	永定区、武陵源区、慈利县、桑植县
益阳市	赫山区、资阳区、沅江市、桃江县、南县、安化县
娄底市	娄星区、冷水江市、涟源市、新化县、双峰县
郴州市	苏仙区、北湖区、资兴市、宜章县、汝城县、安仁县、嘉禾县、临武县、桂东县、永兴县、桂阳县
永州市	零陵区、冷水滩区、祁阳县、蓝山县、宁远县、新田县、东安县、江永县、道县、双牌县、江华瑶族自治县
怀化市	鹤城区、洪江市、会同县、沅陵县、辰溪县、溆浦县、中方县、新晃侗族自治县、芷江侗族自治县、通道侗族自治县、靖州苗族侗族自治县、麻阳苗族自治县
湘西土家族苗族自治州	吉首市、古丈县、龙山县、永顺县、凤凰县、泸溪县、保靖县、花垣县

湖南是多民族省份，有汉族、土家族、苗族、瑶族、侗族、白族、回族等51个民族。其中世居的有汉、苗、土家、侗、瑶、回、壮、白族等9个民族。据2000年第五次人口普查结果，全省总人口中，汉族人口为5782.54万人，占89.79%；各少数民族人口为657.53万人，占10.21%，大多聚居于湘西、湘南和湘东山区，少数杂居在湖南省各地。在少数民族中，以苗族和土家族人口最多，主要居于湘西北，建立有湘西土家族苗族自治州。

表 1-3 2009 年年末常住人口数及构成

指　标	年末数(万人)	比重(%)
常住人口	6900.2	100
城镇	2980.89	43.2
乡村	3919.31	56.8
男性	3583.24	51.93
女性	3316.96	48.07

2 经济发展及工、农业生产情况

据《湖南省 2009 年国民经济和社会发展统计公报》，2009 年，湖南省地区生产总值 12930.69 亿元，比上年增长 13.6%。其中，第一产业增加值 1969.67 亿元，增长 5.0%；第二产业增加值 5682.19 亿元，增长 18.9%；第三产业增加值 5278.83 亿元，增长 11.0%。按常住人口计算，人均地区生产总值 20226 元，增长 13.1%。财政总收入达到 1504.58 亿元，比上年增长 14.5%。

工业生产保持增长。全省工业增加值 4814.40 亿元，比上年增长 18.5%。其中，规模以上工业企业完成增加值 4250.06 亿元，比上年增长 20.5%。在规模以上工业中，轻、重工业增加值 1394.52 亿元、2855.54 亿元，分别增长 19.6% 和 20.9%。国有及国有控股企业工业增加值 1439.37 亿元，增长 10.6%；集体工业增加值 86.81 亿元，增长 10.2%；股份制工业增加值 2425.67 亿元，增长 22.6%；外商及港澳台投资工业增加值 298.21 亿元，增长 16.3%。

农业生产稳定发展。2009 年，全省粮食总产量突破 300 亿公斤，比上年增长 3.5%，实现连续 6 年增产。油料作物产量增长 34.0%；蔬菜产量增长 10.3%；烟叶产量增长 12.7%；棉花种植面积减少 12.3%，产量减少 2.2%。肉类总产量增长 4.7%，其中牛肉产量增长 6.7%，羊肉产量增长 0.8%，禽肉产量增长 7.6%。禽蛋产量增长 5.2%，牛奶产量增长 2%。水产养殖面积增长 3.4%，水产品产量增长 5.6%。

现代农业加快发展。全省农产品加工企业 4.8 万家，增长 2.3%，实现销售收入 2560 亿元。315 家国家级、省级龙头企业销售收入 1500 亿元，增长 25.5%，实现利润 55.8 亿元，增长 14.8%。农业休闲企业经营收入 47 亿元，增长 23.7%。农民专业合作组织 9275 个，增长 10.3%，合作组织成员 140 万户。

第二章 湿地类型

第一节 湿地类型与面积

1 概 述

1.1 湿地概述

湖南省位于河流水网发达、湖泊及库塘众多的长江中游南部。特有的地貌孕育了丰富多样的湿地类型，有河流湿地、湖泊湿地、沼泽湿地、人工湿地 4 大湿地类，有永久性河流、季节性或间歇性河流、洪泛平原湿地、永久性淡水湖、草本沼泽、灌丛沼泽、森林沼泽、沼泽化草甸、库塘、运河/输水河、水产养殖场等 11 个湿地型。

湖南省湿地(表2-1、图2-1))总面积为1019727.25 公顷，占全省国土总面积的4.81%。其中，

表 2-1　湖南省湿地概况(公顷)

湿地类	湿地型	湿地型面积	湿地型比例(%)	湿地类面积	湿地类比例(%)
河流湿地	永久性河流	381758.03	37.44	398399.40	39.07
	季节性或间歇性河流	328.07	0.03		
	洪泛平原湿地	16313.30	1.60		
湖泊湿地	永久性淡水湖	385797.72	37.83	385797.72	37.83
沼泽湿地	草本沼泽	21976.25	2.16	29287.54	2.87
	灌丛沼泽	115.18	0.01		
	森林沼泽	7046.35	0.69		
	沼泽化草甸	149.76	0.01		
人工湿地	库塘	120477.47	11.81	206242.59	20.23
	运河/输水河	49920.80	4.90		
	水产养殖场	35844.32	3.52		
合 计		1019727.25	100	1019727.25	100

自然湿地(湖泊湿地、河流湿地、沼泽湿地)面积为813484.66公顷，占湿地总面积的79.77%；人工湿地面积206242.59公顷，占湿地总面积的20.23%。

此外，根据《湖南农村统计年鉴(2010年)》数据，湖南省还有水稻田湿地类型，面积290.97万公顷。

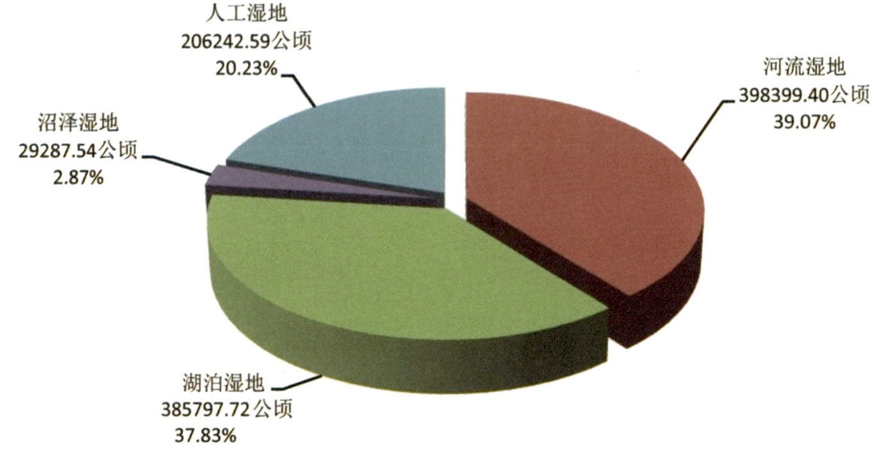

图2-1　湖南省湿地类面积与比例构成

1.2　各湿地类型的湿地面积

湖南省共有湿地4类11型，自然湿地有河流湿地(图2-2)、湖泊湿地、沼泽湿地(图2-3)3类8型，人工湿地有库塘、运河/输水河、水产养殖场3型(图2-4)。

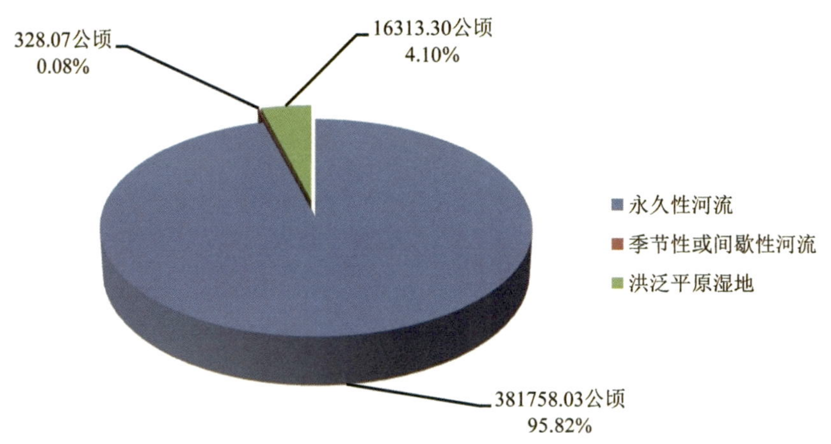

图2-2　湖南省河流湿地各湿地型面积与比例构成

在湿地类中，湖南省河流湿地面积有398399.40公顷，占湿地总面积的39.07%；湖泊湿地面积385797.72公顷，占37.83%；沼泽湿地面积29287.54公顷，占2.87%；人工湿地面积206242.59公顷，占20.23%。

在湿地型中，湖南省有永久性河流381758.03公顷，占湿地总面积的37.44%；季节性或间歇性河流328.07公顷，占0.03%；洪泛平原湿地16313.30公顷，占1.60%；永久性淡水湖385797.72公顷，占37.83%；草本沼泽21976.25公顷，占2.16%；灌丛沼泽115.18公顷，占

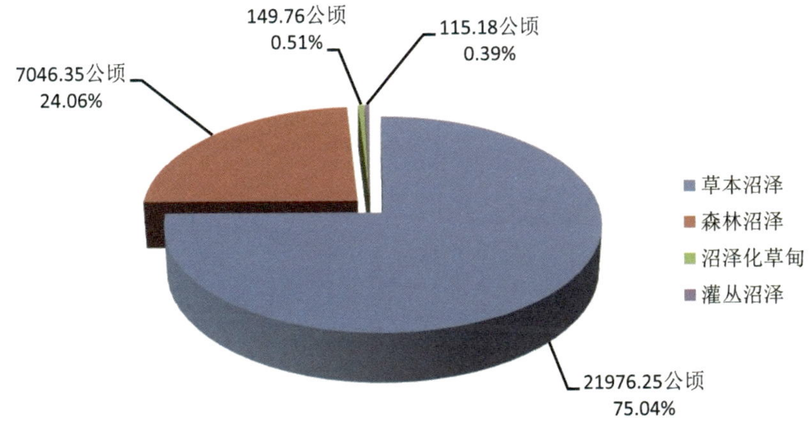

图 **2-3**　湖南省沼泽湿地各湿地型面积与比例构成

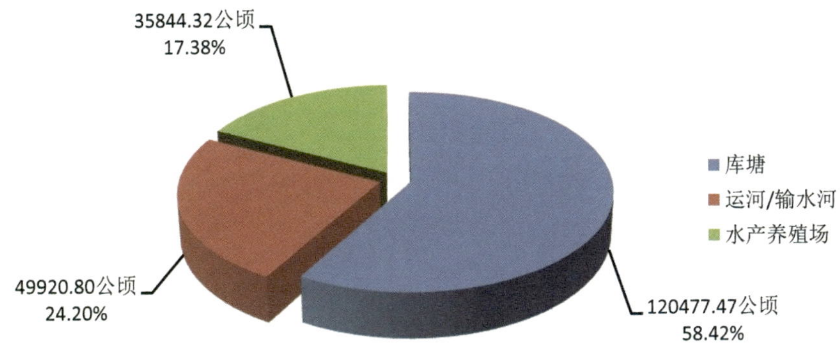

图 **2-4**　湖南省人工湿地各湿地型面积与比例构成

0.01%；森林沼泽 7046.35 公顷，占 0.69%；沼泽化草甸 149.76 公顷，占 0.01%；库塘 120477.47 公顷，占 11.81%；运河/输水河 49920.80 公顷，占 4.90%；水产养殖场 35844.32 公顷，占 3.52%（图 2-5）。

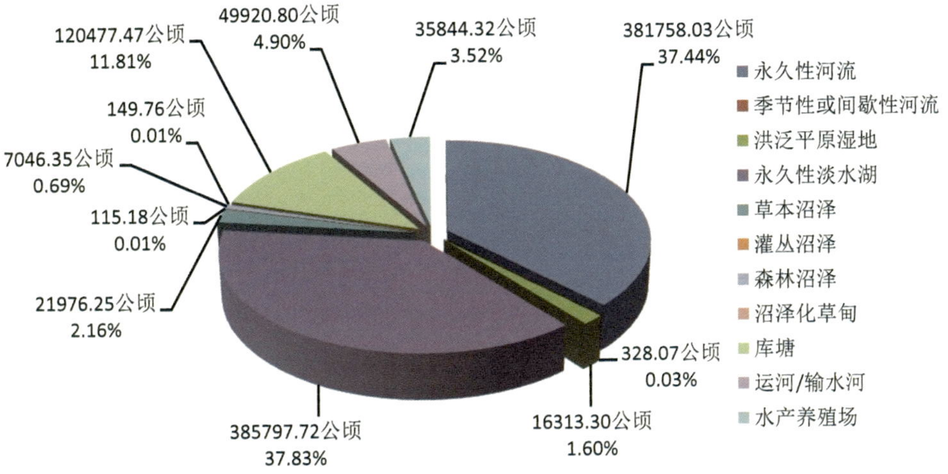

图 **2-5**　湖南省湿地型面积与比例构成

1.3 各湿地区的湿地类及面积

根据《全国湿地资源调查技术规程(试行)》和《湖南省第二次湿地资源调查实施细则》要求,全省划为131个湿地区,其中单独湿地区13个,零星湿地区118个(表2-2)。在单独区划的湿地区中,洞庭湖湿地区面积最大,湘江湿地区次之,沅江湿地区再次。河流湿地面积最大的是洞庭湖湿地区和湘江湿地区;湖泊湿地主要分布于洞庭湖湿地区;沼泽湿地主要集中于洞庭湖湿地区、湘江湿地区以及华容零星湿地区;人工湿地在各个湿地区皆有分布,以洞庭湖湿地区分布面积最大。

表2-2 湖南省各湿地区湿地类面积概况(公顷)

序号	湿地类 湿地区名称	河流湿地	湖泊湿地	沼泽湿地	人工湿地	合计
1	洞庭湖湿地区	50997.19	352048.90	16161.64	48482.82	467690.55
2	湘江湿地区	37748.85	708.46	4443.35	31.97	42932.63
3	资江湿地区	13390.27		409.22		13799.49
4	沅江湿地区	20708.27		727.90		21436.17
5	澧水湿地区	8878.59		183.01	173.79	9235.39
6	柘溪水库湿地区	1422.63		10.33	9879.45	11312.41
7	东江水库湿地区	1268.13			14449.15	15717.28
8	欧阳海水库湿地区	279.37			2910.30	3189.67
9	五强溪水库湿地区	13384.41			425.25	13809.66
10	水府庙湿地区		82.50		2968.94	3051.44
11	洋沙湖-东湖湿地区	551.85	502.53	109.02	160.55	1323.95
12	凤滩水库湿地区	1252.15			1828.39	3080.54
13	江口鸟洲湿地区	122.12				122.12
14	芙蓉区零星湿地区	130.48			108.96	239.44
15	天心区零星湿地区	12.83			148.46	161.29
16	岳麓区零星湿地区	237.69	116.09		135.69	489.47
17	开福区零星湿地区	432.16			494.65	926.81
18	雨花区零星湿地区	312.70			43.08	355.78
19	长沙县零星湿地区	1922.89	1379.58		1830.45	5132.92
20	望城县零星湿地区	5994.47	2764.79	572.68	12.97	2644.03
21	宁乡县零星湿地区	4596.11	232.16		2573.51	7401.78
22	浏阳市零星湿地区	8310.22	11.21	27.64	2055.46	10404.53
23	荷塘区零星湿地区	54.98	25.59		150.35	230.92

（续）

序　号	湿地类 / 湿地区名称	河流湿地	湖泊湿地	沼泽湿地	人工湿地	合　计
24	芦淞区零星湿地区	44.18	41.54		23.68	109.40
25	石峰区零星湿地区	126.92	49.14		291.73	467.79
26	天元区零星湿地区	89.60			15.06	104.66
27	株洲县零星湿地区	1702.88	62.04		1208.89	2973.81
28	攸县零星湿地区	4159.30	330.91	113.44	3641.44	8245.09
29	茶陵县零星湿地区	4710.17	30.58	13.73	1043.92	5798.40
30	炎陵县零星湿地区	3297.26		197.62	104.79	3599.67
31	醴陵市零星湿地区	3946.91		8.05	2216.24	6171.20
32	雨湖区零星湿地区	74.90	23.56		103.74	202.20
33	岳塘区零星湿地区	148.33	105.60		84.76	338.69
34	湘潭县零星湿地区	2991.04	250.11		2707.14	5948.29
35	湘乡市零星湿地区	3016.10	66.91		1602.11	4685.12
36	韶山市零星湿地区	95.49			130.48	225.97
37	珠晖区零星湿地区	542.42	144.46		321.05	1007.93
38	雁峰区零星湿地区		69.33		270.94	340.27
39	石鼓区零星湿地区	65.38	103.14		177.42	345.94
40	蒸湘区零星湿地区	164.05	354.31		150.04	668.40
41	南岳区零星湿地区	142.36			30.22	172.58
42	衡阳县零星湿地区	2909.99	442.06		3349.13	6701.18
43	衡南县零星湿地区	3209.05	200.81		2582.24	5992.10
44	衡山县零星湿地区	917.88	27.84		570.71	1516.43
45	衡东县零星湿地区	3991.78	434.16		1792.34	6218.28
46	祁东县零星湿地区	1572.22	82.52		1891.98	3546.72
47	耒阳市零星湿地区	4581.36	8.89		1814.49	6404.74
48	常宁市零星湿地区	2795.18	47.53		2095.92	4938.63
49	双清区零星湿地区	160.26			36.63	196.89
50	大祥区零星湿地区	244.67			221.14	465.81
51	北塔区零星湿地区	44.71			123.27	167.98
52	邵东县零星湿地区	1767.52			1839.57	3607.09
53	新邵县零星湿地区	1427.95			784.57	2212.52
54	邵阳县零星湿地区	1851.64			1447.51	3299.15

（续）

序 号	湿地类 湿地区名称	河流湿地	湖泊湿地	沼泽湿地	人工湿地	合 计
55	隆回县零星湿地区	3550.09	8.31	63.94	1716.20	5338.54
56	洞口县零星湿地区	4433.51	8.47	307.81	1361.35	6111.14
57	绥宁县零星湿地区	3786.67			219.99	4006.66
58	新宁县零星湿地区	1810.71	9.42		1005.63	2825.76
59	城步苗族自治县零星湿地区	3178.10	515.61	58.71	315.96	4068.38
60	武冈市零星湿地区	2083.59		21.47	1263.02	3368.08
61	岳阳楼零星湿地区	15.07	9.85		118.90	143.82
62	云溪区零星湿地区	1241.89	2504.11	14.85	389.18	4150.03
63	岳阳县零星湿地区	2058.00	244.51		4749.48	7051.99
64	华容县零星湿地区	2919.50	2747.33	2398.98	1383.13	9448.94
65	湘阴县零星湿地区	419.06	2679.98	826.76	1103.01	5028.81
66	平江县零星湿地区	6255.94			1409.03	7664.97
67	汨罗市零星湿地区	1248.05	59.71		1406.47	2714.23
68	临湘市零星湿地区	4264.62	7736.62	102.53	1459.10	13562.87
69	武陵区零星湿地区	326.81	1400.90	32.34	445.68	2205.73
70	鼎城区零星湿地区	1028.20	607.34		3317.61	4953.15
71	汉寿县零星湿地区	555.70			957.42	1513.12
72	澧县零星湿地区	1250.22	709.76	62.21	4778.43	6800.62
73	临澧县零星湿地区	927.39	201.53		2989.36	4118.28
74	桃源县零星湿地区	5345.10	289.25		4115.81	9750.16
75	石门县零星湿地区	3237.33	65.19		4572.71	7875.23
76	津市零星湿地区	311.55	901.67	288.81	185.61	1687.64
77	永定区零星湿地区	1671.98			437.29	2109.27
78	武陵源零星湿地区	189.17	13.46		168.38	371.01
79	慈利县零星湿地区	2847.36	11.57	59.74	3919.92	6838.59
80	桑植县零星湿地区	3177.85	22.43		198.84	3399.12
81	资阳区零星湿地区	126.47	261.47		550.62	938.56
82	赫山区零星湿地区	3783.99	5046.94	469.16	3313.73	12613.82
83	桃江县零星湿地区	1872.28			1559.88	3432.16
84	安化县零星湿地区	3262.08	11.83		464.36	3738.27
85	北湖区零星湿地区	671.74	37.87	67.32	528.62	1305.55

（续）

序号	湿地类 / 湿地区名称	河流湿地	湖泊湿地	沼泽湿地	人工湿地	合计
86	苏仙区零星湿地区	2029.27	212.78		961.75	3203.80
87	桂阳县零星湿地区	2109.96	18.90		1625.63	3754.49
88	宜章县零星湿地区	2320.79	12.64	26.37	491.82	2851.62
89	永兴县零星湿地区	2810.27	46.38		1300.46	4157.11
90	嘉禾县零星湿地区	986.37	24.13		1009.50	2020.00
91	临武县零星湿地区	1484.42	25.98		536.72	2047.12
92	汝城县零星湿地区	2976.34			595.23	3571.57
93	桂东县零星湿地区	1710.24			72.16	1782.40
94	安仁县零星湿地区	2042.04	13.80		1712.74	3768.58
95	资兴市零星湿地区	980.81	154.95		704.19	1839.95
96	零陵区零星湿地区	3075.84	93.23	179.56	718.26	4066.89
97	冷水滩零星湿地区	839.31	48.68		696.40	1584.39
98	祁阳县零星湿地区	2766.04		124.71	1348.88	4239.63
99	东安县零星湿地区	1794.73	147.19	17.86	959.43	2919.21
100	双牌县零星湿地区	2381.55	8.45	44.74	1458.26	3893.00
101	道县零星湿地区	4144.09	67.40	471.54	841.48	5524.51
102	江永县零星湿地区	1672.13		58.67	644.07	2374.87
103	宁远县零星湿地区	2832.68	8.89	32.95	885.54	3760.06
104	蓝山县零星湿地区	1914.08			335.02	2249.10
105	新田县零星湿地区	969.90			934.80	1904.70
106	江华瑶族自治县零星湿地区	4055.84	76.15	170.84	962.17	5265.00
107	鹤城区零星湿地区	917.17			417.45	1334.62
108	洪江市零星湿地区	1761.54		108.74	608.73	2479.01
109	中方县零星湿地区	5907.91			277.60	6185.51
110	沅陵县零星湿地区	1847.76		173.39	649.17	2670.32
111	辰溪县零星湿地区	4822.55			901.89	5724.44
112	溆浦县零星湿地区	4072.73			116.49	4189.22
113	会同县零星湿地区	3639.15		381.78	504.54	4525.47
114	麻阳苗族自治县零星湿地区	1892.97			205.49	2098.46
115	新晃侗族自治县零星湿地区	3827.28		79.03	850.18	4756.49
116	芷江侗族自治县零星湿地区	3197.93			658.50	3856.43

（续）

序 号	湿地类 湿地区名称	河流湿地	湖泊湿地	沼泽湿地	人工湿地	合 计
117	靖州苗族侗族自治县零星湿地区	3046.93			326.93	3373.86
118	通道侗族自治县零星湿地区	2707.43	8.78	224.81	827.67	3768.69
119	娄星区零星湿地区	837.92	20.79		104.31	963.02
120	双峰县零星湿地区	2222.69			819.98	3042.67
121	新化县零星湿地区	3268.77	75.37		1304.96	4649.10
122	冷水江零星湿地区	244.69			196.30	440.99
123	涟源市零星湿地区	2051.42	17.39		1263.62	3332.43
124	吉首市零星湿地区	2013.18			163.03	2176.21
125	泸溪县零星湿地区	2190.30			533.85	2724.15
126	凤凰县零星湿地区	1675.62	34.34		654.36	2364.32
127	花垣县零星湿地区	1212.53	11.51		228.52	1452.56
128	保靖县零星湿地区	2372.83			256.37	2629.20
129	古丈县零星湿地区	1042.03			31.13	1073.16
130	永顺县零星湿地区	4510.91			427.74	4938.65
131	龙山县零星湿地区	3798.26	9.72		546.15	4354.13
总 计		398399.40	385797.72	29287.54	206242.59	1019727.25

1.4 各流域的湿地类及面积

根据水利部全国一、二、三级流域分类规定，湖南省涉及 2 个一级流域，6 个二级流域，13 个三级流域(表 2-3)。

1.4.1 一级流域

一级流域包括长江区(图 2-6)、珠江区(图 2-7)。

(1)长江区：长江区在湖南省包括 3 个二级流域，10 个三级流域，涉及全省 14 个市(州)，湿地总面积 1012734.94 公顷，包括河流湿地 393018.55 公顷、湖泊湿地 385698.85 公顷、沼泽湿地 29056.90 公顷、人工湿地 204960.64 公顷。区内河流湿地主要有长江、湘江(图 2-8)、资水、沅江、澧水。

长江区占湖南省湿地面积的 99.31%，是湖南省甚至我国淡水河流、湖泊湿地的集中分布区之一。然而，受人类对湿地开发利用活动的影响，大量湖泊和沼泽湿地被围垦，转变为工农业用地或以水产养殖场为主的人工湿地，自然湿地面积减少。

(2)珠江区：珠江区位于湖南省南部，以河流湿地为主，多为珠江支流的源头，在湖南省包括 3 个二级流域 3 个三级流域，涉及郴州、永州、邵阳 3 个市的汝城、宜章、临武、蓝山、江华、江永、城步共 7 个县(市、区)，湿地总面积为 6992. 31 公顷，包括河流湿地 5380. 85 公顷、湖泊湿地 98. 87 公顷、沼泽湿地 230. 64 公顷、人工湿地 1281. 95 公顷。

表 2-3　湖南省各流域湿地类面积概况(公顷)

一级流域	二级流域	三级流域	湿地类				
			河流湿地	湖泊湿地	沼泽湿地	人工湿地	合　计
长江区	洞庭湖水系	洞庭湖环湖区	81601. 47	364791. 61	20713. 62	69994. 42	537101. 12
		澧水	21620. 48	1361. 93	577. 90	14825. 61	38385. 92
		沅江浦市镇以下	54498. 73	876. 18		12910. 51	68285. 42
		资水冷水江以下	14598. 31	87. 20	380. 33	11779. 29	26845. 13
		湘江衡阳以下	86114. 20	4682. 10	1490. 41	39704. 65	131991. 36
		沅江浦市镇以上	47632. 45	524. 39	1869. 20	6546. 55	56572. 59
		资水冷水江以上	22255. 00	26. 20	219. 67	9165. 20	31666. 07
		湘江衡阳以上	58543. 91	1190. 52	3677. 21	38924. 77	102336. 41
		小　计	386864. 55	373540. 13	28928. 34	203851. 00	993184. 02
	鄱阳湖水系	赣江栋背以上	779. 17			23. 88	803. 05
	宜昌至湖口干流	城陵矶至湖口右岸	5374. 83	12158. 72	128. 56	1085. 76	18747. 87
	共　计		393018. 55	385698. 85	29056. 90	204960. 64	1012734. 94
珠江区	红柳江水系	柳江	832. 63		58. 71	36. 99	928. 33
	西江水系	桂贺江	744. 38	38. 87	78. 24	221. 35	1082. 84
	北江水系	北江大坑口以上	3803. 84	60. 00	93. 69	1023. 61	4981. 14
	共　计		5380. 85	98. 87	230. 64	1281. 95	6992. 31
总　计			398399. 40	385797. 72	29287. 54	206242. 59	1019727. 25

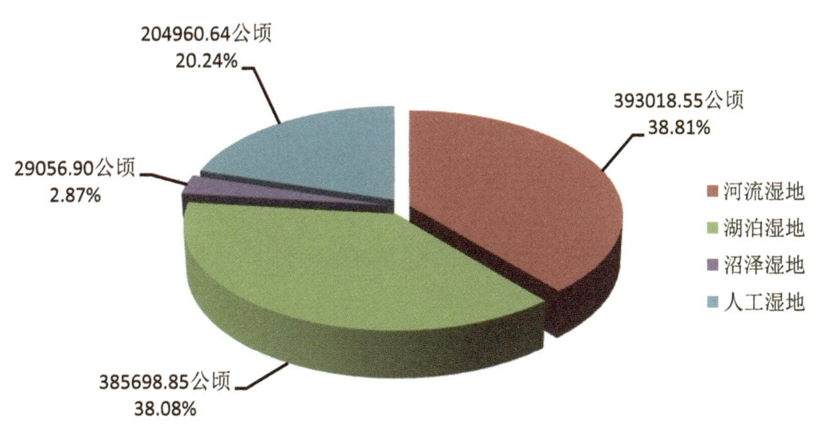

图 2-6　湖南省长江区湿地类面积与比例构成

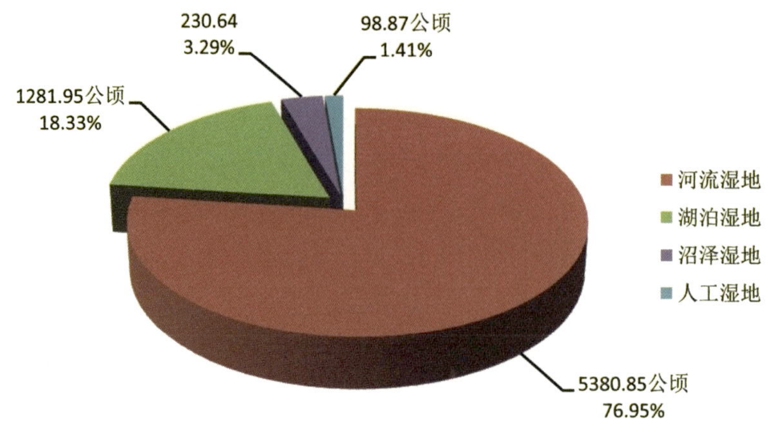

图**2-7** 湖南省珠江区湿地类面积与比例构成

图**2-8** 湘 江

1.4.2 二级流域

二级流域包括长江区宜昌至湖口干流、长江区洞庭湖水系、长江区鄱阳湖水系、珠江区红柳江水系、珠江区西江水系、珠江区北江水系6个。在二级流域中，湿地面积最大的为长江区洞庭湖水系；最小的为长江区鄱阳湖水系(图2-9)。

(1)长江区洞庭湖水系流域：湿地总面积993184.02公顷。其中，河流湿地386864.55公顷，湖泊湿地373540.13公顷，沼泽湿地28928.34公顷，人工湿地203851.00公顷。

(2)长江区鄱阳湖水系流域：湿地总面积803.05公顷。其中，河流湿地779.17公顷，人工湿地23.88公顷。

(3)长江区宜昌至湖口干流流域：湿地总面积18747.87公顷。其中，河流湿地5374.83公顷，湖泊湿地12158.72公顷，沼泽湿地128.56公顷，人工湿地1085.76公顷。

(4)珠江区红柳江水系流域：湿地总面积928.33公顷。其中，河流湿地832.63公顷，沼泽湿地58.71公顷，人工湿地36.99公顷。

(5)珠江区西江水系流域：湿地总面积1082.84公顷。其中，河流湿地744.38公顷，湖泊湿地38.87公顷，沼泽湿地78.24公顷，人工湿地221.35公顷。

(6)珠江区北江水系流域：湿地总面积4981.14公顷。其中。河流湿地3803.84公顷，湖泊湿

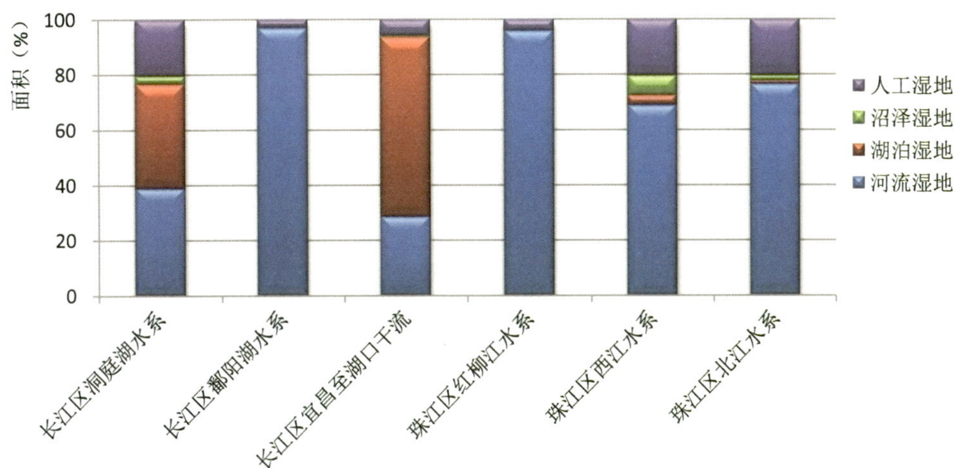

图 **2-9**　湖南省二级流域湿地类面积比例构成

地 60.00 公顷，沼泽湿地 93.69 公顷，人工湿地 1023.61 公顷。

1.4.3　三级流域

三级流域包括洞庭湖环湖区、北江大坑口以上等 13 个流域，以洞庭湖环湖区湿地面积最大，赣江栋背以上流域湿地面积最小(图 2-10)。

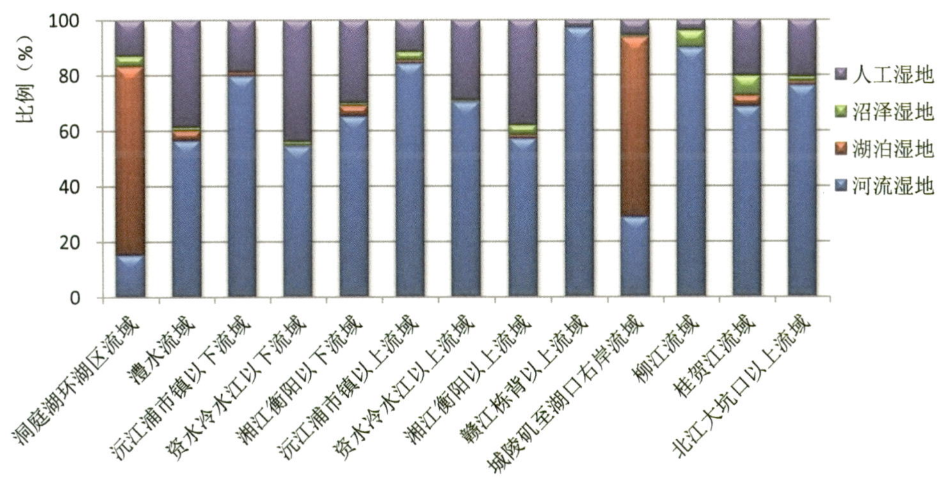

图 **2-10**　湖南省三级流域湿地类面积比例构成(公顷)

(1)洞庭湖环湖区流域：湿地总面积 537101.12 公顷。其中，河流湿地 81601.47 公顷，湖泊湿地 364791.61 公顷，沼泽湿地 20713.62 公顷，人工湿地 69994.42 公顷。

(2)澧水流域：湿地总面积 38385.92 公顷。其中，河流湿地 21620.48 公顷，湖泊湿地 1361.93 公顷，沼泽湿地 577.90 公顷，人工湿地 14825.61 公顷(图 2-11)。

(3)沅江浦市镇以下流域：湿地总面积 68285.42 公顷。其中，河流湿地 54498.73 公顷，湖泊湿地 876.18 公顷，人工湿地 12910.51 公顷。

(4)资水冷水江以下流域：湿地总面积 26845.13 公顷。其中，河流湿地 14598.31 公顷，湖泊湿地 87.20 公顷，沼泽湿地 380.33 公顷，人工湿地 11779.29 公顷。

图 **2-11** 澧 水

(5)湘江衡阳以下流域：湿地总面积 131991. 36 公顷。其中，河流湿地 86114. 20 公顷，湖泊湿地 4682. 10 公顷，沼泽湿地 1490. 41 公顷，人工湿地 39704. 65 公顷。

(6)沅江浦市镇以上流域：湿地总面积 56572. 59 公顷。其中，河流湿地 47632. 45 公顷，湖泊湿地 524. 39 公顷，沼泽湿地 1869. 20 公顷，人工湿地 6546. 55 公顷。

(7)资水冷水江以上流域：湿地总面积 31666. 07 公顷。其中，河流湿地 22255. 00 公顷，湖泊湿地 26. 20 公顷，沼泽湿地 219. 67 公顷，人工湿地 9165. 20 公顷。

(8)湘江衡阳以上流域：湿地总面积 102336. 41 公顷。其中，河流湿地 58543. 91 公顷，湖泊湿地 1190. 52 公顷，沼泽湿地 3677. 21 公顷，人工湿地 38924. 77 公顷(图 2-12)。

图 **2-12** 潇 水

(9)赣江栋背以上流域：湿地总面积 803.05 公顷。其中，河流湿地 779.17 公顷，人工湿地 23.88 公顷。

(10)城陵矶至湖口右岸流域：湿地总面积 18747.87 公顷。其中，河流湿地 5374.83 公顷，湖泊湿地 12158.72 公顷，沼泽湿地 128.56 公顷，人工湿地 1085.76 公顷。

(11)柳江流域：湿地总面积 928.33 公顷。其中，河流湿地 832.63 公顷，沼泽湿地 58.71 公顷，人工湿地 36.99 公顷。

(12)桂贺江流域：湿地总面积 1082.84 公顷。其中，河流湿地 744.38 公顷，湖泊湿地 38.87 公顷，沼泽湿地 78.24 公顷，人工湿地 221.35 公顷。

(13)北江大坑口以上流域：湿地总面积 4981.14 公顷。其中，河流湿地 3803.84 公顷，湖泊湿地 60.00 公顷，沼泽湿地 93.69 公顷，人工湿地 1023.61 公顷。

1.5　各行政区湿地类及面积

湖南省 14 个市(州)湿地面积不均，以岳阳市、常德市、益阳市 3 个市的湿地面积位居前三，同属洞庭湖区域(表 2-4)。

岳阳市有湿地面积 244707.03 公顷，包括湖泊湿地 171199.94 公顷，是全省该类湿地面积最大的市，占全省同类湿地总面积的 44.38%。市境内有东洞庭湖国家级自然保护区、横岭湖省级自然保护区、黄盖湖县级自然保护区等湿地保护区，还有我国湿地生物多样性最丰富的东洞庭湖国际重要湿地。

常德市有湿地面积 190071.81 公顷，包括人工湿地 39880.15 公顷，是全省该类湿地面积最大的市，河流湿地 51981.29 公顷，位居全省同类湿地面积第二，湖泊湿地 91532.70 公顷，列全省同类湿地面积第三。市境内有西洞庭湖省级自然保护区、西洞庭湖国际重要湿地。

益阳市有湿地面积 177129.49 公顷，包括湖泊湿地 115296.78 公顷和人工湿地 32339.90 公顷，均位居全省同类湿地面积第二。益阳市北部位于洞庭湖流域中部区域，属水网平原区，是全省湿地资源最为重要的分布区之一，而益阳市南部，属雪峰山脉，主要是河流湿地类型和人工湿地类型。

表 2-4　湖南省 14 个市(州)湿地类面积概况(公顷)

序　号	湿地类 / 行政区	河流湿地	湖泊湿地	沼泽湿地	人工湿地	合　计
1	长沙市	26041.67	3020.18	653.37	10097.07	39812.29
2	常德市	51981.29	91532.70	6677.67	39880.15	190071.81
3	郴州市	21669.75	547.43	93.69	26898.27	49209.14
4	衡阳市	31395.91	1915.05	1558.89	15046.48	49916.33
5	怀化市	61148.26	8.78	1695.65	6805.13	69657.82
6	娄底市	10026.26	113.55	41.52	7820.29	18001.62
7	邵阳市	29593.25	541.81	451.93	10324.07	40911.06

（续）

序 号	湿地类 行政区	河流湿地	湖泊湿地	沼泽湿地	人工湿地	合 计
8	湘潭市	9888.01	528.68		7301.34	17718.03
9	湘西土家族苗族自治州	21594.29	55.57		4634.30	26284.16
10	益阳市	27707.44	115296.78	1785.37	32339.90	177129.49
11	永州市	32884.49	449.99	2747.25	9784.31	45866.04
12	岳阳市	38707.74	171199.94	13063.36	21735.99	244707.03
13	张家界市	12224.35	47.46	186.00	4898.22	17356.03
14	株洲市	23536.69	539.80	332.84	8677.07	33086.40
总 计		398399.40	385797.72	29287.54	206242.59	1019727.25

全省122个县(市、区)湿地分布也极不均衡。以沅江市湿地面积最大，为10981.51公顷，包括河流湿地2979.51公顷，湖泊湿地94164.72公顷，沼泽湿地96.91公顷，人工湿地13740.37公顷。岳阳县湿地面积次之，为86998.00公顷，包括河流湿地2444.60公顷，湖泊湿地79202.35公顷，沼泽湿地128.18公顷，人工湿地5222.87公顷。湘阴县湿地面积居第三，为57989.69公顷，包括河流湿地9473.01公顷，湖泊湿地41085.32公顷，沼泽湿地4253.09公顷，人工湿地3178.27公顷(表2-5)。

表2-5 湖南省122个县(市、区)湿地类面积概况(公顷)

序 号	湿地类 行政区	河流湿地	湖泊湿地	沼泽湿地	人工湿地	合 计
1	芙蓉区	130.48			108.96	239.44
2	天心区	729.65			148.46	878.11
3	岳麓区	1462.34	116.09	50.46	135.69	1764.58
4	开福区	581.84			494.65	1076.49
5	雨花区	325.53			43.08	368.61
6	长沙县	1908.38	2088.04		1849.48	5845.90
7	望城县	8002.32	572.68	575.27	2676.00	11826.27
8	宁乡县	4590.91	232.16		2585.29	7408.36
9	浏阳市	8310.22	11.21	27.64	2055.46	10404.53
10	荷塘区	37.10	25.59		129.31	192.00
11	芦淞区	290.19	41.54		23.68	355.41
12	石峰区	439.44	49.14		293.74	782.32
13	天元区	1329.56			15.06	1344.62

（续）

序 号	湿地类 / 行政区	河流湿地	湖泊湿地	沼泽湿地	人工湿地	合 计
14	株洲县	5362.92	62.04		1208.89	6633.85
15	攸县	4159.30	330.91	113.44	3641.44	8245.09
16	茶陵县	4710.17	30.58	13.73	1043.92	5798.40
17	炎陵县	3297.26		197.62	104.79	3599.67
18	醴陵市	3910.75		8.05	2216.24	6135.04
19	雨湖区	792.89	23.56		103.74	920.19
20	岳塘区	1368.06	105.60		84.76	1558.42
21	湘潭县	4584.89	250.11		2699.72	7534.72
22	湘乡市	3046.68	149.41		4300.38	7496.47
23	韶山市	95.49			112.74	208.23
24	珠晖区	1806.67	144.46	22.74	321.05	2294.92
25	雁峰区	636.44	69.33		265.34	971.11
26	石鼓区	465.06	103.14		194.18	762.38
27	蒸湘区	164.05	354.31		147.35	665.71
28	南岳区	142.36			30.22	172.58
29	衡阳县	3271.64	442.06		3333.59	7047.29
30	衡南县	5582.01	200.81	41.15	2576.26	8400.23
31	衡山县	3265.21	27.84		577.78	3870.83
32	衡东县	6184.22	434.16		1792.34	8410.72
33	祁东县	1959.56	82.52	697.64	1897.96	4637.68
34	耒阳市	4574.90	8.89		1814.49	6398.28
35	常宁市	3343.79	47.53	797.36	2095.92	6284.60
36	双清区	258.01			36.63	294.64
37	大祥区	494.31			193.51	687.82
38	北塔区	502.97			123.27	626.24
39	邵东县	1755.68			1848.40	3604.08
40	新邵县	2434.09			792.60	3226.69
41	邵阳县	3580.54			1447.51	5028.05
42	隆回县	3592.51	8.31	63.94	1716.20	5380.96
43	洞口县	4557.96	8.47	307.81	1302.25	6176.49

（续）

序 号	湿地类 行政区	河流湿地	湖泊湿地	沼泽湿地	人工湿地	合 计
44	绥宁县	3825.18			219.99	4045.17
45	新宁县	3480.42	9.42		1037.01	4526.85
46	城步苗族自治县	3177.43	515.61	58.71	315.96	4067.71
47	武冈市	1934.15		21.47	1290.74	3246.36
48	岳阳楼区	192.79	8989.24		229.90	9411.93
49	云溪区	2038.52	3994.34	14.85	451.85	6499.56
50	君山区	3530.58	12061.99	4263.01	1963.20	21818.78
51	岳阳县	2444.60	79202.35	128.18	5222.87	86998.00
52	华容县	5568.91	15531.05	3666.39	5616.10	30382.45
53	湘阴县	9473.01	41085.32	4253.09	3178.27	57989.69
54	平江县	6240.84			1409.03	7649.87
55	汨罗市	4953.87	2599.03	635.31	2205.67	10393.88
56	临湘市	4264.62	7736.62	102.53	1459.10	13562.87
57	武陵区	1924.48	1400.90	32.34	445.68	3803.40
58	鼎城区	9418.26	15414.64	402.49	6415.71	31651.10
59	安乡县	7113.81	13416.09	3888.52	6782.86	31201.28
60	汉寿县	4495.05	45581.73	973.05	5379.12	56428.95
61	澧县	8215.00	8157.78	704.97	8494.03	25571.78
62	临澧县	2286.19	201.53		2969.82	5457.54
63	桃源县	11816.29	289.25		4115.81	16221.35
64	石门县	4746.54	65.19		4592.25	9403.98
65	津市市	1965.67	7005.59	676.30	684.87	10332.43
66	永定区	3095.96			592.66	3688.62
67	武陵源区	189.17	13.46		186.80	389.43
68	慈利县	4920.99	11.57	186.00	3919.92	9038.48
69	桑植县	4018.23	22.43		198.84	4239.50
70	资阳区	1743.48	1223.90		707.55	3674.93
71	赫山区	3224.75	6104.66	461.22	2324.03	12114.66
72	南县	7737.94	13791.67	880.09	7488.78	29898.48

（续）

序　号	湿地类 / 行政区	河流湿地	湖泊湿地	沼泽湿地	人工湿地	合　计
73	桃江县	5728.31		248.27	1559.88	7536.46
74	安化县	6293.45	11.83	98.88	6519.29	12923.45
75	沅江市	2979.51	94164.72	96.91	13740.37	110981.51
76	北湖区	682.08	37.87	67.32	539.99	1327.26
77	苏仙区	2029.27	212.78		961.75	3203.80
78	桂阳县	2455.29	18.90		4517.94	6992.13
79	宜章县	2335.21	12.64	26.37	491.82	2866.04
80	永兴县	2810.27	46.38		1300.46	4157.11
81	嘉禾县	995.56	24.13		1016.12	2035.81
82	临武县	1398.93	25.98		536.72	1961.63
83	汝城县	2883.59			595.23	3478.82
84	桂东县	1792.67			72.16	1864.83
85	安仁县	2042.04	13.80		1712.74	3768.58
86	资兴市	2244.84	154.95		15153.34	17553.13
87	零陵区	3444.33	93.23	275.89	718.26	4531.71
88	冷水滩区	2981.33	48.68	396.69	729.28	4155.98
89	祁阳县	5395.06		1176.99	1348.88	7920.93
90	东安县	3075.38	147.19	118.94	926.55	4268.06
91	双牌县	2399.67	8.45	44.74	1458.26	3911.12
92	道县	4152.77	67.40	471.54	841.48	5533.19
93	江永县	1672.13		58.67	644.07	2374.87
94	宁远县	2836.65	8.89	32.95	854.00	3732.49
95	蓝山县	1914.08			335.02	2249.10
96	新田县	957.25			966.34	1923.59
97	江华瑶族自治县	4055.84	76.15	170.84	962.17	5265.00
98	鹤城区	1054.26			448.02	1502.28
99	洪江市	2885.85		108.74	587.52	3582.11
100	中方县	19360.62			738.09	20098.71
101	沅陵县	5081.16		327.67	649.17	6058.00

（续）

序　号	湿地类 / 行政区	河流湿地	湖泊湿地	沼泽湿地	人工湿地	合　计
102	辰溪县	5479.18			901.89	6381.07
103	溆浦县	4250.41			116.49	4366.90
104	会同县	3609.31		381.78	504.54	4495.63
105	麻阳苗族自治县	1917.08			205.49	2122.57
106	新晃侗族自治县	3958.96		79.03	840.82	4878.81
107	芷江侗族自治县	3188.87			658.50	3847.37
108	靖州苗族侗族自治县	3055.53			326.93	3382.46
109	通道侗族自治县	7307.03	8.78	798.43	827.67	8941.91
110	娄星区	837.92	20.79		104.31	963.02
111	双峰县	2198.49			1126.58	3325.07
112	新化县	4209.13	75.37	41.52	5129.48	9455.50
113	冷水江市	715.77			196.30	912.07
114	涟源市	2064.95	17.39		1263.62	3345.96
115	吉首市	1949.02			163.03	2112.05
116	泸溪县	3715.46			533.85	4249.31
117	凤凰县	1555.69	34.34		654.36	2244.39
118	花垣县	1345.80	11.51		228.52	1585.83
119	保靖县	3032.54			256.37	3288.91
120	古丈县	1483.94			1179.99	2663.93
121	永顺县	4713.58			1072.03	5785.61
122	龙山县	3798.26	9.72		546.15	4354.13

2 河流湿地

2.1 河流湿地各湿地型及面积

湖南省共有河流湿地398399.40公顷，全省各地均有分布，包括永久性河流、季节性或间歇性河流和洪泛平原湿地3个湿地型。由于湖南地形地势为东、西、南三面高，北面平坦，“四水”汇集洞庭湖，全省由东、南、西三面山区到湘中丘陵再到洞庭湖平原呈现出江河水网密度逐渐加大、水系逐步发达的河流湿地格局。

2.1.1 永久性河流

永久性河流湿地指常年有河水径流的河流，仅包括河床部分，面积为381758.03公顷，占全省河流湿地总面积的95.82%。

2.1.2　季节性或间歇性河流

季节性或间歇性河流湿地指一年中只在某些季节或间歇性有径流的河流，面积为328.07公顷，占全省河流湿地总面积的0.08%。

2.1.3　洪泛平原湿地

洪泛平原湿地指在丰水季节洪水泛滥后形成的河滩、河心洲、河谷、季节性泛滥的草地以及常年或季节性被水浸润的内陆三角洲，面积为16313.30公顷，占全省河流湿地总面积的4.10%。

2.2　各流域河流湿地型及面积

全省有2个一级流域，6个二级流域，13个三级流域。一级流域中长江区河流湿地393018.55公顷，珠江区河流湿地580.85公顷(表2-6)。长江区内有大量河流分布，河网密度最高的为长江区的洞庭湖环湖区、湘江衡阳以上流域、湘江衡阳以下流域、沅江浦市镇以下流域，主要涉及岳阳、益阳、常德、长沙、湘潭、株洲、衡阳、永州市。在永久性河流湿地中，湘江衡阳以下流域湿地面积最大；桂贺江流域湿地面积最小。季节性或间歇性河流湿地主要分布于澧水流域。洪泛平原湿地以洞庭湖环湖区面积最大。

表2-6　湖南省各流域河流湿地各湿地型分布概况(公顷)

一级流域	二级流域	三级流域	湿地型			
			永久性河流	季节性或间歇性河流	洪泛平原湿地	合　计
长江区	洞庭湖水系	洞庭湖环湖区	74367.01	32.47	7201.99	81601.47
		澧水	20272.53	227.03	1120.92	21620.48
		沅江浦市镇以下	52544.68		1954.05	54498.73
		资水冷水江以下	14437.38		160.93	14598.31
		湘江衡阳以下	83899.48		2214.72	86114.20
		沅江浦市镇以上	46506.47		1125.98	47632.45
		资水冷水江以上	21481.47		773.53	22255.00
		湘江衡阳以上	56714.16	68.57	1761.18	58543.91
		小　计	370223.18	328.07	16313.30	386864.55
	鄱阳湖水系	赣江栋背以上	779.17			779.17
	宜昌至湖口干流	城陵矶至湖口右岸	5374.83			5374.83
	共　计		376377.18	328.07	16313.30	393018.55
珠江区	红柳江	柳江	832.63			832.63
	西江	桂贺江	744.38			744.38
	北江	北江大坑口以上	3803.84			3803.84
	共　计		5380.85			5380.85
总　计			381758.03	328.07	16313.30	398399.40

2.3 各湿地区河流湿地型及面积

在湖南省131个湿地区中，洞庭湖湿地区河流湿地面积最大，为50997.19公顷，占全省河流湿地总面积的12.8%（表2-7）；湘江湿地区其次，面积为37748.85公顷；沅江湿地区第三，面积为20708.27公顷。在永久性河流湿地型中，湿地面积最大的是洞庭湖湿地区、湘江湿地区和沅江湿地区。洪泛平原湿地型中，以洞庭湖湿地区湿地面积最大。

表2-7 湖南省各湿地区河流湿地各湿地型分布概况（公顷）

序 号	湿地区名称	湿地型			
		永久性河流	季节性或间歇性河流	洪泛平原湿地	合 计
1	洞庭湖湿地区	44727.77	32.47	6236.95	50997.19
2	湘江湿地区	35061.26		2687.59	37748.85
3	资江湿地区	12922.97		467.30	13390.27
4	沅江湿地区	18549.20		2159.07	20708.27
5	澧水湿地区	7856.97		1021.62	8878.59
6	东江水库湿地区	1422.63			1422.63
7	欧阳海水库湿地区	1268.13			1268.13
8	柘溪水库湿地区	279.37			279.37
9	五强溪水库湿地区	13057.55		326.86	13384.41
10	洋沙湖－东湖湿地区	551.85			551.85
11	凤滩水库湿地区	1252.15			1252.15
12	江口鸟洲湿地区	105.31		16.81	122.12
13	芙蓉区零星湿地区	130.48			130.48
14	天心区零星湿地区	12.83			12.83
15	岳麓区零星湿地区	222.70		14.99	237.69
16	开福区零星湿地区	422.98		9.18	432.16
17	雨花区零星湿地区	302.58		10.12	312.70
18	长沙县零星湿地区	1912.13		10.76	1922.89
19	望城县零星湿地区	2542.24		222.55	2764.79
20	宁乡县零星湿地区	4434.42		161.69	4596.11
21	浏阳市零星湿地区	8247.35		62.87	8310.22
22	荷塘区零星湿地区	54.98			54.98
23	芦淞区零星湿地区	44.18			44.18
24	石峰区零星湿地区	126.92			126.92
25	天元区零星湿地区	89.60			89.60
26	株洲县零星湿地区	1702.88			1702.88

（续）

序 号	湿地区名称	湿地型			
		永久性河流	季节性或间歇性河流	洪泛平原湿地	合 计
27	攸县零星湿地区	4108.91		50.39	4159.30
28	茶陵县零星湿地区	4642.65		67.52	4710.17
29	炎陵县零星湿地区	3297.26			3297.26
30	醴陵市零星湿地区	3904.62		42.29	3946.91
31	雨湖区零星湿地区	74.90			74.90
32	岳塘区零星湿地区	148.33			148.33
33	湘潭县零星湿地区	2991.04			2991.04
34	湘乡市零星湿地区	2971.70		44.40	3016.10
35	韶山市零星湿地区	95.49			95.49
36	珠晖区零星湿地区	533.43		8.99	542.42
37	石鼓区零星湿地区	65.38			65.38
38	蒸湘区零星湿地区	164.05			164.05
39	南岳区零星湿地区	142.36			142.36
40	衡阳县零星湿地区	2900.18		9.81	2909.99
41	衡南县零星湿地区	3209.05			3209.05
42	衡山县零星湿地区	917.88			917.88
43	衡东县零星湿地区	3851.14		140.64	3991.78
44	祁东县零星湿地区	1572.22			1572.22
45	耒阳市零星湿地区	4481.49		99.87	4581.36
46	常宁市零星湿地区	2730.76		64.42	2795.18
47	双清区零星湿地区	160.26			160.26
48	大祥区零星湿地区	244.67			244.67
49	北塔区零星湿地区	44.71			44.71
50	邵东县零星湿地区	1767.52			1767.52
51	新邵县零星湿地区	1427.95			1427.95
52	邵阳县零星湿地区	1831.42		20.22	1851.64
53	隆回县零星湿地区	3550.09			3550.09
54	洞口县零星湿地区	3824.19		609.32	4433.51
55	绥宁县零星湿地区	3786.67			3786.67
56	新宁县零星湿地区	1810.71			1810.71
57	城步苗族自治县零星湿地区	3178.10			3178.10
58	武冈市零星湿地区	2083.59			2083.59
59	岳阳楼区零星湿地区	15.07			15.07

（续）

序 号	湿地区名称	湿地型			
		永久性河流	季节性或间歇性河流	洪泛平原湿地	合 计
60	云溪区零星湿地区	1241.89			1241.89
61	岳阳县零星湿地区	1862.88		195.12	2058.00
62	华容县零星湿地区	2919.50			2919.50
63	湘阴县零星湿地区	419.06			419.06
64	平江县零星湿地区	5919.32		336.62	6255.94
65	汨罗市零星湿地区	1223.90		24.15	1248.05
66	临湘市零星湿地区	4264.62			4264.62
67	武陵区零星湿地区	326.81			326.81
68	鼎城区零星湿地区	1028.20			1028.20
69	汉寿县零星湿地区	555.70			555.70
70	澧县零星湿地区	1237.55		12.67	1250.22
71	临澧县零星湿地区	894.83		32.56	927.39
72	桃源县零星湿地区	5316.31		28.79	5345.10
73	石门县零星湿地区	3237.33			3237.33
74	津市市零星湿地区	311.55			311.55
75	永定区零星湿地区	1465.96	206.02		1671.98
76	武陵源区零星湿地区	189.17			189.17
77	慈利县零星湿地区	2793.29		54.07	2847.36
78	桑植县零星湿地区	3156.84	21.01		3177.85
79	资阳区零星湿地区	126.47			126.47
80	赫山区零星湿地区	3766.47		17.52	3783.99
81	桃江县零星湿地区	1872.28			1872.28
82	安化县零星湿地区	3262.08			3262.08
83	北湖区零星湿地区	671.74			671.74
84	苏仙区零星湿地区	2020.62		8.65	2029.27
85	桂阳县零星湿地区	2109.96			2109.96
86	宜章县零星湿地区	2320.79			2320.79
87	永兴县零星湿地区	2800.55		9.72	2810.27
88	嘉禾县零星湿地区	986.37			986.37
89	临武县零星湿地区	1484.42			1484.42
90	汝城县零星湿地区	2976.34			2976.34
91	桂东县零星湿地区	1710.24			1710.24

（续）

序　号	湿地区名称	湿地型			
		永久性河流	季节性或间歇性河流	洪泛平原湿地	合　计
92	安仁县零星湿地区	2042.04			2042.04
93	资兴市零星湿地区	980.81			980.81
94	零陵区零星湿地区	2856.34		219.50	3075.84
95	冷水滩区零星湿地区	828.46		10.85	839.31
96	祁阳县零星湿地区	2766.04			2766.04
97	东安县零星湿地区	1794.73			1794.73
98	双牌县零星湿地区	2277.77		103.78	2381.55
99	道县零星湿地区	3947.76	68.57	127.76	4144.09
100	江永县零星湿地区	1672.13			1672.13
101	宁远县零星湿地区	2832.68			2832.68
102	蓝山县零星湿地区	1914.08			1914.08
103	新田县零星湿地区	969.90			969.90
104	江华瑶族自治县零星湿地区	4055.84			4055.84
105	鹤城区零星湿地区	917.17			917.17
106	中方县零星湿地区	1751.17		10.37	1761.54
107	沅陵县零星湿地区	5907.91			5907.91
108	辰溪县零星湿地区	1816.90		30.86	1847.76
109	溆浦县零星湿地区	4800.43		22.12	4822.55
110	会同县零星湿地区	4021.72		51.01	4072.73
111	麻阳苗族自治县零星湿地区	3301.98		337.17	3639.15
112	新晃侗族自治县零星湿地区	1892.97			1892.97
113	芷江侗族自治县零星湿地区	3816.29		10.99	3827.28
114	靖州苗族侗族自治县零星湿地区	3168.95		28.98	3197.93
115	通道侗族自治县零星湿地区	3035.94		10.99	3046.93
116	洪江市零星湿地区	2663.84		43.59	2707.43
117	娄星区零星湿地区	837.92			837.92
118	双峰县零星湿地区	2222.69			2222.69
119	新化县零星湿地区	3268.77			3268.77
120	冷水江市零星湿地区	244.69			244.69
121	涟源市零星湿地区	2051.42			2051.42
122	吉首市零星湿地区	2013.18			2013.18
123	泸溪县零星湿地区	2171.07		19.23	2190.30

（续）

序 号	湿地区名称	湿地型			
		永久性河流	季节性或间歇性河流	洪泛平原湿地	合 计
124	凤凰县零星湿地区	1675.62			1675.62
125	花垣县零星湿地区	1212.53			1212.53
126	保靖县零星湿地区	2372.83			2372.83
127	古丈县零星湿地区	1042.03			1042.03
128	永顺县零星湿地区	4510.91			4510.91
129	龙山县零星湿地区	3798.26			3798.26
总 计		381758.03	328.07	16313.30	398399.40

2.4 各行政区河流湿地型及面积

湖南14个市(州)河流湿地面积差异较大，以怀化市河流湿地面积最大，为61148.26公顷(表2-8)；常德市河流湿地面积居第二，为51981.29公顷；岳阳市河流湿地面积居第三，为38707.74公顷。在永久性河流湿地中，也是怀化、常德、岳阳市面积位居前三，分别为59701.32公顷、45029.05公顷、37201.28公顷。

表2-8 湖南省14个市(州)河流湿地各湿地型分布概况(公顷)

序 号	行政区	湿地型			
		永久性河流	季节性或间歇性河流	洪泛平原	合 计
1	长沙市	25050.38		991.29	26041.67
2	常德市	45029.05		6952.24	51981.29
3	郴州市	21651.38		18.37	21669.75
4	衡阳市	29827.72		1568.19	31395.91
5	怀化市	59701.32		1446.94	61148.26
6	娄底市	10026.26			10026.26
7	邵阳市	28819.72		773.53	29593.25
8	湘潭市	9762.77		125.24	9888.01
9	湘西土家族苗族自治州	21252.05		342.24	21594.29
10	益阳市	26855.11		852.33	27707.44
11	永州市	31718.59	68.57	1097.33	32884.49
12	岳阳市	37201.28	32.47	1473.99	38707.74
13	张家界市	11730.44	227.03	266.88	12224.35
14	株洲市	23131.96		404.73	23536.69
总 计		381758.03	328.07	16313.30	398399.40

3　湖泊湿地

3.1　湖泊湿地各湿地型及面积

湖泊是湖盆、湖水、水中所含物质(矿物质、溶解质、有机质以及水生生物等)组成的自然综合体。湖泊湿地型主要包括永久性淡水湖、季节性淡水湖、永久性咸水湖、季节性咸水湖等。湖南省湖泊湿地面积共385797.72公顷，全部为永久性淡水湖。其中，长江区湖泊湿地面积385698.85公顷；珠江区湖泊湿地面积98.87公顷。湖泊湿地主要集中在湖南北部，占全省湖泊湿地面积的97%以上，大型湖泊有洞庭湖、横岭湖、黄盖湖、大通湖、毛里湖等。

3.2　各流域湖泊湿地型及面积

在一级流域长江区湿地中，以二级流域洞庭湖水系湿地面积最大，为373540.13公顷；宜昌至湖口干流流域湿地面积次之，为12158.72公顷。一级流域珠江区湿地主要分布于二级流域西江和北江流域湿地，面积分别为38.87公顷与60.00公顷。而在二级流域洞庭湖水系中，以三级流域洞庭湖环湖区湿地面积最大，为364791.61公顷，湘江衡阳以下湿地面积次之，为4682.10公顷(表2-9)。

表2-9　湖南省各流域湖泊湿地各湿地型分布概况(公顷)

<table>
<tr><th rowspan="2">一级流域</th><th rowspan="2">二级流域</th><th rowspan="2">三级流域</th><th>湿地型</th></tr>
<tr><th>永久性淡水湖</th></tr>
<tr><td rowspan="12">长江区</td><td rowspan="9">洞庭湖水系</td><td>洞庭湖环湖区</td><td>364791.61</td></tr>
<tr><td>澧水</td><td>1361.93</td></tr>
<tr><td>沅江浦市镇以下</td><td>876.18</td></tr>
<tr><td>资水冷水江以下</td><td>87.20</td></tr>
<tr><td>湘江衡阳以下</td><td>4682.10</td></tr>
<tr><td>沅江浦市镇以上</td><td>524.39</td></tr>
<tr><td>资水冷水江以上</td><td>26.20</td></tr>
<tr><td>湘江衡阳以上</td><td>1190.52</td></tr>
<tr><td>小　计</td><td>373540.13</td></tr>
<tr><td>鄱阳湖水系</td><td>赣江栋背以上</td><td></td></tr>
<tr><td>宜昌至湖口干流</td><td>城陵矶至湖口右岸</td><td>12158.72</td></tr>
<tr><td colspan="2">共　计</td><td>385698.85</td></tr>
<tr><td rowspan="4">珠江区</td><td>红柳江水系</td><td>柳江</td><td></td></tr>
<tr><td>西江水系</td><td>桂贺江</td><td>38.87</td></tr>
<tr><td>北江水系</td><td>北江大坑口以上</td><td>60.00</td></tr>
<tr><td colspan="2">共　计</td><td>98.87</td></tr>
<tr><td colspan="3">总　计</td><td>385797.72</td></tr>
</table>

3.3 各湿地区湖泊湿地型及面积

在单独区划的湿地区中，以洞庭湖湿地区湖泊湿地最大，面积352048.90公顷；湘江湿地区次之，面积708.46公顷；洋沙湖—东湖湿地区再次，湿地面积502.53公顷。而在零星湿地区中，以临湘市零星湿地区湖泊湿地面积最大，为7736.62公顷，主要有黄盖湖等大型湖泊；赫山区零星湿地区其次，湿地面积5046.94公顷(表2-10)。

表2-10 湖南省各湿地区湖泊湿地各湿地型分布概况(公顷)

序 号	湿地区名称	湿地型
		永久性淡水湖
1	洞庭湖湿地区	352048.90
2	湘江湿地区	708.46
3	水府庙湿地区	82.50
4	洋沙湖－东湖湿地区	502.53
5	岳麓区零星湿地区	116.09
6	长沙县零星湿地区	1379.58
7	望城县零星湿地区	572.68
8	宁乡县零星湿地区	232.16
9	浏阳市零星湿地区	11.21
10	荷塘区零星湿地区	25.59
11	芦淞区零星湿地区	41.54
12	石峰区零星湿地区	49.14
13	株洲县零星湿地区	62.04
14	攸县零星湿地区	330.91
15	茶陵县零星湿地区	30.58
16	雨湖区零星湿地区	23.56
17	岳塘区零星湿地区	105.60
18	湘潭县零星湿地区	250.11
19	湘乡市零星湿地区	66.91
20	珠晖区零星湿地区	144.46
21	雁峰区零星湿地区	69.33
22	石鼓区零星湿地区	103.14
23	蒸湘区零星湿地区	354.31
24	衡阳县零星湿地区	442.06

（续）

序　号	湿地区名称	湿地型
		永久性淡水湖
25	衡南县零星湿地区	200.81
26	衡山县零星湿地区	27.84
27	衡东县零星湿地区	434.16
28	祁东县零星湿地区	82.52
29	耒阳市零星湿地区	8.89
30	常宁市零星湿地区	47.53
31	隆回县零星湿地区	8.31
32	洞口县零星湿地区	8.47
33	新宁县零星湿地区	9.42
34	城步苗族自治县零星湿地区	515.61
35	岳阳楼区零星湿地区	9.85
36	云溪区零星湿地区	2504.11
37	岳阳县零星湿地区	244.51
38	华容县零星湿地区	2747.33
39	湘阴县零星湿地区	2679.98
40	汨罗市零星湿地区	59.71
41	临湘市零星湿地区	7736.62
42	武陵区零星湿地区	1400.90
43	鼎城区零星湿地区	607.34
44	澧县零星湿地区	709.76
45	临澧县零星湿地区	201.53
46	桃源县零星湿地区	289.25
47	石门县零星湿地区	65.19
48	津市市零星湿地区	901.67
49	武陵源区零星湿地区	13.46
50	慈利县零星湿地区	11.57
51	桑植县零星湿地区	22.43
52	资阳区零星湿地区	261.47
53	赫山区零星湿地区	5046.94
54	安化县零星湿地区	11.83

（续）

序 号	湿地区名称	湿地型
		永久性淡水湖
55	北湖区零星湿地区	37.87
56	苏仙区零星湿地区	212.78
57	桂阳县零星湿地区	18.90
58	宜章县零星湿地区	12.64
59	永兴县零星湿地区	46.38
60	嘉禾县零星湿地区	24.13
61	临武县零星湿地区	25.98
62	安仁县零星湿地区	13.80
63	资兴市零星湿地区	154.95
64	零陵区零星湿地区	93.23
65	冷水滩区零星湿地区	48.68
66	东安县零星湿地区	147.19
67	双牌县零星湿地区	8.45
68	道县零星湿地区	67.40
69	宁远县零星湿地区	8.89
70	江华瑶族自治县零星湿地区	76.15
71	洪江市零星湿地区	8.78
72	娄星区零星湿地区	20.79
73	新化县零星湿地区	75.37
74	涟源市零星湿地区	17.39
75	凤凰县零星湿地区	34.34
76	花垣县零星湿地区	11.51
77	龙山县零星湿地区	9.72
总 计		385797.72

3.4 各行政区湖泊湿地型及面积

湖南省14个市(州)湖泊湿地分布不均，水网最密集与湖泊众多的岳阳、益阳、常德3个市分居第一、二、三位，湖泊湿地面积分别为171199.94公顷、115296.78公顷、91532.70公顷(表2-11)。

表 2-11　湖南省 14 个市(州)湖泊湿地各湿地型分布概况(公顷)

序　号	行政区	湿地型
		永久性淡水湖
1	长沙市	3020.18
2	常德市	91532.70
3	郴州市	547.43
4	衡阳市	1915.05
5	怀化市	8.78
6	娄底市	113.55
7	邵阳市	541.81
8	湘潭市	528.68
9	湘西土家族苗族自治州	55.57
10	益阳市	115296.78
11	永州市	449.99
12	岳阳市	171199.94
13	张家界市	47.46
14	株洲市	539.80
总　计		385797.72

4　沼泽湿地

4.1　沼泽湿地各湿地型及面积

湖南省沼泽湿地总面积 29287.54 公顷。其中，草本沼泽 21976.25 公顷，占全省总沼泽湿地面积的 75.04%；森林沼泽 7046.35 公顷，占 24.06%；沼泽化草甸 149.76 公顷，占 0.51%；灌丛沼泽 115.18 公顷，占 0.39%。受自然淤积、围垦等因素影响，近年来，全省沼泽湿地面积锐减，仅剩少量单块面积小，且分布零散的草本沼泽湿地。这些沼泽湿地主要分布于洞庭湖等大型湖泊湖滨及长江、湘、资、沅、澧“四水”沿江江滩。

4.2　各流域沼泽湿地型及面积

按一级流域统计，长江区沼泽湿地面积 29056.90 公顷，珠江区沼泽湿地面积 230.64 公顷(表 2-12)。在长江区中，以二级流域洞庭湖水系沼泽湿地面积最大，为 28928.34 公顷；宜昌至湖口干流沼泽湿地面积次之，为 128.56 公顷。在珠江区中，沼泽湿地主要分布于二级流域红柳江水系、西江水系、北江水系，面积分别为 58.71 公顷、78.24 公顷、93.69 公顷。在洞庭湖水系中，以洞庭湖环湖区沼泽湿地面积最大，为 20713.62 公顷，主要为草本沼泽与森林沼泽，面积分别为 14207.34 公顷与 6506.28 公顷。

表 2-12 湖南省各流域沼泽湿地各湿地型分布概况(公顷)

一级流域	二级流域	三级流域	湿地型				
			草本沼泽	灌丛湿地	森林沼泽	沼泽化草甸	合 计
长江区	洞庭湖水系	洞庭湖环湖区	14207.34		6506.28		20713.62
		澧水	310.66		267.24		577.90
		沅江浦市镇以下					
		资水冷水江以下	380.33				380.33
		湘江衡阳以下	1490.41				1490.41
		沅江浦市镇以上	1766.98		102.22		1869.20
		资水冷水江以上	138.71		80.96		219.67
		湘江衡阳以上	3389.94	115.18	89.65	82.44	3677.21
		小 计	21684.37	115.18	7046.35	82.44	28928.34
	鄱阳湖水系	赣江栋背以上					
	宜昌至湖口干流	城陵矶至湖口右岸	128.56				128.56
	共 计		21812.93	115.18	7046.35	82.44	29056.90
珠江区	红柳江水系	柳江	58.71				58.71
	西江水系	桂贺江	78.24				78.24
	北江水系	北江大坑口以上	26.37			67.32	93.69
	共 计		163.32			67.32	230.64
总 计			21976.25	115.18	7046.35	149.76	29287.54

4.3 各湿地区沼泽湿地型及面积

对单独区划的湿地区而言，以洞庭湖湿地区沼泽湿地面积最大，主要为草本沼泽与森林沼泽，湿地面积为16161.64公顷，占全省沼泽湿地总面积的55.18%；其次是湘江湿地区，面积为4443.35公顷，占15.17%(表2-13)。对零星湿地区而言，以湘阴县零星湿地区沼泽湿地面积最大，为2398.98公顷；临湘市零星湿地区次之，湿地面积为826.76公顷。

表 2-13 湖南省各湿地区沼泽湿地各湿地型分布概况(公顷)

序 号	湿地区名称	湿地型				
		草本沼泽	灌丛沼泽	森林沼泽	沼泽化草甸	合 计
1	洞庭湖湿地区	11592.11		4569.53		16161.64
2	湘江湿地区	3940.48		502.87		4443.35
3	资江湿地区	409.22				409.22
4	沅江湿地区	727.90				727.90

（续）

序 号	湿地区名称	湿地型				
		草本沼泽	灌丛沼泽	森林沼泽	沼泽化草甸	合 计
5	澧水湿地区	126.26		56.75		183.01
6	柘溪水库湿地区	10.33				10.33
7	洋沙湖—东湖湿地区			109.02		109.02
8	望城县零星湿地区	12.97				12.97
9	攸县零星湿地区	27.64				27.64
10	茶陵县零星湿地区	113.44				113.44
11	炎陵县零星湿地区	13.73				13.73
12	醴陵市零星湿地区		115.18		82.44	197.62
13	隆回县零星湿地区	8.05				8.05
14	洞口县零星湿地区	63.94				63.94
15	城步苗族自治县零星湿地区	124.63		183.18		307.81
16	武冈市零星湿地区	58.71				58.71
17	云溪区零星湿地区	21.47				21.47
18	华容县零星湿地区	14.85				14.85
19	湘阴县零星湿地区	1608.92		790.06		2398.98
20	临湘市零星湿地区	644.44		182.32		826.76
21	武陵区零星湿地区	102.53				102.53
22	澧县零星湿地区	32.34				32.34
23	津市市零星湿地区			62.21		62.21
24	慈利县零星湿地区	27.09		261.72		288.81
25	赫山区零星湿地区	59.74				59.74
26	宜章县零星湿地区	230.12		239.04		469.16
27	零陵区零星湿地区				67.32	67.32
28	祁阳县零星湿地区	26.37				26.37
29	东安县零星湿地区	179.56				179.56
30	双牌县零星湿地区	88.44		36.27		124.71
31	道县零星湿地区	17.86				17.86
32	江永县零星湿地区	44.74				44.74
33	宁远县零星湿地区	418.16		53.38		471.54
34	江华瑶族自治县零星湿地区	58.67				58.67
35	中方县零星湿地区	32.95				32.95
36	辰溪县零星湿地区	170.84				170.84

（续）

序　号	湿地区名称	湿地型				
		草本沼泽	灌丛沼泽	森林沼泽	沼泽化草甸	合　计
37	麻阳苗族自治县零星湿地区	108.74				108.74
38	芷江侗族自治县零星湿地区	173.39				173.39
39	洪江市零星湿地区	224.81				224.81
总　计		21976.25	115.18	7046.35	149.76	29287.54

4.4 各行政区沼泽湿地型及面积

湖南全省 14 个市(州)沼泽湿地分布不均，除湘潭市与湘西土家族苗族自治州外，其他 12 个市均有沼泽湿地分布，以岳阳、常德、永州 3 个市沼泽湿地面积最大，分别为 13063.36 公顷、6677.67 公顷、2747.25 公顷，分别占全省沼泽湿地面积的 44.6%、22.8%、9.38%(表 2-14)。草本沼泽主要分布于岳阳、常德、永州、益阳、怀化、衡阳；森林沼泽主要分布于岳阳、常德；沼泽化草甸分布于郴州与株洲两市；而灌丛沼泽仅少量分布于株洲。

表 2-14　湖南省 14 个市(州)沼泽湿地各湿地型分布概况(公顷)

序　号	行政区	湿地型				
		草本沼泽	灌丛沼泽	森林沼泽	沼泽化草甸	合　计
1	长沙市	653.37				653.37
2	常德市	4897.39		1780.28		6677.67
3	郴州市	26.37			67.32	93.69
4	衡阳市	1558.89				1558.89
5	怀化市	1695.65				1695.65
6	娄底市	41.52				41.52
7	邵阳市	268.75		183.18		451.93
8	湘潭市					
9	湘西土家族苗族自治州					
10	益阳市	1748.87		36.50		1785.37
11	永州市	2657.60		89.65		2747.25
12	岳阳市	8106.62		4956.74		13063.36
13	张家界市	186.00				186.00
14	株洲市	135.22	115.18		82.44	332.84
总　计		21976.25	115.18	7046.35	149.76	29287.54

5 人工湿地

5.1 人工湿地各湿地型及面积

湖南省共有人工湿地面积206242.59公顷，占湿地总面积的20.24%，主要有库塘、运河/输水河、水产养殖场3种湿地型。

5.1.1 库 塘

库塘湿地是指面积大于8公顷，以灌溉、水电、防洪等为主要目的的人工蓄水区。全省库塘湿地面积120477.47公顷，占全省总人工湿地面积的58.42%，主要分布于低山丘陵地区，尤其以西南部和东北部低山丘陵居多。全省有蓄水量在1亿立方米以上的大型水库19座，蓄水量在0.1亿~1亿立方米之间的中型水库238座(图2-13、图2-14)。

图**2-13** 涔天河水库

图**2-14** 双牌水库

5.1.2 运河/输水河

运河/输水河是指为水运、输水而建造的人工河流湿地，以及以灌溉、疏浚等为主要目的的沟、渠。全省运河/输水河湿地面积共有49920.80公顷，占全省总人工湿地面积的24.20%。运河与输水河在全省各地均有分布，其中许多历史久远的人工河流已具有自然河流的属性。尤其在洞庭湖平原和湘中丘陵区，人工河流与自然河流交织密布，甚至难以准确划分人工河流和自然河流的界限。

5.1.3 水产养殖场

水产养殖场是指以水产养殖为主要目的而建造的人工湿地。湖南省水产养殖场面积为35844.32公顷，占总人工湿地面积的17.38%。水产养殖场主要分布于洞庭湖区、湘中丘陵区等湖泊水网密集地区，以及湘、资、沅、澧“四水”沿江段。湖南省淡水资源丰富，水产养殖业较发达，特别是近几十年来，大量湖泊、河流开阔水域被围垦成养殖场，甚至大量农田也已改造为水产养殖场。

5.2 各流域人工湿地型及面积

按一级流域统计，长江区人工湿地面积为204960.64公顷，占全省人工湿地总面积的99.38%。其中，库塘湿地119595.21公顷，运河/输水河49521.11公顷，水产养殖场35844.32公顷。珠江区人工湿地面积1281.95公顷，仅占全省人工湿地总面积的0.72%。其中，库塘湿地882.26公顷，运河/输水河399.69公顷。在长江区中，以洞庭湖水系人工湿地面积最大，为203851.00公顷。其中，库塘119315.43公顷，运河/输水河48912.90公顷，水产养殖场35622.67公顷。在洞庭湖水系中，又以洞庭湖环湖区人工湿地面积最大，为69994.42公顷。其中库塘15764.45公顷，运河/输水河21298.63公顷，水产养殖场32931.34公顷(表2-15、图2-15)。

图2-15 东安县人工湿地

表 2-15　湖南省各级流域人工湿地各湿地型分布概况(公顷)

一级流域	二级流域	三级流域	湿地型			
			库塘	运河/输水河	水产养殖场	合　计
长江区	洞庭湖水系	洞庭湖环湖区	15764.45	21298.63	32931.34	69994.42
		澧水	11580.40	2682.44	562.77	14825.61
		沅江浦市镇以下	10815.35	1948.64	146.52	12910.51
		资水冷水江以下	11110.48	668.81		11779.29
		湘江衡阳以下	28004.01	10078.66	1621.98	39704.65
		沅江浦市镇以上	4142.52	2381.25	22.78	6546.55
		资水冷水江以上	5638.54	3486.16	40.50	9165.20
		湘江衡阳以上	32259.68	6368.31	296.78	38924.77
		小　计	119315.43	48912.90	35622.67	203851.00
	鄱阳湖水系	赣江栋背以上	23.88			23.88
	宜昌至湖口干流	城陵矶至湖口右岸	255.90	608.21	221.65	1085.76
	共　计		119595.21	49521.11	35844.32	204960.64
珠江区	红柳江水系	柳江	36.99			36.99
	西江水系	桂贺江	165.97	55.38		221.35
	北江水系	北江大坑口以上	679.30	344.31		1023.61
	共　计		882.26	399.69		1281.95
总　计			120477.47	49920.80	35844.32	206242.59

5.3　各湿地区人工湿地型及面积

在湖南省 131 个湿地区中，以洞庭湖湿地区人工湿地面积最大，为 48482.82 公顷，主要为水产养殖场；东江水库湿地区人工湿地面积次之，为 14449.15 公顷，主要为库塘湿地；柘溪水库湿地区人工湿地面积位居第三，为 9879.45 公顷，主要是库塘湿地(表 2-16)。

表 2-16　湖南省各湿地区人工湿地各湿地型分布概况(公顷)

序　号	湿地型 / 湿地区名称	库　塘	运河/输水河	水产养殖场	合　计
1	洞庭湖湿地区	2655.78	16859.00	28968.04	48482.82
2	湘江湿地区			31.97	31.97
3	澧水湿地区	173.79			173.79
4	柘溪水库湿地区	9844.26	35.19		9879.45
5	东江水库湿地区	14406.93	42.22		14449.15
6	欧阳海水库湿地区	2702.07	208.23		2910.30

（续）

序号	湿地型 湿地区名称	库塘	运河/输水河	水产养殖场	合计
7	五强溪水库湿地区	425.25			425.25
8	水府庙湿地区	2968.94			2968.94
9	洋沙湖－东湖湿地区			160.55	160.55
10	凤滩水库湿地区	1828.39			1828.39
11	芙蓉区零星湿地区	57.56	51.40		108.96
12	天心区零星湿地区	75.13		73.33	148.46
13	岳麓区零星湿地区	114.29		21.40	135.69
14	开福区零星湿地区	229.29	103.42	161.94	494.65
15	雨花区零星湿地区	34.14		8.94	43.08
16	长沙县零星湿地区	1365.08	465.37		1830.45
17	望城县零星湿地区	704.19	402.52	1537.32	2644.03
18	宁乡县零星湿地区	1446.99	912.33	214.19	2573.51
19	浏阳市零星湿地区	1789.50	265.96		2055.46
20	荷塘区零星湿地区	88.29	62.06		150.35
21	芦淞区零星湿地区	23.68			23.68
22	石峰区零星湿地区	233.34	47.71	10.68	291.73
23	天元区零星湿地区		15.06		15.06
24	株洲县零星湿地区	836.78	372.11		1208.89
25	攸县零星湿地区	2299.47	1314.00	27.97	3641.44
26	茶陵县零星湿地区	721.15	322.77		1043.92
27	炎陵县零星湿地区	57.41	47.38		104.79
28	醴陵市零星湿地区	1738.11	478.13		2216.24
29	雨湖区零星湿地区		70.26	33.48	103.74
30	岳塘区零星湿地区	51.32		33.44	84.76
31	湘潭县零星湿地区	1671.82	1035.32		2707.14
32	湘乡市零星湿地区	1051.13	513.85	37.13	1602.11
33	韶山市零星湿地区	74.03	47.06	9.39	130.48
34	珠晖区零星湿地区	102.94	82.15	135.96	321.05
35	雁峰区零星湿地区	258.88	12.06		270.94
36	石鼓区零星湿地区	58.29	66.73	52.40	177.42
37	蒸湘区零星湿地区	119.61	30.43		150.04

（续）

序 号	湿地型 湿地区名称	库 塘	运河/输水河	水产养殖场	合 计
38	南岳区零星湿地区	30.22			30.22
39	衡阳县零星湿地区	2532.37	816.76		3349.13
40	衡南县零星湿地区	1598.70	983.54		2582.24
41	衡山县零星湿地区	495.75	74.96		570.71
42	衡东县零星湿地区	1460.27	332.07		1792.34
43	祁东县零星湿地区	1199.25	692.73		1891.98
44	耒阳市零星湿地区	1012.40	802.09		1814.49
45	常宁市零星湿地区	1584.96	510.96		2095.92
46	双清区零星湿地区	11.55	25.08		36.63
47	大祥区零星湿地区	136.13	85.01		221.14
48	北塔区零星湿地区	49.86		73.41	123.27
49	邵东县零星湿地区	1123.28	716.29		1839.57
50	新邵县零星湿地区	482.26	302.31		784.57
51	邵阳县零星湿地区	863.85	583.66		1447.51
52	隆回县零星湿地区	1241.42	474.78		1716.20
53	洞口县零星湿地区	813.98	547.37		1361.35
54	绥宁县零星湿地区	145.99	74.00		219.99
55	新宁县零星湿地区	550.92	445.10	9.61	1005.63
56	城步苗族自治县零星湿地区	236.20	79.76		315.96
57	武冈市零星湿地区	672.68	590.34		1263.02
58	岳阳楼区零星湿地区	118.90			118.90
59	云溪区零星湿地区	115.71	190.25	83.22	389.18
60	岳阳县零星湿地区	4372.42	377.06		4749.48
61	华容县零星湿地区	697.19	554.94	131.00	1383.13
62	湘阴县零星湿地区	238.28	308.40	556.33	1103.01
63	平江县零星湿地区	1221.92	187.11		1409.03
64	汨罗市零星湿地区	1163.37	243.10		1406.47
65	临湘市零星湿地区	894.57	488.77	75.76	1459.10
66	武陵区零星湿地区	12.05	273.82	159.81	445.68
67	鼎城区零星湿地区	2602.23	597.34	118.04	3317.61
68	汉寿县零星湿地区	858.32	99.10		957.42

（续）

序 号	湿地型 湿地区名称	库 塘	运河/输水河	水产养殖场	合 计
69	澧县零星湿地区	2941.34	1267.50	569.59	4778.43
70	临澧县零星湿地区	2180.22	796.46	12.68	2989.36
71	桃源县零星湿地区	3284.38	762.90	68.53	4115.81
72	石门县零星湿地区	4124.16	448.55		4572.71
73	津市市零星湿地区		49.23	136.38	185.61
74	永定区零星湿地区	345.57	91.72		437.29
75	武陵源区零星湿地区	144.54	23.84		168.38
76	慈利县零星湿地区	3705.35	214.57		3919.92
77	桑植县零星湿地区	74.37	124.47		198.84
78	资阳区零星湿地区	314.08	115.69	120.85	550.62
79	赫山区零星湿地区	358.51	953.62	2001.60	3313.73
80	桃江县零星湿地区	1230.64	329.24		1559.88
81	安化县零星湿地区	275.88	188.48		464.36
82	北湖区零星湿地区	371.95	156.67		528.62
83	苏仙区零星湿地区	759.48	142.17	60.10	961.75
84	桂阳县零星湿地区	1015.44	610.19		1625.63
85	宜章县零星湿地区	290.16	201.66		491.82
86	永兴县零星湿地区	1080.07	220.39		1300.46
87	嘉禾县零星湿地区	820.38	189.12		1009.50
88	临武县零星湿地区	444.67	92.05		536.72
89	汝城县零星湿地区	348.49	246.74		595.23
90	桂东县零星湿地区	22.00	50.16		72.16
91	安仁县零星湿地区	1257.77	429.19	25.78	1712.74
92	资兴市零星湿地区	677.45	26.74		704.19
93	零陵区零星湿地区	397.53	283.58	37.15	718.26
94	冷水滩区零星湿地区	481.01	215.39		696.40
95	祁阳县零星湿地区	875.67	459.39	13.82	1348.88
96	东安县零星湿地区	708.20	251.23		959.43
97	双牌县零星湿地区	1398.11	60.15		1458.26
98	道县零星湿地区	526.18	265.55	49.75	841.48
99	江永县零星湿地区	528.04	116.03		644.07

（续）

序　号	湿地型 湿地区名称	库　塘	运河/输水河	水产养殖场	合　计
100	宁远县零星湿地区	514.61	370.93		885.54
101	蓝山县零星湿地区	235.92	99.10		335.02
102	新田县零星湿地区	744.17	190.63		934.80
103	江华瑶族自治县零星湿地区	789.63	172.54		962.17
104	鹤城区零星湿地区	290.86	126.59		417.45
105	中方县零星湿地区	318.76	289.97		608.73
106	沅陵县零星湿地区	187.42	90.18		277.60
107	辰溪县零星湿地区	459.78	179.76	9.63	649.17
108	溆浦县零星湿地区	564.04	324.70	13.15	901.89
109	会同县零星湿地区	58.15	58.34		116.49
110	麻阳苗族自治县零星湿地区	381.21	123.33		504.54
111	新晃侗族自治县零星湿地区	144.69	60.80		205.49
112	芷江侗族自治县零星湿地区	485.03	365.15		850.18
113	靖州苗族侗族自治县零星湿地区	509.60	148.90		658.50
114	通道侗族自治县零星湿地区	307.85	19.08		326.93
115	洪江市零星湿地区	432.99	394.68		827.67
116	娄星区零星湿地区	52.68	51.63		104.31
117	双峰县零星湿地区	550.93	269.05		819.98
118	新化县零星湿地区	857.51	447.45		1304.96
119	冷水江市零星湿地区	106.90	89.40		196.30
120	涟源市零星湿地区	924.57	339.05		1263.62
121	吉首市零星湿地区	163.03			163.03
122	泸溪县零星湿地区	343.36	190.49		533.85
123	凤凰县零星湿地区	417.68	236.68		654.36
124	花垣县零星湿地区	153.43	75.09		228.52
125	保靖县零星湿地区	161.98	94.39		256.37
126	古丈县零星湿地区	25.73	5.40		31.13
127	永顺县零星湿地区	332.82	94.92		427.74
128	龙山县零星湿地区	235.67	310.48		546.15
总　计		49920.80	35844.32	206242.59	120477.47

5.4 各行政区人工湿地型及面积

湖南省14个市(州)人工湿地均有分布，以常德市人工湿地面积最大，为39880.15公顷，主要位于西洞庭湿地，是大量自然湿地经人为的滩涂围垦而变为了水产养殖场等人工湿地。益阳市人工湿地面积次之，为32339.90公顷，是南洞庭沿湖大量自然湿地经滩涂围垦后变为的水产养殖场等人工湿地，同时兼有大量库塘湿地。郴州市人工湿地面积位居第三，为26898.27公顷，主要是库塘湿地，位于东江水库(表2-17)。

表2-17 湖南省14个市(州)人工湿地各湿地型分布概况(公顷)

序 号	湿地型 行政区	库 塘	运河/输水河	水产养殖场	合 计
1	长沙市	5816.17	2231.81	2049.09	10097.07
2	常德市	16936.54	10771.46	12172.15	39880.15
3	郴州市	24196.86	2615.53	85.88	26898.27
4	衡阳市	10453.64	4404.48	188.36	15046.48
5	怀化市	4600.87	2181.48	22.78	6805.13
6	娄底市	6577.75	1242.54		7820.29
7	邵阳市	6328.12	3912.93	83.02	10324.07
8	湘潭市	5521.41	1666.49	113.44	7301.34
9	湘西土家族苗族自治州	3626.85	1007.45		4634.30
10	益阳市	8234.04	7994.91	16110.95	32339.90
11	永州市	7199.07	2484.52	100.72	9784.31
12	岳阳市	10544.30	6312.41	4879.28	21735.99
13	张家界市	4443.62	454.60		4898.22
14	株洲市	5998.23	2640.19	38.65	8677.07
总 计		120477.47	49920.80	35844.32	206242.59

第二节
湿地分布规律

1 湿地分布规律

湖南全省皆有湿地分布，但总体呈现出东部地区多于西部地区，北部地区多于中部与南部地区的分布格局(图2-16、图2-17)。

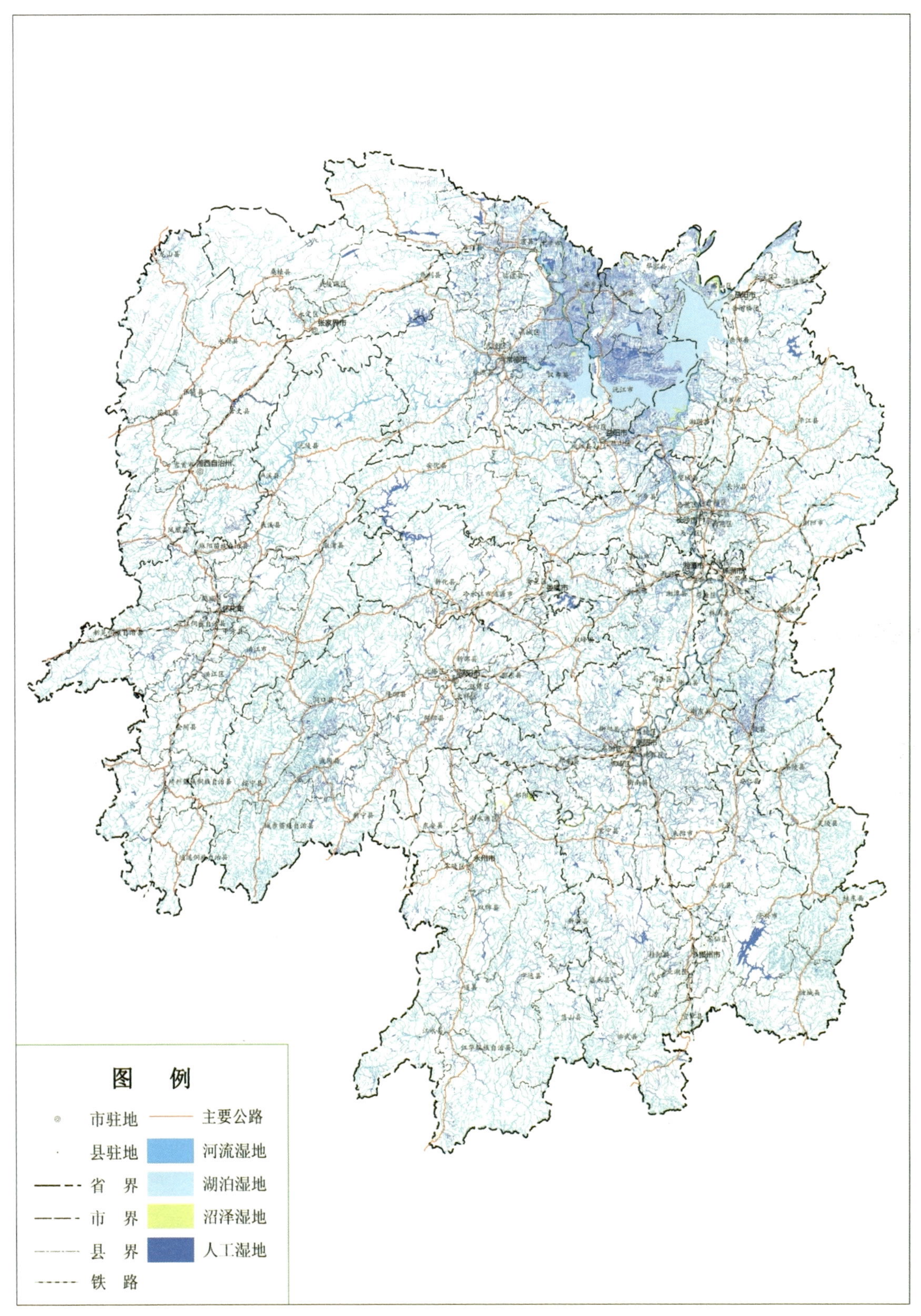

图 **2-16**　湖南省湿地分布图

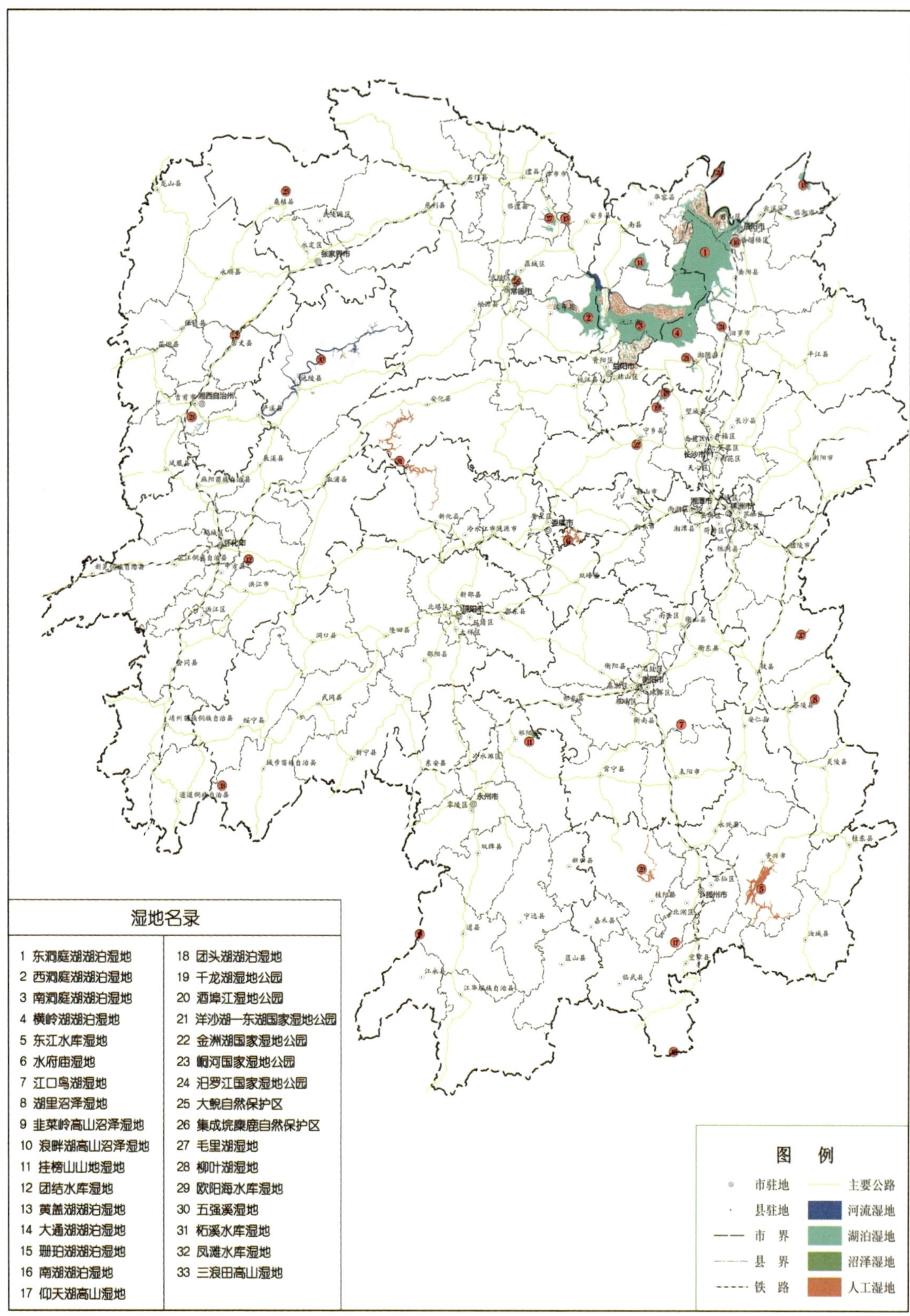

图 2-17 湖南省重点湿地分布图

(1)湖泊湿地：湖泊湿地主要分布于以洞庭湖为中心的湖泊群。洞庭湖环湖区湖泊湿地面积364791.61公顷，占全省湖泊湿地总面积的94.56%。大型湖泊还有黄盖湖、毛里湖等。

(2)河流湿地：河流湿地主要分布于以入洞庭湖“四水”为骨干的河流网。入湖“四水”和洞庭湖环湖区河流湿地面积386864.55公顷，占全省河流湿地总面积的97.10%。

(3)库塘湿地：库塘湿地主要分布于以蓄水、灌溉为主的湘中湘南丘陵山地区域：该区域库塘湿地面积71374.17公顷，占全省库塘湿地总面积的59.24%。

(4)运河/输水河：运河/输水河湿地主要分布于洞庭湖平原农田区域。在该区域，运河/输水河湿地总面积为21298.63公顷，占全省运河/输水河总面积的42.66%。

(5)洪泛平原：洪泛平原湿地均沿“四水”及洞庭湖环湖区分布。其中，洞庭湖环湖区洪泛平原湿地面积7201.99公顷；湘江流域洪泛平原湿地面积3975.90公顷；资江流域洪泛平原湿地面积934.46公顷；沅江流域洪泛平原湿地面积3080.03公顷；澧水流域洪泛平原湿地面积1120.92公顷。

(6)沼泽湿地：沼泽湿地主要分布于洞庭湖区，且以芦苇沼泽为主。该区沼泽湿地面积为20713.62公顷，占全省沼泽湿地总面积的70.73%。此外，在湘西北至湘西南、湘南、湘东的中山或中低山山地，分布着不同于洞庭湖湖区的山地沼泽湿地，约占全省沼泽湿地总面积的25%~35%，具有十分重要而特殊的意义。

2 湿地特点

湖南省境内北部多滨湖平原，中部多丘陵，东、南、西三面低山环绕，地貌类型多样，孕育出具有地域特色、类型丰富的湿地资源，具有以下特点。

2.1 湿地类型多样，分布不均，呈明显的地域性特点

湖南有河流湿地、湖泊湿地、沼泽湿地和人工湿地4大类湿地，永久性淡水湖、季节性或间歇性河流湿地、洪泛平原湿地等11个湿地型，湿地类型多样。在4大湿地类中，以河流湿地面积最大，为398399.40公顷，占全省湿地总面积的39.07%；湖泊湿地其次，为385797.72公顷，占37.83%；人工湿地居第三，为206242.59公顷，占20.23%；沼泽湿地最少，为29287.54公顷，占2.87%。湿地各类型之间分布极为不均。

同时，全省湿地分布呈现出明显的地域性特点，洞庭湖区域集湖泊、河流和沼泽湿地为一体，而其他区域则以河流和人工湿地为主。在人工湿地中，库塘、运河/输水河在全省分布广泛，而水产养殖场主要分布于常德、益阳、岳阳。

2.2 湖泊湿地占全省湿地比重大，国际、国家生态地位高

湖南省湖泊湿地占全省湿地总面积的37.83%，具有重要的国际和国家生态地位。洞庭湖湖泊湿地是全球200个重要生态区之一，是《中国湿地保护行动计划》所列的国家重要湿地之一。其中，湖南东洞庭湖国家级自然保护区于1992年被《湿地公约》列入国际重要湿地名录，湖南南洞庭湖省级自然保护区与湖南西洞庭湖省级自然保护区于2002年被《湿地公约》列入国际重要湿地名录。

2.3　山地沼泽湿地资源丰富，功能特殊

在湘西北至湘西南、湘南、湘东的山地，分布着十分丰富、大小不一的山地池沼、山间洼地型沼泽湿地，蕴藏着大量不耐人为干扰、不耐污染的敏感湿地植物，珍稀、保护与特有湿地植物资源多样，丰富了湖南湿地类型，极具保护与科研价值。

2.4　湿地生物多样性丰富，是重要的物种基因库

湖南湿地植物多样性丰富，共记录到湿地高等植物491种，隶属于95科278属，其中苔藓植物3科3属3种，蕨类植物10科12属17种，裸子植物1科3属4种，被子植物81科260属467种(其中双子叶植物64科176属304种，单子叶植物17科84属163种)，是重要的物种基因库。

据全国第二次湿地调查，湖南湿地动物多样性丰富，尤其是栖息或生存于湿地的鸟类和鱼类。由于湖南位于全球候鸟迁徙路线上，湿地鸟类种类繁多，且国家重点保护或珍稀濒危鸟类多。全省已知有鸟类19目68科共437种，约占全国鸟类种数的1/3。其中，湿地鸟类共有286种，隶属于16目56科，占湖南鸟类的66.0%。属于国家重点保护的鸟类有41种，其中，国家Ⅰ级保护鸟类6种，国家Ⅱ级保护鸟类35种。全省已知鱼类有205种，隶属于11目24科102属，约占全国鱼类总数4621种的4.44%。其中，鲤形目鱼类最多，共计134种，分属4科72属。而鳗鲡目、颌针鱼目、合鳃鱼目和鲀形目鱼类种类较少，均为1目1科1种。属于国家Ⅰ级保护的野生鱼类有2种，即中华鲟和白鲟。属于国家Ⅱ级保护的1种，即胭脂鱼。此外，胭脂鱼还是《国际贸易公约》附录Ⅱ的保护物种。

2.5　湿地土地权属以国有权属为主

湖南省湿地权属主要分为国有和集体。其中，国有权属占湿地总面积的91.99%；集体权属占8.01%。河流湿地权属均为国有；湖泊湿地、沼泽湿地以及库塘、水产养殖场，主要以国有权属为主；运河/输水河则以集体权属为主(表2-18)。

表2-18　湖南省各湿地类型的权属(公顷)

湿地类	湿地型	集体		国有	占湿地总面积比例(%)	合计
		未承包	承包			
河流湿地	永久性河流	10.77		381747.26	37.44	381758.03
	季节性或间歇性河流			328.07	0.03	328.07
	洪泛平原湿地			16313.30	1.60	16313.30
湖泊湿地	永久性淡水湖	2270.97		383526.75	37.83	385797.72
沼泽湿地	草本沼泽	4463.47		17512.78	2.16	21976.25
	灌丛沼泽			115.18	0.01	115.18
	森林沼泽		1821.08	5225.27	0.69	7046.35
	沼泽化草甸			149.76	0.01	149.76

（续）

湿地类	湿地型	集体		国有	占湿地总面积比例(%)	合计
		未承包	承包			
人工湿地	库塘	29687.94	204.75	90584.78	11.81	120477.47
	运河/输水河	28292.08	620.12	21008.60	4.90	49920.80
	水产养殖场		14309.00	21535.32	3.52	35844.32
总　计		64725.23	16954.95	938047.07	100	1019727.25

2.6 湿地受干扰强度高

由于湖南人口密度高，湿地开发利用历史悠久，人为干扰强度大，全省各类湿地正受到人类生产生活的重要影响。特别是近几十年来，人口持续增长、工业化发展迅速、城市不断扩张、农村居民生产生活方式逐渐转变，对湿地开发利用强度持续加大，围垦造田、围网养殖、污染等已对湿地生态系统造成严重的、不可逆转的影响。

2.7 湿地历史悠久，文化底蕴深厚

湖南湿地历史悠久，文化底蕴深厚。洞庭湖是全国著名的淡水湖泊湿地、鱼米之乡，千百年来当地居民世世代代与湿地相互依赖，已经形成水网密布、河道纵横、堤垸星罗棋布的地域形态，孕育了独特的稻耕文化、龙舟文化、巫傩文化、塔文化、航运和商贸文化以及水库与水利文化等。在洞庭、沅、湘之间形成的屈原忧国忧民精神和高洁品格，洞庭湖岳阳楼范仲淹以天下为己任的高尚精神，来自洞庭湖水系的“潇湘八景”，历经千年不变的传统龙舟文化，神秘莫测的巫傩文化等都是中华民族宝贵的精神财富。

2.8 湿地通过自然或人工水系互为连通，形成关联程度极高的湿地网络

湘、资、沅、澧“四水”流经98%以上的省域国土，进入洞庭湖，形成如同一张水网的洞庭湖水系，而长江从“三口”(松滋口、太平口、藕池口)注入洞庭湖，与洞庭湖水融合后，又从岳阳城陵矶流入长江，实现了江、河、湖的互连互通，致使全省如同一个水网密布、河湖密集，并相互连通的湿地网络体系。

第三章 湿地生物资源

第一节 湿地植物和植被

1 湿地植物种类与植物区系

湖南省位于长江中游南部，属中亚热带季风湿润气候区，雨水充沛，拥有我国第二大淡水湖泊洞庭湖以及湘、资、沅、澧“四水”，丰富的水资源孕育着多样性的湿地植物。据第二次湿地资源调查及相关参考文献资料记载，湖南共有491种湿地高等植物，隶属于95科278属(详见附录1)。其中苔藓植物3科3属3种，蕨类植物10科12属17种，裸子植物1科3属4种，被子植物81科260属467种(图3-1)。

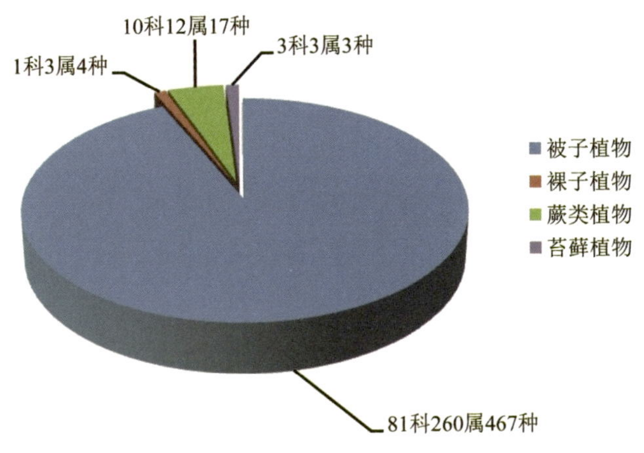

图**3-1** 湖南省湿地植物种类构成

湿地植物以其分布的广布性为显著特点，同时也表现出明显的隐域性特点。湖南省491种湿地植物中，世界广布或分布区达3个洲以上的种类有170种；分布于亚洲的有201种；分布于亚洲至大洋洲的有24种；逸生或栽培植物(原产地不在我国)有41种；中国特有种有38种。其他分布型的种类较少，包括东亚—北美分布的4种。同时，湖南湿地植物也表现出较明显的地带性分布特点，除广布种以外，种的分布以亚洲（或亚洲至大洋洲）分布为主。

湖南湿地植物优势度差异明显，优势物种约占总湿地植物的15%；非优势植物是偶见种或生态上的狭域种，约占总湿地植物的85%。对物种属性而言，双子叶植物丰富度较高，而单子叶植物多为优势建群种。洞庭湖优势种主要有芦苇、南荻、虉草、菰、假稻、三棱水葱（藨草）、水毛花、二型鳞薹草（垂穗薹草）、短尖薹草、蒌蒿、菖蒲、喜旱莲子草、水蓼、水烛（狭叶香蒲）等，非优势物种有风花菜、益母草、野胡萝卜、黄花草木犀、紫云英等。

此外，湖南山地湿地资源丰富，蕴藏着大量的珍稀湿地植物，尤其在湘西北至湘西南、湘南、湘东的山地，山地沼泽、山间洼地沼泽湿地保存着大量不耐人为干扰、不耐污染的湿地植物，如泥炭藓、浮苔、中华水韭、沼泽蕨（湖南新记录种）、桂皮紫萁、莱蕨、西南毛茛、莼菜、睡莲（野生）、棒尾凤仙花（湖南省新记录种）、管茎凤仙花、类鸭趾草状凤仙花、华凤仙、三腺金丝桃、柳叶白前、湖南千里光、抱茎石龙尾、水蜡烛、水虎尾、窄叶泽泻、宽叶泽薹草、泽薹草、长喙毛茛泽泻、小慈姑、龙舌草、长苞谷精草、莽山谷精草、曲轴黑三棱等（图3-2、图3-3）。

图**3-2**　中华水韭

图**3-3**　薹　草

1.1　湿地植物种类组成

1.1.1　科的统计

含30种以上湿地植物的科有4个，共有167种，占湿地植物总种数的34%，分别为禾本科41属62种，菊科24属40种，莎草科11属35种，蓼科6属30种；含10～29种植物的较大科有6个，即玄参科7属16种，唇形科12属15种，蝶形花科10属13种，毛茛科3属12种，眼子菜科1属11种，十字花科4属10种（表3-1）。

表3-1　湖南省湿地植物所属科与属的数量分布（属数∶种数）

≥30种（4科）		
禾本科　41∶62	菊　科　24∶40	莎草科　11∶35
蓼　科　6∶30		
10～29种（6科）		
玄参科　7∶16	唇形科　12∶15	蝶形花科　10∶13
毛茛科　3∶12	眼子菜科　1∶11	十字花科　4∶10

（续）

5～9种(19科)		
伞形科 6:9	水鳖科 5:9	苋 科 4:8
大戟科 3:8	泽泻科 4:8	睡莲科 5:7
柳叶菜科 2:6	蔷薇科 6:7	天南星科 4:7
石竹科 4:6	藜 科 3:6	杨柳科 2:6
旋花科 2:6	灯心草科 2:6	荨麻科 4:5
茜草科 4:5	茄 科 3:5	鸭跖草科 3:5
谷精草科 1:5		
2～4种(33科)		
杉 科 3:4	凤仙花科 1:4	千屈菜科 3:4
苏木科 1:4	报春花科 2:4	茨藻科 1:4
浮萍科 3:4	葫芦科 3:3	野牡丹科 1:3
金丝桃科 2:3	桑 科 3:3	萝藦科 2:3
忍冬科 2:3	雨久花科 2:3	紫萁科 1:3
金星蕨科 3:3	金鱼藻科 1:2	三白草科 2:2
景天科 1:2	虎耳草科 2:2	马齿苋科 2:2
牻牛儿苗科 1:2	菱 科 1:2	小二仙草科 1:2
椴树科 2:2	败酱科 1:2	睡菜科 1:2
半边莲科 1:2	爵床科 2:2	香蒲科 1:2
木贼科 1:2	水蕨科 1:2	满江红科 1:2
1种(33科)		
紫堇科 1:1	白花菜科 1:1	堇菜科 1:1
粟米草科 1:1	商陆科 1:1	酢浆草科 1:1
水马齿科 1:1	梧桐科 1:1	锦葵科 1:1
绣球花科 1:1	桦木科 1:1	大麻科 1:1
葡萄科 1:1	胡桃科 1:1	车前草科 1:1
桔梗科 1:1	紫草科 1:1	菟丝子科 1:1
狸藻科 1:1	胡麻科 1:1	马鞭草科 1:1
角果藻科 1:1	百合科 1:1	黑三棱科 1:1
兰 科 1:1	钱苔科 1:1	泥炭藓科 1:1
金发藓科 1:1	水韭科 1:1	蕨 科 1:1
蹄盖蕨科 1:1	苹 科 1:1	槐叶苹科 1:1

1.1.2　属的统计

含10种以上植物种的属有2个，即蓼属22种，眼子菜属11种。含5~9种植物的属有13个，即蒿属9种，毛茛属8种，莎草属6种，荸荠属6种，稗属6种，薹草属5种，谷精草属5种，大戟属5种，飘拂草属5种，灯芯草属5种，丁香蓼属5种，柳属5种。含2~4种的属有84个，如碎米荠属4种，凤仙花属4种，慈姑属4种，石龙尾属3种，水烛属2种，委陵菜属2种等。而仅含1种的属有179个。

1.1.3　种的统计

据第二次湿地资源调查，湖南湿地植物共有491种，隶属于95科278属，其中苔藓植物3科3属3种，蕨类植物10科12属17种，裸子植物1科3属4种，被子植物81科260属467种(其中双子叶植物64科176属304种，单子叶植物17科84属163种)。按照湿地植物生活型划分依据，湖南491种高等植物中，草本植物共有469种，占湿地植物总物种数的95.5%。木本植物(包括乔木、灌木、木质藤本)仅有22种，占总物种数的4.5%。木本植物有水松、水杉(栽培)、落羽杉(栽培)、池杉(栽培)、圆锥绣球、野蔷薇、茅莓、加杨(栽培)、垂柳、腺柳、旱柳、南川柳、川三蕊柳、江南桤木、构树、石榕树、桑树、水麻、枫杨、细叶水团花、忍冬、枸杞。此外，山地沼泽中偶见其他木本植物，但未列入湿地植物中。而草本水生植物可进一步分为挺水植物、浮叶植物、漂浮植物、沉水植物。其他草本湿地植物归为湿生植物。

(1)挺水植物：湖南挺水植物较多，主要有石龙芮、莲、萍蓬草、三白草、水蓼、千屈菜、假柳叶菜、毛草龙、水芹、白花水八角、抱茎石龙尾、蚊母草、水苦荬、水蓑衣、水蜡烛、窄叶泽泻、宽叶泽薹草、慈姑、菖蒲、野芋、曲轴黑三棱、水烛、水毛花、三棱水葱(藨草)、水葱、南荻、芦苇、菰等，约50余种。

(2)浮叶植物：浮叶植物主要有莼菜、芡实、睡莲、圆叶节节菜、水龙、细果野菱、欧菱、水皮莲、荇菜、茶菱、眼子菜、苹、水龙等，近20种。

(3)漂浮植物：漂浮植物种类较少，主要有浮苔、槐叶苹、满江红、细叶满江红、粗梗水蕨、芜萍、紫萍、品藻、浮萍、水鳖、凤眼莲、大漂等，约12种。

(4)沉水植物：沉水植物较多，主要有金鱼藻、穗状狐尾藻、沼生水马齿、异叶石龙尾、石龙尾、黄花狸藻、水筛、黑藻、龙舌草、苦草、菹草、多种眼子菜、角果藻、茨藻等，约30种。

此外，湖南湿地植物中，有众多的重点保护野生植物。其中，中华水韭、水松、莼菜、长喙毛茛泽泻4种为国家Ⅰ级保护野生植物；水蕨、粗梗水蕨、金荞麦、野大豆、莲(野生居群)、野菱(细果野菱)、野生稻(图3-4)、中华结缕草8种为国家Ⅱ级保护野生植物；宽叶泽薹草、龙舌草、芡实(图3-5)、萍蓬草、中华萍蓬草、睡莲、香蒲7种为湖南省重点保护野生植物。以上重点保护植物中，2种为湖南特有，呈野生居群分布，即长喙毛茛泽泻(仅产茶陵湖里湿地)、宽叶泽薹草(产湖南宜章莽山、蓝山荆竹林场、临武西山林场，另在云南腾冲县近年有发现)。

图3-4　野生稻

图3-5 芡 实

1.2 湿地植物区系组成

1.2.1 湿地植物科的区系特征

根据吴征镒教授等编著的《世界种子植物科的分布区类型系统》及《世界种子植物科的分布区类型系统的修订》，将种子植物科分为6个分布区类型。湖南湿地种子植物(苔藓植物与蕨类植物未列入统计)82科分布区类型数及比例见表3-2。

表3-2 湖南省湿地植物科的分布型统计

分布区类型	科数(个)	所占比例(%)
1. 世界广布	46	56.10
2. 泛热带分布	20	24.39
3. 热带亚洲和热带美洲间断分布	0	/
4. 旧世界热带分布	0	/
5. 热带亚洲至热带大洋洲分布	0	/
6. 热带亚洲至热带非洲分布	0	/
7. 热带亚洲(印度、马来西亚)分布	0	/
8. 北温带分布	13	15.85
9. 东亚和北美洲间断分布	1	1.22
10. 旧世界温带分布	1	1.22
11. 温带亚洲分布	0	/
12. 地中海、西亚至中亚分布	0	/
13. 中亚分布	0	/
14. 东亚分布	1	1.22
15. 中国特有分布	0	/
16. 非中国本地分布	0	/
合 计	82	100

世界广布科有46个，如菊科、禾本科、蔷薇科、蝶形花科、唇形科、毛茛科等。

泛热带分布科有20个，如大戟科、苋科、天南星科、爵床科、凤仙花科、萝藦科、鸭跖草科、谷精草科、雨久花科等。

北温带分布科有13个，如金丝桃科、大麻科、灯芯草科、杨柳科等。

东亚及北美洲间断分布科有1个，即三白草科。

旧世界温带分布科有1个，即菱科。

东亚分布科有1个，即茶菱科。

可见，湖南湿地植物科占16个分布区类型中的6个，以世界广布科和泛热带科最多，分别为46科与20科。世界广布科多属世界性大科，且多为草本与水生植物，在全球各地均有分布，多为常见种，丰富了植物多样性；但地区之间差异小，对区系意义不大。此外，湖南湿地植物泛热带分布20科，高于温带分布科（8～15型，共16科），这与湖南处于中亚热带的地理位置相符合。

1.2.2　湿地植物属区系分析

按吴征镒的《中国种子植物属的分布区类型》，将种子植物划分为15个分布区类型。少量的湿地蕨类和苔藓植物属分布区按种子植物的分布区处理，而外来植物无法套用属的分布区式样，故单独列出。湖南湿地植物278属分布区类型数及比例见表3-3。

表3-3　湖南省湿地植物属的分布型统计

分布区类型	属数(个)	所占比例(%)
1. 世界广布	74	26.62
2. 泛热带分布	68	24.46
3. 热带亚洲和热带美洲间断分布	2	0.72
4. 旧世界热带分布	11	3.96
5. 热带亚洲至热带大洋洲分布	7	2.52
6. 热带亚洲至热带非洲分布	8	2.88
7. 热带亚洲(印度、马来西亚)分布	11	3.96
8. 北温带分布	50	17.99
9. 东亚和北美洲间断分布	8	2.88
10. 旧世界温带分布	15	5.39
11. 温带亚洲分布	1	0.36
12. 地中海、西亚至中亚分布	0	/
13. 中亚分布	0	/
14. 东亚分布	16	5.76
15. 中国特有分布	2	0.72
16. 非中国本地分布	5	1.79
合　计	278	100

注：非中国本地分布有5个属，即土荆芥属、凤眼莲属、异檐花属、豚草属、落羽杉属，其中异檐花属是近年在洞庭湖湿地发现的首个外来种。

可见，湖南湿地植物属占15个分布区类型中的13个，仅缺地中海区、西亚至中亚分布型和中亚分布型，表明湖南湿地植物属区系类型的复杂与多样。属数最多的为世界广布型，共74属，占总属数的26.62%，与湖南山地及丘陵区森林植物区系中世界广布型较低形成明显对照。湖南森林植物区系中，世界广布属一般占5%～10%，且随着森林环境质量的提高所占比例逐步越低。泛热带分布和北温带分布型次之，分别为68属（占总属数的24.46%）和50属（占17.99%），也具有广域性分布。世界广布型、泛热带分布型和北温带分布型3个广域性分布型共192属，占总属数的69.06%，表明了湿地植物的隐域性特征。此外，2～7型为热带性分布，共107属；8～15型为温带性质，共92属；热带类型略多于温带类型，表明了湖南湿地植物的亚热带性质。

1.2.3 湿地植物种的区系特征

湖南省491种湿地植物中，世界广布或泛热带分布的种类有171种，分布于亚洲的有203种（其中热带亚洲至热带大洋洲分布的有24种，热带亚洲分布38种，温带亚洲分布71种，东亚分布60种），北温带分布26种，中国特有种38种，其他分布型的种类很少，如旧世界热带分布8种，东亚和北美洲间断分布的有4种。此外，原产地不在我国的栽培或逸生植物41种（表3-4）。

表3-4 湖南省湿地植物种的分布型统计

分布区类型	种数(个)	所占比例(%)
1. 世界广布	153	31.16
2. 泛热带分布	18	3.67
3. 热带亚洲和热带美洲间断分布	5	1.02
4. 旧世界热带分布	8	1.63
5. 热带亚洲至热带大洋洲分布	24	4.89
6. 热带亚洲至热带非洲分布	5	1.02
7. 热带亚洲(印度、马来西亚)分布	38	7.74
8. 北温带分布	26	5.30
9. 东亚和北美洲间断分布	4	0.81
10. 旧世界温带分布	0	/
11. 温带亚洲分布	71	14.46
12. 地中海、西亚至中亚分布	0	/
13. 中亚分布	0	/
14. 东亚分布	60	12.22
15. 中国特有分布	38	7.74
16. 非中国本地分布	41	8.35
合　计	491	100

可见，湖南湿地植物广布性种类多，具有明显的隐域性特点。同时，以分布于亚洲或至大洋洲的种类为主，又表现出一定的地带性。而不同于湖南中亚热带山地植物区系。湿地植物中外来物种所占比重较大，特有成分较少。

1.3 湿地植物区系特点

1.3.1 湿地植物兼有隐域性和地带性分布的特点

湖南湿地植物以其分布的广布性为显著特点，表现出明显的隐域性特点。同时，湖南湿地植物除广布种以外，种的分布以亚洲(或至大洋洲)分布为主，表现出一定的地带性特征。而就湿地植物属的分布区类型而言，热带和温带所占的比例较大，表现出明显的亚热带性质。

1.3.2 湿地植物中，优势种明显

湿地植物中，15%为优势植物种，约85%的种类为非优势种。对物种属性而言，双子叶植物丰富度较高，单子叶植物在多度上占优势，多为优势建群种。洞庭湖湿地优势植物种主要有芦苇、南荻、虉草、菰、假稻、三棱水葱(藨草)、水毛花、二型鳞薹草(垂穗薹草)、短尖薹草、蒌蒿、菖蒲、喜旱莲子草、水蓼、水烛(狭叶香蒲)等，非优势湿地植物种有风花菜、益母草、野胡萝卜、黄花草木犀、紫云英等。而在山地沼泽湿地中，优势种随水湿环境与海拔等差异，变化明显。

1.3.3 湖南的山地湿地环境多样，蕴藏有大量的珍稀湿地植物

湖南地处中亚热带，U形地貌，在湘西北至湘西南、湘南、湘东的山地，分布着面积大小不一的山地沼泽、山间洼地沼泽湿地，保存着大量不耐人为干扰、不耐污染的湿地植物，如泥炭藓、浮苔、中华水韭、沼泽蕨(湖南新记录种)、桂皮紫萁、菜蕨、西南毛茛、莼菜、睡莲(野生)、棒尾凤仙花(湖南省新记录种)、管茎凤仙花、类鸭趾草状凤仙花、华凤仙、三腺金丝桃、柳叶白前、湖南千里光、抱茎石龙尾、水蜡烛、水虎尾、窄叶泽泻、宽叶泽薹草、泽薹草、长喙毛茛泽泻、小慈姑、龙舌草、长苞谷精草、莽山谷精草、曲轴黑三棱等。

以上湿地植物中有稀有物种，如长喙毛茛泽泻与泽薹草，仅存在于湖南茶陵县湖里湿地；窄叶泽泻湖南仅分布于石门壶瓶山、蓝山荆竹林场；宽叶泽薹草在原产地广东已灭绝，而近年在湖南宜章县莽山、蓝山县荆竹林场、临武县西山林场3个山地沼泽以及云南腾冲县被重新发现；莼菜仅在湖南茶陵湖里湿地、宜章莽山浪畔湖有野生分布；睡莲(野生)，仅在山区小湿地中分布，很难见到该种，易误将庭园广为栽培的园艺品种红睡莲当做睡莲；大型广布种沉水植物龙舌草，是典型的环境指示植物，由于人为干扰及环境污染，在人口稠密区已基本灭绝；泽泻科植物除了野慈姑和短慈姑这两种在农田区沟渠、山间稻田等处较常见外，其他种类都已难见踪迹；值得一提的是泽泻科的冠果草，在湖南原记载有分布，近十余年来在野外调查中，一直未被发现，在湖南基本消失，仅于2002年在江西武功山下稻田中被发现。因此，这几种泽泻科植物，已处于极度濒危状态，应引起高度重视。

1.3.4 水库等人工湿地中，湿地植物种类较少、种群较小

湖南有大量由河道拦河筑坝修建的水库人工湿地，其中不乏湖南省重点调查湿地，如湖南酒埠江国家湿地公园、水府庙国家湿地公园、东江湖国家湿地公园、五强溪水库湿地、凤滩水库湿地、欧阳海水库湿地、柘溪水库湿地等(图3-6至图3-10)。此类湿地水域面积大，周边均是陡峭的河道石壁，几乎无湿地植物，仅在水库库尾淤泥处有湿地植物生长。在丰水季节，水位较高且较恒定，水库库尾湿地植物少，而在冬季与早春季节，水位下降，库尾洲滩露出，有利于翅茎灯芯草、十字花科等湿地植物生长，大多是较低矮的冷凉型、季节性湿地植物，均未列入湿地植被

类型。湖南其他未被列入重点调查湿地的中、小型水库，植物种群基本相同。此外，在洞庭湖周边用于养鱼的中、小型湖泊湿地，如珊珀瑚、大通湖等湿地由于水位恒定，人为干扰较大，湿地植物也较少，而在其周围的沟渠中，则有大量的湿地植物分布，植被类型也较为丰富。

图 **3-6** 湖里重要湿地

图 **3-7** 柘溪水库

图 **3-8** 索溪水库

图 **3-9** 东江湖国家湿地公园

图 **3-10** 五强溪水库湿地

1.4 国家级和湖南省省级重点保护野生植物

湖南省有国家重点保护野生湿地植物 12 种，Ⅰ级 4 种，Ⅱ级 8 种；有省级重点保护湿地植物 7 种(表 3-5)。此外，还有全省各地人工栽培的国家重点保护植物水杉。

表 3-5 国家级和省级重点保护野生湿地植物

物种名称	保护等级	省内分布区域
中华水韭	Ⅰ	通道、洞口、宁乡
水松	Ⅰ	资兴、永兴
莼菜	Ⅰ	茶陵、宜章
长喙毛茛泽泻	Ⅰ	茶陵

（续）

物种名称	保护等级	省内分布区域
水蕨	Ⅱ	沅江等地
金荞麦	Ⅱ	全省分布
野大豆	Ⅱ	全省分布
莲	Ⅱ	全省分布
野菱(细果野菱)	Ⅱ	全省分布
野生稻	Ⅱ	茶陵、江永
中华结缕草	Ⅱ	全省分布
粗梗水蕨	Ⅱ	洞庭湖周围
宽叶泽薹草	省级	宜章、蓝山、临武
龙舌草	省级	全省偶见
芡实	省级	洞庭湖周围
萍蓬草	省级	全省偶见
中华萍蓬草	省级	长沙
睡莲(野生)	省级	宜章、郴州、城步、通道、茶陵、平江
香蒲	省级	茶陵

注：保护等级中Ⅰ、Ⅱ级表示1998年国务院公布的《国家重点保护野生植物名录》中的种类及保护级别。“省级”表示列入《湖南省省级重点保护野生植物名录》中的种类。

2 湿地植被及类型

2.1 湿地植被特点

湖南湿地植被类型多样，主要集中在洞庭湖区，主要为洲滩沼泽植被(由杨树或柳树构成的森林沼泽植被、沼泽化草甸植被)和湖泊水生植被。在洲滩湿地，植被主要有落叶阔叶林、艾蒿、蒌蒿、荻、虉草、薹草等群落；在湖泊湿地，主要有芦苇、菰、莲、眼子菜、苦草、黑藻、薕草等群落构成的水生植被。此外，湖南山地沼泽湿地植被群落种类组成丰富，优势种差异较大。湖南湿地植被主要特点如下：

(1)湿地植被种类组成较单一，群落结构简单，优势种明显：湖南湿地植被种类组成单一，如洞庭湖湿地杨树林、芦苇林、川三蕊柳林等典型湿地植被群落，主林层仅一种或几种。而在湿地植物群落垂直结构上，结构简单，即仅有单个林层或两个林层的不完整结构，少许具有同时含乔木层、灌木层和地被层的完整结构。植物群落中优势种明显，种类组成所占比例不超过15%，85%为非优势种，甚至是偶见种或生态上的狭域种。

(2)洞庭湖湿地植被分布依水深梯度变化具有呈圈带状成层分布的格局：洞庭湖湿地植被随水位变化，依次分布着常绿阔叶林、落叶阔叶林、芦荻、柳蒿灌丛、薹草草甸、挺水植物、浮叶植物、漂浮植物、沉水植物。由于长江“三口”(松滋口、太平口、藕池口)和“四水”河(洪)道切割，水系洪道的紊乱及其相互干扰依托，使得洞庭湖区的泥沙呈不规则堆积，导致多种形状不一的洲滩，形成相应的植物群落，湿地植被呈插花式镶嵌分布特点。大型湿地植被群落，如芦苇、荻、虉草、单性薹草、短尖薹草、旱柳和川三蕊柳等群落，均大面积镶嵌于湖中或湖岸。而小型植被群落，如蔗草、少花荸荠、菰等群落，则以小面积星散分布于芦苇群落之中。水蓼、蒌蒿、水鳖等群落又镶嵌于薹草和荻群落之中。

(3)山地湿地植被群落优势种差异较大，种类丰富：湖南山地湿地环境丰富多样，分布着大小不等的山地沼泽湿地，形成以圆锥绣球、泥炭藓、沼泽蕨、桂皮紫萁、三腺金丝桃、湖南千里光等为优势种群的湿地植被。受海拔、水湿环境、气候条件等综合影响，优势种差异较大。此外，山地湿地植物群落中其他混生种较多，物种多样性较高。如圆锥绣球灌丛中混杂湖北海棠、三裂海棠、四川冬青、长叶冻绿、白檀、豪猪刺等灌木，大多为散生或小块状分布。

2.2 湿地植被类型

根据《中国植被》关于植被类型划分的原则和基本单位，湖南省湿地植被类型划分如下：

2.2.1 针叶林湿地植被型组

Ⅰ. 暖性针叶林湿地植被型

(1)水杉群系：全省各地栽培，尤其在洞庭湖区湖边、农田水渠、道路旁，多呈带状分布。

(2)池杉群系：全省常见栽培，在洞庭湖湿地中(如沅江)可见小片栽培。

(3)水松群系：该群系仅资兴、永兴两县有分布，见于村旁、稻田边。

2.2.2 阔叶林湿地植被型组

Ⅰ. 落叶阔叶林湿地植被型

(1)枫杨群系：该群系全省广泛分布，多集中于河岸或河中洲、滩，多为自然生长，呈带状，盖度可达70%，高度达10米以上。

(2)旱柳群系：全省广泛栽培，在洞庭湖区曾作为堤岸防护林种植，现保存下来较少，多为成熟林，盖度70%，高度6~12米。

(3)加杨群系：全省广泛栽培，尤其在洞庭湖区，盖度80%，高度约12米。

(4)江南桤木群系：全省山地散见，喜生于山地湿润环境，在城步等县的山地沼泽中，可形成湿地森林，高度约8米，盖度90%，植株较密集。

此外，在河流洲滩与河岸，甚至洞庭湖周边湿地，还有构树、桑树等落叶阔叶树群落，多生于中生或旱生环境，不是典型的湿地植物，未列入湿地植被中。

2.2.3 灌丛湿地植被型组

Ⅰ. 落叶阔叶灌丛湿地植被型

(1)川三蕊柳群系：川三蕊柳群落被称为淡水湖泊“红树林”，对丰富生物多样性作用巨大，生态价值较高，为洞庭湖湿地原生植被。受全球变化与人为干扰的影响，川三蕊柳群落常被芦苇或杨树群落取代，逐步退化，现已濒临灭绝。

(2)枸杞群系：该群系全省均有分布，洞庭湖区常见灌丛，多见于洲滩、湖堤，盖度可达90%，高度0.3~1米。

(3)圆锥绣球群系：该群系在全省山地沼泽中均有分布，为次生灌丛的优势种之一，生长较差，不及山坡次生灌丛，盖度30% ~70%，高约1米。

(4)细叶水团花群系：该群系全省均有分布，多见于河流两侧或池塘周围，呈带状或块状分布。

此外，在山地沼泽中，常见湖北海棠、三裂海棠、四川冬青、长叶冻绿、白檀等灌木生长，大多为散生或小块状分布。

2.2.4 草丛湿地植被型组

I. 莎草型湿地植被型

(1)短尖薹草群系：在洞庭湖湿地广泛分布，可形成单优群落。

(2)条穗薹草群系：该群系多见于山地沼泽湿地(如城步)，洞庭湖湿地亦有分布，高度0.4 ~0.5米。

(3)穹隆薹草群系：该群系主要见于黄盖湖。

(4)二形鳞薹草(垂穗薹草)群系：该群系常见于洞庭湖湿地，可形成单优群落，盖度80%，高0.6 ~1米。

(5)异型莎草群系：该群系见于洞庭湖湿地(如沅江)，盖度30%，高度约0.5米。

(6)香附子群系：该群系全省广布，多见于旱土、荒地，洞庭湖湿地较常见。

(7)碎米莎草群系：该群系见于洞庭湖湿地，如集成垸、南洞庭湖等地，盖度30% ~80%，高度约0.6米。

(8)扁穗莎草群系：该群系见于千龙湖、柘溪水库等地，盖度40%，高度约0.4米。

(9)旋鳞莎草群系：该群系见于江口鸟洲、西洞庭湖等湿地，盖度可达90%，高度约0.4米。

(10)头状穗莎草群系：该群系见于洞庭湖区洲滩或浅水中，如沅江、大通湖等地，盖度40%，高度约1.2米，是湖南省第二次湿地调查中发现的湖南省新记录植物。

(11)刚毛荸荠群系：该群系全省广布，多见于浅水的稻田、沼泽等地，洞庭湖区亦常见，可形成单优群落，盖度40%左右，高度约0.6米。

(12)荸荠群系：该群系为人工栽培，衡阳等地较多，球茎可食。

(13)两歧飘拂草群系：该群系见于欧阳海水库，常与狗牙根、喜旱莲子草等混生，盖度40%，高度约0.6米。

(14)牛毛毡群系：该群系全省广布，多见于稻田、洞庭湖洲滩，亦见于山地沼泽，如浏阳大围山等地，可形成单优群落，盖度50%~80%，高度约0.15米。

(15)水莎草群系：该群系见于欧阳海水库、柘溪水库等地，盖度40%，高度约0.5米。

(16)水蜈蚣群系：该群系全省广布，多见于水库库尾、洞庭湖区等湿地洲滩，盖度30%~70%，高度约0.4米。

(17)水毛花群系：该群系全省广布，多见于山地沼泽、洞庭湖区等浅水湿地，盖度50%~90%，高度约1米。

(18)三棱水葱(藨草)群系：该群系洞庭湖区浅水滩常大面积分布，山地沼泽中亦较常见，盖度80%，高度约1米。

(19)百球藨草群系：该群系多见于山地沼泽、溪沟边，如浪畔湖，盖度50%，高度约

1.5 米。

(20)水葱群系：该群系在长江中下游地区湖北、江苏等省为常见湿地植物，在湖南省仅见于城步中山山地沼泽，盖度 60%，高度约 1.5 米。

(21)席草群系：该群系为人工栽培，衡阳市最多，多用于编草席。

Ⅱ. 禾草型湿地植被型

(1)看麦娘群系：为季节性湿地植被群系(冬春至初夏，以下所称季节性均指这种类型)，全省广布，多见于稻田，亦见于洞庭湖区，盖度 30%~70%，高度 0.2~0.3 米。

(2)菵草群系：季节性湿地植被群系，以洞庭湖区最为常见，全省农田区亦常见，多为小块状，亦有大面积，常形成单优群落，盖度 30%~95%，高度 0.3~0.6 米。

(3)拂子茅群系：该群系多见于山地或丘陵沼泽中，洞庭湖湿地亦有分布，如汨罗江等地，盖度 20%~80%，高度约 1 米。

(4)狗牙根群系：该群系全省广布，极常见，呈铺散状，多见于荒地、路边，盖度 60%~90%，高度 0.05~0.2 米。

(5)稗群系：该群系全省广布，多见于稻田、水沟，洞庭湖湿地常有分布，盖度 40%~70%，高度 1~1.5 米。

(6)长芒稗群系：该群系分布于洞庭湖湿地，是洲滩湿润地或浅水中常见的单优群落，盖度 50%~80%，高度 1~1.5 米。

(7)紫穗稗群系：该群系在岳阳君山区低洼荒废稻田中见有栽培或逸生，是鱼类的优良饲料植物，盖度 80%~100%，高度约 0.5 米。

(8)细毛鸭嘴草群系：该群系在茶陵湖里湿地可见，常为单优群落，盖度 60%~90%，高度 0.8~1.2 米。一般生长于湿地周边的中生或旱生环境，因此不是典型的湿地植物。

(9)千金子群系：该群系在山地沼泽、河溪边、洞庭湖湿地较为常见，盖度 60%~90%，高度 0.6 米。

(10)南荻群系：该群系是洞庭湖区面积最大的湿地植被类型，多为人工种植，是重要的造纸原料，省内河流湿地等亦常见有小面积分布，盖度 80% 以上，高度可达 2.5 米，伴生种常有芦苇。

(11)类芦群系：该群系多见于湖南南部各县河滩，盖度 80%~100%，高度约 2.5 米。

(12)野生稻群系：野生稻为国家Ⅱ级保护植物，仅见于江永县与茶陵县湖里湿地，为多年生草本，冬季地上部分枯萎，常密集成丛，盖度 40%~90%，高度 0.8~1.5 米。

(13)双穗雀稗群系：该群系全省广布，洞庭湖区常见，稻田沟边、溪边亦有，常为单优群落，呈铺散状，盖度 70%~100%，高度 0.4 米。

(14)虉草群系：该群系多见于洞庭湖洲滩湖滨地带，呈大面积铺散状分布，为单优群落，盖度达 100%，高度 0.3~0.8 米。虉草对洞庭湖沉降淤泥、净化水质具有重要的作用。除洞庭湖湿地外，其他湿地也较常见，多为带状分布。

(15)芦苇群系：该群系在洞庭湖湿地常见分布，因其纤维不及南荻，在人工经营措施下多被南荻取代。芦苇湿水性比南荻强，多沿湖滨、河道两侧等地势相对较低的洲滩分布。省内其他湿地偶见有芦苇分布，但面积较小，如浏阳大围山山地沼泽。

(16)狗尾草群系：该群系全省广布，为最常见的荒地植物之一，省内水库及洞庭湖区等湿地亦有分布，盖度40%~80%，高度0.5~1米，还有金色狗尾草等分布。

(17)苏丹草群系：该群系在洞庭湖区为人工栽培，多见于鱼塘塘基、堤坝等处，为优良的鱼饲料，产量高，盖度70%~100%，高度1.5~2米。

(18)菰群系：该群系全省广布，主要分布于浅水区、山地沼泽、稻田区、河道及水渠、洞庭湖区等，面积大小不一，南洞庭湖鲁马湖有较大面积菰群落，常为单优群落，或与狭叶香蒲(水烛)、荷花、水毛花、喜旱莲子草等混生。

(19)假稻群系：该群系全省广布，生于稻田、沟渠、湖泊、池沼边缘，盖度40%~90%，高度约0.4米，植株可伸向水中，可长达2米。

(20)牛筋草群系：该群系主要分布于洞庭湖区，面积较小，盖度40%~60%，高度0.1~0.2米，为旱生型湿地植被群系，不是典型的湿地植被类群。

Ⅲ. 杂草类湿地植被型

(1)黄花草(臭矢菜)群系：该群系见于横岭湖，为单优群落，盖度达100%，高度约1.2米。

(2)球果蔊菜(风花草)群系：该群系分布于洞庭湖区洲滩，为季节性湿地植被群系，常形成单优群落，盖度40%~80%，高度约1.5米。

(3)水蓼群系：该群系全省广布，村旁、路边、湿地区常见，湖泊、河流等滩地及水体近岸区亦生长，盖度70%，高度约0.8米。

(4)红蓼群系：该群系全省散见，分布于湖滨、荒田等，盖度50%~70%，高度0.8~1.2米。

(5)蚕茧草群系：该群系全省广布，洲滩、沼泽、荒田常见，为单优群落，盖度70%~100%，高度0.5~0.8米。

(6)稀蓼群系：该群系见于湘西南山地沼泽、溪沟边，呈匍匐状，盖度70%~100%，高度0.2~0.3米。

(7)小花蓼群系：该群系全省山地沼泽、溪沟边、湿润地带、水边常见，呈披散状，盖度70%~90%，高度0.2~0.4米。

此外，蓼属植物中，可形成湿地植被的还有习见蓼(腋蓼)、蓼子草、扁蓄、箭叶蓼、香蓼(黏毛蓼)、愉悦蓼、火炭母、戟叶蓼、稀花蓼、疏花蓼等。其中，疏花蓼在城步县中山沼泽湿地中可形成大面积群落，10月份开花时，远望一片火红。

(8)青葙群系：该群系全省广布，河流洲滩、洞庭湖区洲滩上常见，盖度40%~80%，高度0.5~1.5米。

(9)喜旱莲子草群系：该群系全省广布，湿地中极为常见，是湖南省危害最严重的外来入侵种，可生于沼泽、洲滩、浅水中，常阻塞河道，盖度40%~100%，高度约0.4米。

(10)圆叶节节菜群系：该群系为优良的观赏水生植物，全省广布，多见于丘陵、山区、农田区，在溪沟、小型沼泽群落中面积一般较小，盖度70%~100%，高度约0.2米。

(11)卵叶丁香蓼群系：习性与分布大致同圆叶节节菜。

(12)棒尾凤仙花群系：湖南省新记录种，仅见于城步三浪田沼泽湿地。群落中有大量泥炭藓，并有柳叶箬、千金子、拂子茅或水毛花等，盖度40%~80%，高度0.5~0.8米。

此外，凤仙花属植物中，另有华凤仙、类鸭跖草状凤仙花、管茎凤仙花等物种，为典型的湿地植物，分布于湘南、湘西南山地溪边、水沟等开阔地带，多呈带状分布。

(13)三腺金丝桃群系：该群系见于郴州仰天湖、宜章浪畔湖、城步三浪田等中山山地沼泽中，盖度40%~80%，高度0.3~0.6米。

(14)紫云英群系：该群系在洞庭湖区及周围湖泊洲滩较常见，为季节性湿地植被类型，盖度70%~90%，高度0.3~0.5米，常形成单优群落或与其他物种混生。

(15)野大豆群系：该群系全省散见，盖度达90%，长度1.5~2.5米，常形成单优群落附于其他植物上生长。

(16)水芹群系：著名野生蔬菜，全省散见，山间沼泽、溪沟河道边、荒田、湖区均有分布，盖度70%~100%，高度0.5~0.8米，常形成单优群落。

(17)野胡萝卜群系：该群系全省广布，尤以洞庭湖洲滩最为常见，为季节性湿地植被类型，盖度40%~80%，高度1~1.5米，多呈块状或带状分布。

(18)艾蒿群系：该群系全省散见，常见于洞庭湖区湖堤较为干旱的环境，为非典型湿地植物，盖度70%~100%，高度1.5~2.5米。蒿属中的五月艾、南艾蒿在洞庭湖洲滩湿地中较为常见。

(19)蒌蒿群系：蒌蒿嫩茎为著名野生蔬菜，产销量大，在洞庭湖区及周围湖泊洲滩上常呈大面积分布，盖度30%~80%，高度0.4~1米。

(20)鬼针草群系：该群系全省广布，包括鬼针草、狼杷草等种，在溪沟边、沼泽、洞庭湖区洲滩等湿地常见，盖度70%，高度0.7~1.5米。

(21)小白酒草群系：该群系为分布极广的荒地植物，湿地中亦常见，并非典型的湿地植物种，盖度60%~90%，高度1~1.5米。

(22)湖南千里光群系：该群系多见于永州、邵阳南部中山山顶草灌丛或沼泽湿地中，常形成大面积群落，散生或密集成群，植株高度约1.2米。

(23)石龙尾群系：该物种习性因水位而变化，在水深超过0.2米时，表现为沉水植物，有长约0.1米的顶枝(生殖枝)露出水面；在水深不及0.1米或湿润淤泥中，则直立生长。在全省稻田、荒田、溪沟、湖区洲滩、沼泽中可见，盖度60%~100%，高度0.2~0.3米。同属的异叶石龙尾习性、分布与石龙尾相似。

(24)抱茎石龙尾群系：优良的湿地观赏植物，仅在常宁市庙前镇有一处分布，生长于常年有浅水的荒田中，盖度100%，高度0.3~0.4米，有长达0.5米的倾卧茎。

(25)过江藤群系：该群系多见于欧阳海水库，南洞庭湖偶见，盖度40%~90%，高度约0.3米，常与狗牙根、假稻等混生。

(26)益母草群系：该群系全省广布，洞庭湖区洲滩、荒田等常见，为季节性湿地植被类型，盖度60%~90%，高度1~1.6米。

(27)萱草群系：该群系全省散见，在浏阳大围山山顶湿地中有分布，盖度50%，高度约0.8米。伴生种有紫萼、牯岭藜芦、紫花前胡、薹草等，地被层中还有泥炭藓。

(28)宽叶泽薹草群系：该群为极稀有的湿地植物，沼生或水生，仅见于山地沼泽中，在湖南省内仅宜章莽山、蓝山荆竹林场、临武西山林场3处有分布，后2处为近年发现的新分布点，盖度60%，高度0.6~1米。

(29)水竹叶群系：该群系为典型的湿地植物，全省广布，在农田沟渠、山溪河边、山地沼泽中常见，呈带状或块状分布，盖度60%~100%，高度约0.3米。

此外，鸭跖草科中，还有聚花草、根茎水竹叶、裸花水竹叶等种在山地沼泽、山地溪沟边等湿地，可形成湿地植被。

(30)长苞谷精草群系：该群系仅在郴州仰天湖沼泽湿地中有成片分布，盖度80%，高度0.3~0.4米。

(31)狭叶香蒲群系：该群系全省湿地散见，洞庭湖区域较多，多见于低地沼泽、田间沟渠、荒田中，盖度80%，高度约1.5米，多为单优群落，或与菰、喜旱莲子草、菖蒲等混生。

(32)香蒲群系：该群系仅见于茶陵县岩口水库大坝下一沼泽湿地中，盖度100%，高度约1.6米。

(33)野芋群系：该群系全省散见，多见于农田区沟渠、小型沼泽中，洞庭湖洲滩也有分布，盖度70%~90%，高度约1米。

(34)菖蒲群系：该群系在全省湿地广布，多见于池沼、沟渠，洞庭湖洲滩亦常见，且面积较大，山地沼泽中亦有分布，盖度40%~80%，高度约1.2米。

(35)翅茎灯芯草群系：该群系全省湿地广布，多见于湖泊洲滩、池沼、水库库尾淤泥裸露地段，因水位变化而成季节性湿地植被(冬春水位低时出现大面积分布，夏季水位高时被淹)，盖度20%~70%，高度约0.2米。

(36)沼泽蕨群系：该群系为湖南新记录植物，仅见于城步县中山湿地，在该县十万古田、三浪田等多处山顶沼泽湿地中，呈大面积生长，盖度70%~100%，高度约0.5米。

(37)菜蕨群系：该群系在湿地散见，在通道、城步、浏阳等地丘陵或山地低地沼泽、溪沟边有分布，西洞庭湖洲滩亦有分布，盖度70%，高度约0.8米，可食。

蕨类植物中，可在湿地中生长、形成湿地植被的还有：①桂皮紫萁(分株紫萁、福建分株紫萁)，在湘南、湘西南的中山山顶沼泽湿地中，可形成群落；②干旱毛蕨，在丘陵、山间低地沼泽湿地中，可形成群落；③中华水韭，在会同、通道(万佛山)、洞口、宁乡等地的山地沼泽湿地中，见有群落分布；④节节草，在农田区田埂边、洞庭湖区洲滩等湿地，可形成小面积群落；⑤华南紫萁，在山地、草丛或溪边，见有分布；⑥粗梗水蕨，常漂浮于湖沼、池塘中，洞庭湖周围有小面积群落分布。

此外，被子植物中，可形成湿地植被的还有三白草、毛草龙(湘南)、蚊母草、水苦荬、水蓑衣、野慈姑、曲轴黑三棱等。

Ⅳ. 苔藓湿地植被型

(1)泥炭藓群系：湖南泥炭藓主要见于湘南、湘西南山地森林植被保存较好、空气温度较大的石壁、草丛中，在城步十万古田、三浪田等地的中山山顶沼泽中，有发育良好的泥炭藓群系。该区域常年有一层薄的地表水，可形成单优泥炭藓群落，盖度100%，高度0.2~0.4米，或与千金子、拂子茅、沼泽蕨、分株紫萁等混生，形成沼泽植被的第二层。泥炭藓群系具有重要的涵养水源功能。

(2)金发藓群系：该群系在浏阳大围山、城步十万古田、炎陵桃源洞等处的山顶沼泽中分布很广，可形成金发藓单优群系，盖度100%，厚度0.2~0.3米。

2.2.5 浅水植物湿地植被型组

Ⅰ. 漂浮植物型

(1)满江红群系：该群系在全省广泛分布，多见于水面平静的池塘、水渠、湖泊边缘、稻田，常形成单优群落，盖度近100%。

(2)凤眼莲群系：外来入侵植物，全省分布，在富营养化水域，可形成大面积群落，盖度达90%以上，常淤塞河道，威胁本地生物多样性。

(3)槐叶苹群系：该群系在全省各地散见，多见于较平静的浅水水体表面，盖度30%~70%，常伴生满江红、浮萍、喜旱莲子草等。

(4)水鳖群系：该群系多见于洞庭湖及周围湖泊，其他地方少见，生于河道、湖泊、沼泽等静水水域，常与其他漂浮植物或挺水植物混生，亦形成单优群落。

此外，还可偶见大薸，该种在20世纪70年代曾作为饲料大量引种，现已少见。

Ⅱ. 浮叶植物型

(1)荇菜群系：该群系全省广布，常见于静水中，池沼、小河道、湖湾、藕池等处常见，盖度50%~100%，开花时一片金黄，美丽壮观。

(2)水皮莲群系：较为稀见，在东洞庭湖、汨罗江、欧阳海水库、江永野生稻产地等处有分布，盖度30%，常与假稻、苹、黑藻等混生。

(3)细果野菱群系：该群系全省广布，多见于静水中，亦在池沼、小河道、湖湾、藕池等处常见，盖度40%~100%。

(4)欧菱：人工栽培，食用，多见于洞庭湖淤泥肥沃的湖区沟渠与小鱼塘中，盖度80%~100%。

(5)莲群系：该群系在全省各地人工栽培或逸生，湘北洞庭湖区域及周边、衡阳市、湘潭市境内较多，面积大，以生产莲子为主，亦有部分藕莲(图3-11)。

(6)芡实群系：该群系仅见于洞庭湖周边的鱼塘、河道中，由于多为精养鱼塘，芡实逐渐减少，少量保留下来以采收叶柄作蔬菜经营。

(7)睡莲群系：该群系指野生的而非栽培种，为珍稀水生植物，仅见于山地沼泽中，在宜章莽山、茶陵湖里湿地存在，近年来在郴州仰天湖、通道、城步三浪田、平江也有分布。

(8)莼菜群系：莼菜为国家Ⅱ级保护野生植物，在洞庭湖区域原本有分布，现已灭绝，仅见于宜章莽山、茶陵湖里湿地，盖度80%~100%(图3-12)。

图**3-11** 莲

图**3-12** 莼 菜

(9)萍蓬草群系：该群系全省各地偶见，在城步、浏阳、炎陵、桂东、湘乡、常宁、双牌、衡阳、永兴、新宁、郴州(仰天湖)等地有分布，多呈小块状。水位较深时，为浮叶状；水位低时，为挺水状；株高约0.5米，盖度60%~90%。

(10)茶菱群系：该群系全省广布，生于静水中，在沟渠、水凼、湖湾等人为干扰较少的浅水区有分布，盖度60%~100%，常与菰、莲等混生。

(11)眼子菜群系：该群系全省散见，多生于静水浅水中，在沼泽、沟渠、水浸稻田等地都有分布，群落面积较小，而在浏阳大围山山顶沼泽中有较大面积，盖度40%~70%。

(12)苹群系：该群系全省广布，生于静水浅水中，在沟渠、沼泽、湖滨、稻田等地有分布，盖度40%~80%。

(13)水龙群系：该群系在茶陵、衡南、江永、湘乡(水府庙水库土坝下方)等县、市有分布，常生于池塘、沼泽边缘近水区淤泥中，可伸向水面1~2米，为增大浮力，节上可长出白色圆柱形浮器，茎上可包裹厚达0.03米、似泡沫塑料的浮器，在淤泥上可直立生长，高度约0.4米。

Ⅲ. 沉水植物型

(1)菹草群系：该群系在全省广布，生于静水或流速较缓的沟渠、池沼、浅水湖泊、水库及湖滨，盖度30%~90%，长度0.2~0.5米。在静水浅水中，有夏季休眠枯死的习性，当夏季水温过高时，其枝顶部叶较密集的部分形成“石芽”沉于水中，植株则全部枯死；待秋季水温降低后，“石芽”重新萌发。而在流水中的菹草，四季均可生长。

(2)竹叶眼子菜群系：该群系全省广布，生于流速较缓的流水中，洞庭湖水深2米以内的区域常有分布，长度可达数米。在凤凰、城步等县有小拦水坝的水体中，生长茂盛，随波上下翻滚，非常壮观。

此外，眼子菜属沉水植物中，还有篦齿眼子菜、小眼子菜、尖叶眼子菜等分布。

(3)苦草群系：为优良的水族箱观赏植物。该群系在全省广布，生于静水或流速较缓的沟渠、池沼、浅水湖泊、水库及湖滨，盖度30%~70%，长度0.2~0.4米。

(4)金鱼藻群系：为优良的水族箱观赏植物。该群系在全省广布，多生于静水水体中，在流速较缓的浅水中亦有生长，喜水质清澈、污染程度轻或未受污染的水质，长度0.05~0.3米。

(5)黑藻群系：该群系全省广布，在湖泊、池沼、沟渠、河流等地均可见，常与金鱼藻、苦草、菹草等混生，喜水质较好的环境。

(6)龙舌草群系：龙舌草为省内唯一较大型叶沉水植物，也是优良水族箱观赏植物与环境指示植物，原分布很广，但随着环境污染和人为干扰的加大，以及精养鱼塘的出现，大面积减少，现已较难发现。在洞庭湖周边未养草食性鱼类的池塘、山地沼泽、农村水井等偶见。近年来，在沅江、岳阳、茶陵等县有发现。

(7)穗状狐尾藻群系：为优良的水族箱观赏植物。该群系在全省广布，静水及流水中均可见，尤以洞庭湖区的沟渠最为常见，植株长达0.2~1.0米。省内庭院水体中，偶见人工栽培的狐尾藻，野外未发现。

(8)黄花狸藻群系：该群系在全省广布，多生于浅水静水中，在稻田、池沼等处常见，为水生食虫植物，长度0.2~0.5米。

(9)沼生水马齿群系：为优良的水族箱观赏植物。该群系在全省散见，生于静水或流速较缓的浅水中，植株娇小，不耐人为干扰，不耐污染，在水质优良的水体中，枝叶呈翠绿色，非常雅致。

(10)茨藻群系：该群系在洞庭湖周边的小池沼、鱼塘中有分布，主要有大茨藻和小茨藻2种。

(11)水筛群系：该群系在城步等县的中山沟渠与池沼中有分布，常见有异叶石龙尾和石龙尾2种沉水植物，易形成漂亮的沉水植物景观。

此外，在汝城、怀化等地，还见有圆叶节节菜的沉水株型，亦是良好的沉水景观植物。

第二节
湿地动物资源

湖南属中亚热带季风湿润气候区，在动物地理区划上属于古北界华北区和东洋界华中区的交汇区，动物区系比较古老，古北界成分和东洋界成分兼有。

野生动物是湿地生物多样性的重要组成部分，是国家的重要资源。湿地独特的生态环境，为众多野生动物种类提供了栖息繁衍的家园。湖南丰富的湖泊、河流、高山湿地是众多野生动物，特别是鱼类、两栖类、爬行类、鸟类的理想栖息繁衍场所，湿地野生动物在全省野生动物资源中占据较大比例。

1　湿地野生动物种类组成、区系和群落特点

1.1　湖南湿地脊椎动物种类组成

据调查，湖南省湿地脊椎动物有639种，隶属于5纲39目110科317属。其中，鱼纲11目23科102属205种；两栖纲2目9科28属63种；爬行纲3目8科27属39种；鸟纲16目56科132属286种；哺乳纲7目15科28属46种(图3-13)。鸟类占脊椎动物比例最高，约为45%，鱼类其次，约为32%，两栖动物再次之，约为10%，哺乳动物和爬行类所占比例更低，分别约为7%与6%。

1.2　湖南湿地脊椎动物分布

湖南省共辖14个市(州)，125个县(市、区)，各县(市、区)的湿地动物物种数目差异较大。将调查的数据换算成比值，即将某地发现的物种数目除以湖南省湿地动物物种的总数(639)，用这一比值再换算成密度，可反映出湖南湿地动物物种的数目分布。按照这一方法可统计出各市(州)的物种比值，排除市(州)的面积差异(比值除以各自的面积)，可获得湖南省湿地动物各市(州)的多样性排序。动物多样性从高到低依次为：张家界市(60.91)、邵阳市(58.74)、郴州市(58.26)、永州市(57.01)、怀化市(55.86)、湘西土家族苗族自治州(53.85)、株洲市(46.53)、娄底市(46.37)、常德市(45.86)、长沙市(44.60)、益阳市(44.47)、岳阳市(42.38)、衡阳市(41.66)、湘潭市(38.55)。

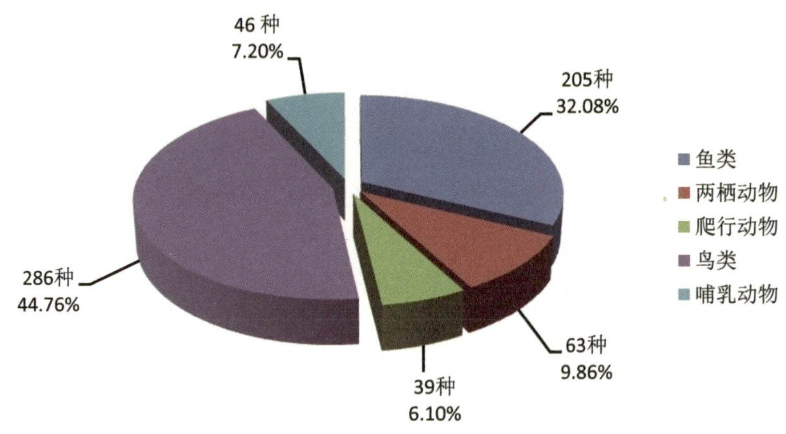

图 **3-13** 湖南省湿地脊椎动物组成

1.3 湖南湿地脊椎动物区系成分

全世界动物区系分为6个界，中国横跨古北界和东洋界。按照动物地理区划理论，中国又分为3亚界7区19亚区。湖南省位于东洋界中印亚界华中区。由于陆生脊椎动物与鱼类的划分条件略有不同，下面只就湿地陆生脊椎动物的区系特点进行分析。

受气候和环境条件的影响，湖南省湿地陆生脊椎动物群落复杂多样，现有46种区系类型(表3-3)。其中，绝大多数是多个亚区共有型物种，仅单个亚区分布型的物种比例较低，仅占总数的6.4%。单亚区分布类型较多的系华中区物种，其数量占总数的4.8%；其次是西南区分布类型，占0.7%；再次是华南区分布型，占0.5%；而蒙新区型和华北区型各占0.2%。除此之外，均是跨亚区的共有型物种，最多的是东北区—华北区—蒙新区—青藏区—西南区—华中区共有型，共有82种，其数量占总数量的18.9%，其次是西南区—华中区—华南区共有类型，占总数的15.9%，再次是华中区—华南区两区共有型，占总数的12.7%，其余类型的数量均在10%以下。

表 3-3 湖南湿地陆生脊椎动物区系类型统计

区系类型	数量(个)	比例(%)
东北区—华北区—华中区	1	0.002
东北区—华北区—蒙新区	1	0.002
东北区—华北区—蒙新区—华中区	1	0.002
东北区—华北区—青藏区—西南区—华中区	1	0.002
东北区—华中区—华南区	1	0.002
东北区—蒙新区—华中区—华南区	1	0.002
东北区—你华中区—华南区	1	0.002
东北区—西南区—华中区	1	0.002
东北区—西南区—华中区—华南区	1	0.002

（续）

区系类型	数量(个)	比例(%)
华北区	1	0.002
华北区—蒙新区—西南区—华中区—华南区	1	0.002
华北区—蒙新区—西南区—西南区—华中区—华南区	1	0.002
华北区—西南区—华中区	1	0.002
蒙新区	1	0.002
蒙新区—华中区	1	0.002
蒙新区—华中区—华南区	1	0.002
蒙新区—青藏区—西南区	1	0.002
蒙新区—青藏区—西南区—华中区	1	0.002
蒙新区—西南区—华中区—华南区	1	0.002
青藏区—华中区	1	0.002
西南区—华南区	1	0.002
东北区—华北区—华南区	2	0.005
东北区—华北区—青藏区—华中区—华南区	2	0.005
东北区—蒙新区—青藏区—西南区—华中区—华南区	2	0.005
华北区—蒙新区—华中区—华南区	2	0.005
华南区	2	0.005
蒙新区—青藏区—西南区—华中区—华南区	2	0.005
华北区—华中区	3	0.007
华北区—华中区—华南区	3	0.007
西南区	3	0.007
东北区—华北区—蒙新区—西南区—华中区	4	0.009
华北区—青藏区—西南区—华中区—华南区	4	0.009
华北区—蒙新区—青藏区—西南区—华中区—华南区	5	0.012
西南区—华中区	5	0.012
青藏区—西南区—华中区—华南区	7	0.016
东北区—华北区—蒙新区—青藏区—华中区—华南区	8	0.018
东北区—华北区—青藏区—西南区—华中区—华南区	13	0.03
华北区—西南区—华中区—华南区	15	0.035
东北区—华北区—蒙新区—华中区—华南区	17	0.039
华中区	21	0.048
东北区—华北区—蒙新区—西南区—华中区—华南区	27	0.062
东北区—华北区—华中区—华南区	30	0.069
东北区—华北区—西南区—华中区—华南区	30	0.069
华中区—华南区	55	0.127
西南区—华中区—华南区	69	0.159
东北区—华北区—蒙新区—青藏区—西南区—华中区	82	0.189

湖南省湿地陆生脊椎动物中华中区成分最高，其次是华南区和西南区，再次是华北区、东北区、蒙新区，青藏区成分最低(图 3-14)。

可见，湖南湿地陆生脊椎动物成分以东洋界为主(58%)，古北界成分中又以华北界成分和东北界成分较高。这表明中国东部季风区的动物渗透到湖南比西部高原干旱地区容易，也印证了张荣祖和郑作新先生的中国动物分布理论。

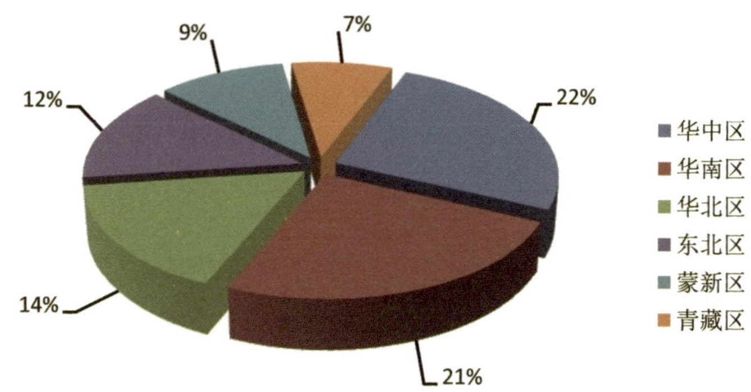

图 3-14 湖南省湿地陆生脊椎动物区系成分及所占比例

1.4 湖南湿地野生动物资源特点

1.4.1 湿地动物资源丰富

湖南省湿地面积大，类型多。湘北是烟波浩渺的洞庭湖，贯穿全省的湘、资、沅、澧“四水”由南向北汇入洞庭湖。沿途大大小小的湖泊、水库镶嵌其间，数量众多的藕田、鱼池数不胜数，至于稻田湿地更是举目皆是。湖南地处华中区的南缘，与华南亚区仅以南岭相隔。湘东属于东部丘陵平原亚区；湘西属于西部高原山地亚区与华中区的东南亚区两个亚区。凡此种种，使得湖南的湿地脊椎动物种数多，所占比例大。据第二次湿地调查，全省湿地脊椎动物有 39 目，占全省与全国脊椎动物总目数分别为 88% 与 52%，科数为 110 个，占全省与全国脊椎动物总科数分别为 45% 与 26%，属数为 317 种，占全省与全国脊椎动物总属数分别为 71% 与 16%，而物种数为 639 种，占全省与全国脊椎动物总物种数分别为 72% 与 11%(表 3-4)。

表 3-4 湖南省湿地脊椎动物目、科、属、种占全省及全国脊椎动物的比例

项 目	目 数	科 数	属 数	物种数
湿地脊椎动物数量(个)	39	110	317	639
与全省脊椎动物的比例(%)	88	45	71	72
与全国脊椎动物的比例(%)	52	26	16	11

1.4.2 湿地动物群落南北混杂，季相变化大

湖南地貌特殊，南缘是南岭山脉，地势较高；北面是一望无垠的洞庭湖冲积平原，面向长江，地势较低；东有罗霄山脉，隔于湘赣之间；西部是武陵山脉，向西过渡到云贵高原，构成了湖南三面高，中央和北部低的地势，形如一向北开口的大簸箕。加之亚热带季风湿润气候，使得湖南的脊椎动物群落南北混杂，东西渗透，既有北方的区系成分，又有南方的成分，西南区物种

也占一定比例。无论夏季还是冬季，动物群落结构存在较大差异。冬季，大量雁鸭类、鸻鹬类相继入湘，构成数目庞大的冬季动物群落。夏季，冬候鸟虽已离去，但两栖动物和爬行动物纷纷出洞，鹭类、杜鹃和燕类等夏候鸟依次融入了夏季动物群落。

因此，一年四季，湖南的湿地动物，除哺乳动物和鱼类变化较小外，其他类的脊椎动物都有较大的群落变动，使得湖南的湿地脊椎动物区系成分复杂，季相变化大，群落结构多样。

图 **3-15** 中华秋沙鸭

1.4.3 湿地动物珍稀濒危及保护物种比例高

据第二次湿地调查，湖南 639 种湿地脊椎动物中，属于国家Ⅰ级保护动物有 10 种，分别是白鲟、中华鲟、中华秋沙鸭(图 3-15)、白尾海雕、白鹤、白头鹤、黑鹳、大鸨、白鳍豚和麋鹿(图 3-16)。国家Ⅱ级保护动物有 44 种，分别是胭脂鱼、大鲵、细痣疣螈、虎纹蛙、赤颈䴙䴘、卷羽鹈鹕、红胸黑雁、白额雁、小天鹅、大天鹅、鸳鸯(图 3-17)、鹗、白枕鹤、灰鹤、花田鸡、海南鳽、白琵鹭、黑脸琵鹭、江豚、水獭、水鹿等。

图 **3-16** 麋 鹿

图 **3-17** 鸳 鸯

此外，还有众多属于国际贸易公约指定的保护动物、地方重点保护物种和 IUCN 认定的濒危物种(表 3-5)。

表 3-5 湖南珍稀濒危和受保护的湿地脊椎动物物种数目及比重

珍稀和保护级别	数量(种)	所占的比重(%)
国家Ⅰ级保护动物	10	1.56
国家Ⅱ级保护动物	44	6.88
国家“三有”保护动物	320	50.07
国际贸易公约附录Ⅰ动物	10	1.56
国际贸易公约附录Ⅱ动物	36	5.63
国际贸易公约附录Ⅲ动物	12	1.87

（续）

珍稀和保护级别	数量(种)	所占的比重(%)
湖南湿地方重点保护动物	243	38.02
IUCN 极濒危级别(CR)	4	0.62
IUCN 野外灭绝(EW)	1	0.15
IUCN 濒危级别(EN)	22	3.44
IUCN 易危级别(VU)	53	8.29
IUCN 近危级别(NT)	39	6.10

1.4.4 湿地动物中特有物种多

受地史进化和环境的共同影响，动物在进化中形成了较明显的地域特色。仅分布于某局限地域的动物，称该地的特有动物。湖南省639种湿地动物中，有196种系中国特有物种，其数量占总湿地动物的30.67%（表3-6）。

表3-6 湖南省湿地动物中的中国特有物种名录

纲	中国特有种
鱼 纲	胭脂鱼、白鲟、太湖银鱼、大银鱼、寡齿短吻银鱼、长江银鱼、瑶山鲤、尖头鲂、长江鲂、中华细鲫、银飘鱼、寡鳞银飘鱼、南方拟䱗、四川半䱗、似鱎、似尖头红鲌、团头鲂、华鳊、大眼华鳊、逆鱼、多鳞刺鳑鲏、寡鳞刺鳑鲏 、斑条刺鳑鲏、中华鳑鲏、须鱊、短须鱊、无须鱊、广西副鱊、条纹二须鲃、吉首光唇鱼、侧条厚唇鱼 、阔口光唇鱼、半刺厚唇鱼、带半刺厚唇鱼、中华倒刺鲃、白甲鱼、粗须白甲鱼 、细尾白甲鱼、多鳞铲颌鱼、南方白甲鱼、台湾铲颌鱼、泉水鱼、湘华鲮、异华鲮 、四须盘鮈、泸溪直口鲮、湖南吻鮈、湘江蛇鮈、似刺鳊鮈、重唇䱻、江西鳈 、济南颌须鮈、点纹颌须鮈、铜鱼、吻鮈、圆筒吻鮈、片唇鮈、长蛇鮈、福建棒花鱼、洞庭棒花鱼、长丝裂腹鱼、齐口裂腹鱼、岩原鲤、宜昌鳅鮀、南方长须鳅鮀、长薄鳅、大斑薄鳅、衡阳薄鳅、紫薄鳅、桂林薄鳅、汉水扁尾薄鳅、红唇薄鳅、短体条鳅、横纹条鳅、无斑条鳅、大斑花鳅、花鳅、大鳞泥鳅、漓江副沙鳅、点面沙鳅、花斑沙鳅、江西副沙鳅、武昌副沙鳅、黄沙鳅、湘西盲高原鳅、毛缘犁头鳅、刺鳞犁头鳅、平舟前台口鳅、东陂拟腹吸鳅、中间前台口鳅、珠江拟腹吸鳅、厚唇原吸鳅、下司中华吸腹鳅、南方大口鲇、西江鲶、胡子鲶、瓦氏黄颡鱼、光泽黄颡鱼、岔尾黄颡鱼、大眼鮠、圆尾拟鲿、短尾拟鲿、切尾似鲿、长脂似鲿、盎堂似鲿、短吻鮠、白边鮠、乌苏里鮠 、细体鮠、鳠、白缘䱀 、黑尾䱀、拟缘䱀、司氏䱀、中华纹胸鮡、四川宽鳍纹胸鮡、三线纹胸鮡、海南纹胸鮡、福建纹胸鮡、鱥、暗鳜、波纹鳜、长身鳜、中国少鳞鳜、大眼鳜、沙塘鳢、黄鱼幼鱼、黏皮虾虎鱼、真吻虾虎鱼、克氏虾虎鱼、小栉虾虎鱼、成都栉虾虎、四川栉虾虎鱼、溪栉虾虎鱼、栉虾虎鱼、叉尾斗鱼、圆尾斗鱼、斑鳢、月鳢、刺鳅、大刺鳅
两栖纲	黄斑拟小鲵、挂榜山小鲵、利川齿蟾、桑植角蟾、短肢角蟾、无斑雨蛙、寒露林蛙、宜章臭蛙、尾斑瘰螈、中国瘰螈、弓斑肥螈、无斑肥螈、东方蝾螈、红点齿蟾、峨嵋髭蟾、尾突角蟾、挂墩角蟾、莽山角蟾、棘指角蟾、中国雨蛙、三港雨蛙 、华西雨蛙、峨嵋林蛙、镇海林蛙、湖北金线蛙、桑植趾沟蛙、阔褶水蛙、弹琴蛙、绿臭蛙、无指盘臭蛙、花臭蛙、小棘蛙、棘腹蛙、棘侧蛙、隆肛蛙、崇安湍蛙、华南湍蛙、金秀水树蛙、峨嵋树蛙、经甫树蛙、黑点树蛙
爬行纲	股鳞蜓蜥、北草蜥、黑链游蛇、山溪后棱蛇、环纹华游蛇
鸟 纲	宝兴歌鸲、蓝鹀、黄腹山雀
哺乳纲	麋鹿、白鳍豚

此外，有15种湿地动物为湖南省域特有，其数量占湿地动物总数量的2.34%（表3-7）。

表3-7 湖南省特有湿地脊椎动物名录及分布

分类阶元	物种名	分　布
两栖纲有尾目小鲵科	挂榜山小鲵	祁阳、祁东的祁山山脉的山顶湿地
两栖纲无尾目角蟾科	桑植角蟾	桑植八大公山山林湿地
两栖纲无尾目角蟾科	尾突角蟾	桑植八大公山山林湿地
两栖纲无尾目角蟾科	莽山角蟾	宜章莽山山林湿地
两栖纲无尾目雨蛙科	华西雨蛙	桑植、张家界、慈利山林湿地
两栖纲无尾目蛙科	寒露林蛙	双牌、平江山林湿地
两栖纲无尾目蛙科	桑植趾沟蛙	桑植八大公山山林湿地
鱼纲鲤形目鲤科	湘华鲮	沅水上游
鱼纲鲤形目鲤科	湖南吻鮈	湘江上游
鱼纲鲤形目鲤科	吉首光唇鱼	沅水上游
鱼纲鲤形目鲤科	湘江蛇鮈	沅水、湘江
鱼纲鲤形目鲤科	洞庭棒花鱼	洞庭湖
鱼纲鲤形目鲤科	泸溪直口鲮	沅水上游
鱼纲鲤形目鳅科	衡阳薄鳅	湘江上游
鱼纲鲤形目鳅科	湘西盲高原鳅	龙山溶洞

1.4.5 湿地物种价值丰富

湖南省湿地野生经济动物资源丰富，其中鱼类是经济动物种类最多、经济价值最高的湿地动物群。栖息于长江流域的青、草、鲢、鳙是著名的四大家鱼原种，长江野生的鲥鱼、河豚和鲚鱼是著名的长江三鲜；其他重要的经济鱼类还有长吻鮠、鳡鱼、鳗鲡、银鱼、翘嘴红鲌、鲤鱼、鲫鱼、鳊鱼、鳜鱼、黄颡鱼和黄鳝等，其中银鱼、翘嘴红鲌又与秀丽白虾构成了闻名中外的“三宝”。随着人们生活水平的提高，对饲料和药物养殖的家鱼越来越排斥，更青睐野生杂鱼，如盛产于“四水”的黄尾鲴、花䱻、赤眼鳟、洞庭湖的沙塘鳢(虎头鲨)等皆为酒席上等菜肴。此外，那些似乎并无经济价值的鳑鲏鱼、马口鱼、宽鳍鱲、棒花鱼、蒙古鲌、虾虎鱼、刺鳅、鳘条鱼、麦穗鱼及斗鱼等小型杂鱼，是水禽的食物资源，在保育湿地水禽方面发挥了重要的作用。

两栖、爬行动物中，中华蟾蜍、黑斑侧褶蛙、湖北侧褶蛙3个物种在农田害虫生物防治方面具有良好的效果，中华蟾蜍还是重要的药用动物和实验动物；湿地野生爬行动物中华鳖、乌龟则是具有较高经济价值的滋补食品和名贵菜肴，然而，由于人类对其过度捕杀和破坏生境，野生资源亟待保护；蛇类在维护生态平衡方面起着重要的作用，由于具有高效的药用价值，可作为经济开发利用的人工驯养蛇类的种源。

雁鸭类是传统的狩猎对象；人类饲养的家鹅和家鸭就源自野生的鸿雁和绿头鸭。在湖南湿地，特别是洞庭湖每年都有成千上万的雁鸭类迁入，目前虽然处在保护阶段，但这笔野生动物财富将为今后资源开发储存丰富的后备资源。

1.4.6 湿地动物群落优势现象明显

优势现象是指群落成分间的异质性，反映了群落的整体特征。优势度指数越高，表明优势现象越明显，某种或某几种在群落中占优势地位。优势度不明显时，各物种所占的比例趋于相近。湖南湿地动物同其他动物一样，在长期进化中不断地接受环境的选择，经过无数次的改变和协调，形成了现阶段的群落格局。湖南湿地脊椎动物群落结构相对稳定，优势现象明显，鸭、雁类占55%；鹤、鹭类占10.8%；其他占34.2%。白头鹤、白枕鹤、灰鹤、豆雁、灰雁、白额雁和小白额雁等物种数量相对稳定，而且每年活动在特定区域。在东洞庭湖，小白额雁种群占全球小白额雁总数量的60%。而数量最多的是豆雁，每年冬季构成庞大群体，反映出湖南的地域性特征。

1.4.7 全省湿地动物数量分布不均

湖南省湿地脊椎动物分布极不均匀，多数成斑块状，各县(市)之间物种数量差别较大。导致这一现象除受地理环境因素影响外，与当地湿地面积大小、保护区数量以及当地保护力度有一定关系。湘西北、洞庭湖区和湘南宜章一带湿地动物比较丰富，物种数量较多，属于湿地动物的富集区；而湘中地区湿地动物的物种数量较少，属湿地动物匮乏区。

2 湿地鸟类

2.1 湖南省湿地鸟类物种组成

据第二次湿地调查，湖南省共有湿地鸟类286种，隶属于16目56科286种。以雀形目物种数最多，其数量占湿地鸟类物种总数的38.46%；其次是鸻形目，占总数的15.38%；雁形目再次，占总数的12.24%(表3-8)。

然而，由于湿地鸟类的定义一直存在分歧，一些活动于湿地边缘的物种是否纳入湿地鸟类尚有较大争论。鉴于此种情况，第二次湿地调查采取湿地生境原则，即凡是活动在湿地植被和湿地范围内的物种实体给予记载。基于这一原则，将捕获湿地动物的猛禽、筑巢于湿地植被上的地禽和较长时间活动于湿地范围的鸣禽都作为湿地鸟类统计。对于一些偶尔光顾湿地的啄木鸟，在迁徙过程中仅仅飞越湿地的雨燕类、夜鹰类则未进行记载。而争论比较大的则是雀形目鸟类，对于此类物种以实地调查为基础，根据其生活习性加以判识。

表3-8 湖南省湿地鸟类种类及所占比例

目 名	科数(个)	属数(个)	物种数(个)	物种所占比例(%)
1. 䴙䴘目	1	2	4	1.40
2. 鹈形目	2	2	2	0.70
3. 鹳形目	3	12	19	6.64
4. 红鹳目	1	1	1	0.35
5. 雁形目	1	12	35	12.24
6. 隼形目	3	6	15	5.24
7. 鸡形目	1	2	3	0.70
8. 鹤形目	3	9	17	5.94
9. 鸻形目	6	20	44	15.38
10. 鸥形目	2	3	11	3.85

（续）

目　名	科数(个)	属数(个)	物种数(个)	物种所占比例(%)
11. 鸽形目	1	2	3	1.05
12. 鹃形目	1	3	9	3.15
13. 鸮形目	2	3	6	0.21
14. 佛法僧目	2	4	6	0.21
15. 鴷形目	1	1	1	0.35
16. 雀形目	25	50	110	38.46
合　计	55	132	286	100

将湖南省湿地鸟类各目物种所占的比例制成饼图，可直观地了解到湖南湿地鸟类的组成(图3-18)。

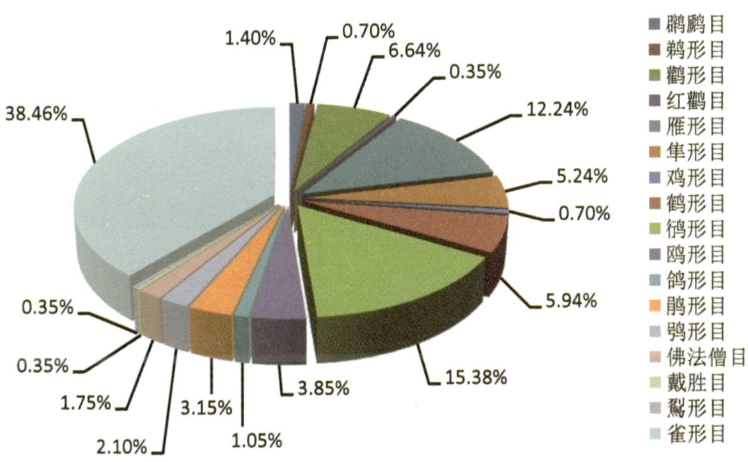

图 **3-18**　湖南省湿地鸟类各目物种比例构成

湖南湿地鸟类的目、科、属和物种数量占湖南省所有鸟类目、科、属和物种的比值分别为84%、95%和66%，占全国鸟类目、科、属和物种数的比值分别为67%、55%和21%(表3-9，图3-19)。

表 3-9　湖南省湿地鸟类目、科、属、种占全省及全国鸟类的比例

项　目	目　数	科　数	物种数
湖南湿地鸟类(个)	16	55	286
占湖南鸟类的比例(%)	0.84	0.95	0.66
占全国鸟类的比例(%)	0.67	0.55	0.21

湖南湿地鸟类种类占湖南鸟类总种数的66%，占据重要地位。湿地鸟类目、科、属的数目占比也很高，即使与全国的鸟类相比，也具有较高的比例。

全省各市(县、区)之间湿地鸟类数量差异较大，分布不一。如在洞庭湖区，每年冬季，大量冬候鸟纷纷迁入，形成了数量众多的冬季鸟类群落结构；而在湘中地区，鸟类物种数量相对较少。如将各县(市)发现的物种数换算成比值(各县、市鸟类的物种数/湖南鸟类总物种数)，然后再换算成密度(单位面积的物种数)，可以对湖南省各县(市)的鸟类种数进行比较和排序。可见，洞庭湖区的临湘、岳阳、汨罗、湘阴、沅江、汉寿、南县等县，郴州南部的宜章、资兴、桂东等县以及衡南县、浏阳市等区域湿地鸟类密度较大。

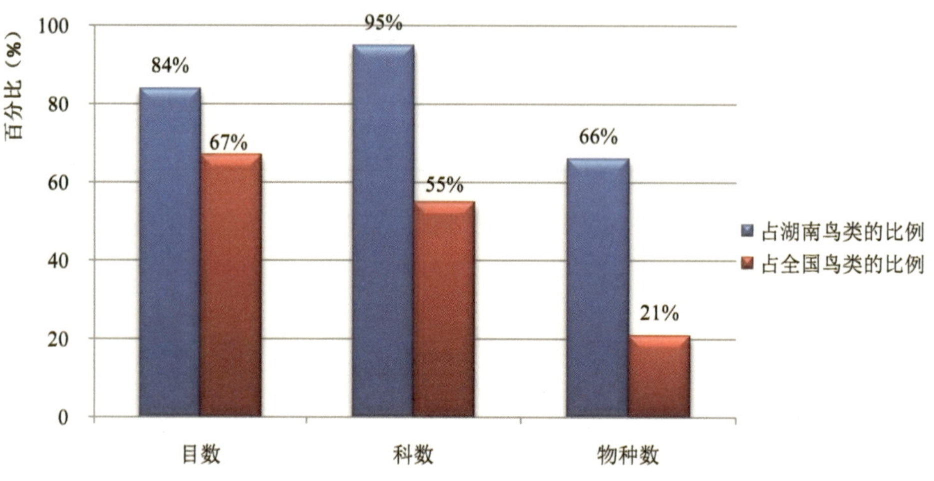

图 3-19　湖南省湿地鸟类目、科、属、种数占全省以及全国鸟类的比例

2.2　珍稀濒危及国家级保护鸟类

全省 286 种湿地鸟类中，属于国家Ⅰ级保护动物的有 6 种，即中华秋沙鸭、白尾海雕、白鹤、白头鹤、黑鹳和大鸨；属于国家Ⅱ级保护动物的有 35 种，即赤颈䴙䴘、卷羽鹈鹕、红胸黑雁、白额雁、小天鹅、大天鹅、鸳鸯、鹗、白枕鹤、灰鹤、花田鸡、海南鳽、白琵鹭、黑脸琵鹭等；有 4 种属中国特有物种，即宝兴歌鸫、蓝鹀、黄腹山雀和灰胸竹鸡；此外，湖南湿地鸟类中还有 34 种世界自然保护联盟评定的濒危物种，其名录及级别见表 3-10。

表 3-10　IUCN 指定的濒危鸟类名录及级别

分类阶元	物种名录	IUCN 评定级别
鹤形目鹤科	白鹤	极濒危级别(CR)
鹳形目鹳科	东方白鹳	濒危级别(EN)
鹳形目鹭科	海南鳽	濒危级别(EN)
鹳形目鹮科	黑脸琵鹭	濒危级别(EN)
雁形目鸭科	中华秋沙鸭	濒危级别(EN)
雁形目鸭科	棉凫	濒危级别(EN)
鹤形目鹤科	白枕鹤	易危级别(VU)
鹤形目鹤科	白头鹤	易危级别(VU)
鹤形目鸨科	大鸨	易危级别(VU)
鹤形目秧鸡科	花田鸡	易危级别(VU)

（续）

分类阶元	物种名录	IUCN 评定级别
鹈形目鹈鹕科	卷羽鹈鹕	易危级别(VU)
雁形目鸭科	白眼潜鸭	易危级别(VU)
雁形目鸭科	花脸鸭	易危级别(VU)
雁形目鸭科	鸿雁	易危级别(VU)
雁形目鸭科	小白额雁	易危级别(VU)
雁形目鸭科	青头潜鸭	易危级别(VU)
雁形目鸭科	红头潜鸭	易危级别(VU)
雀形目王鹟科	紫寿带	易危级别(VU)
隼形目鹰科	白尾海雕	近危级别(NT)
雁形目鸭科	罗纹鸭	近危级别(NT)
雁形目鸭科	鸳鸯	近危级别(NT)
雁形目鸭科	小天鹅	近危级别(NT)
雁形目鸭科	大天鹅	近危级别(NT)
鹤形目秧鸡科	斑胁田鸡	近危级别(NT)
鹃形目杜鹃科	褐翅鸦鹃	近危级别(NT)
鹃形目杜鹃科	小鸦鹃	近危级别(NT)
鸻形目鹬科	半蹼鹬	近危级别(NT)
鸻形目鹬科	小杓鹬(旅鸟)	近危级别(NT)
雀形目画眉科	画眉	近危级别(NT)
雀形目画眉科	红嘴相思	近危级别(NT)
雀形目鸦科	喜鹊	近危级别(NT)
雀形目麻雀科	树麻雀	近危级别(NT)
雀形目鹀科	黄胸鹀指名亚种	近危级别(NT)
雀形目鹀科	黄胸鹀东北亚种	近危级别(NT)

除以上物种以外，湖南湿地鸟类中还有国家林业局颁布的“三有”保护动物、国际贸易公约指定的保护动物、地方重点保护物种，以及中日、中澳候鸟协定保护物种，其数量及所占比例见表3-11。

表 3-11　湖南省珍稀濒危和受保护的湿地鸟类种数

珍稀和保护级别	种　数	占湖南湿地鸟类的比例(%)
国家“三有”保护动物	212	74.13
国际贸易公约附录Ⅰ动物	6	2.10
国际贸易公约附录Ⅱ动物	30	10.49
国际贸易公约附录Ⅲ动物	8	2.80
湖南省地方重点保护动物	116	40.56
中日候鸟协定保护物种	139	48.60
中澳候鸟协定保护物种	47	16.43

2.3 湖南省湿地鸟类及其分布

2.3.1 非雀形目鸟类

(1)雁形目：雁形目鸟类本次调查见有1科(鸭科)35种。其中，鸭属有10种，以针尾鸭、绿翅鸭、罗纹鸭、绿头鸭较常见，全省广布。雁属有7种，鸿雁、豆雁、白额雁、灰雁与小白额雁(图3-20至图3-23)多分布于洞庭湖区；而斑头雁与雪雁数量极少，仅偶尔见于东洞庭湖的大小西湖。潜鸭属有4种，以凤头潜鸭较为常见，多分布于全省各大水域。秋沙鸭属有4种，普通秋沙鸭和红胸秋沙鸭多分布于洞庭湖区；斑头秋沙鸭的分布区还向南延伸至东江水库；中华秋沙鸭曾见于资江上游(桃源)。天鹅属有2种，大天鹅偶见于东洞庭湖；小天鹅在省内分布向西扩展至常德石门的壶瓶山。麻鸭属有2种，赤麻鸭与翘鼻麻鸭遍布全省。鸳鸯属的鸳鸯在省内分布广泛，遍布全省。黑雁属的红胸黑雁数量极少，仅偶尔见于东洞庭湖的大小西湖。棉凫属的棉凫见于各湖泊区域。鹊鸭属的鹊鸭，分布于洞庭湖及胭脂湖。海番鸭属的斑脸海番鸭仅1988年见于南洞庭湖。

图**3-20** 豆　雁

图**3-21** 灰　雁

图**3-22** 白额雁

图**3-23** 小白额雁

(2)鸻形目：鸻形目鸟类本次调查见有7科44种，是湿地鸟类的重要组成部分，多分布于各水域。其中，鹬科有29种，数目最多，以白腰杓鹬、白腰草鹬、扇尾沙锥和丘鹬等分布较为广泛，红颈瓣蹼鹬在东洞庭湖曾有记录；鸻科有9种，以凤头麦鸡、灰头麦鸡和环颈鸻较为常见，遍布全省；反嘴鹬科有2种，黑翅长脚鹬和反嘴鹬(图3-24)遍布洞庭湖区；雉鸻科仅有1种(水雉)，广泛分布于全省各湿地；彩鹬科1种(彩鹬)，多见于湘中和湘南；燕鸻科1种(普通燕鸻)，

图 **3-24** 反嘴鹬

较为常见。

(3)鹳形目：本次调查见有 3 科 19 种。其中，鹭科种类最多，有 15 种，其中苍鹭、池鹭、大白鹭、小白鹭、中白鹭、夜鹭、黄斑苇鳽、大麻鳽较为常见，遍布全省。鹳科有 2 种，东方白鹳分布于东洞庭湖区；黑鹳仅分布于东洞庭湖和西洞庭湖。鹮科有白琵鹭与黑脸琵鹭 2 种，多见于洞庭湖区，而后者明显少于前者。

(4)鹤形目：本次调查见有 3 科 17 种。其中，秧鸡科种类较多，有 12 种，以白胸苦恶鸟、黑水鸡和骨顶鸡较为常见，遍布全省；鹤科有 4 种，以灰鹤(图 3-25)、白鹤较为常见，遍布洞庭湖区，而白头鹤、白枕鹤仅见于东洞庭湖的君山湖区；鸨科的大鸨仅见于南洞庭湖湿地。

(5)隼形目：本次调查见有 3 科 15 种。其中，鹰科有 9 种，以白尾鹞、赤腹鹰、雀鹰等较为常见，遍布全省；隼科有 5 种，以红隼较为常见；鹗科的鹗分布于澧县毛里湖湿地。

(6)鸥形目：本次调查见有鸥科与燕鸥科 11 种。以银鸥和红嘴鸥较为常见，遍布全省，白翅浮鸥、普通燕鸥多见于湘北湿地。

(7)鹃形目：本次调查见有 1 科(杜鹃科)9 种。其中，四声杜鹃和大杜鹃较为常见，省内分布广泛。

(8)佛法僧目：本次调查见有 2 科 6 种。其中，翠鸟科 5 种。普通翠鸟与蓝翡翠分布广泛，而白胸翡翠仅见于湘北；鱼狗属 2 种，其中斑鱼狗较常见。

(9)鸮形目：本次调查见有 2 科 6 种。其中，草鸮科 1 种，鸱鸮科 5 种，以草鸮和斑头鸺鹠等较为常见，遍布全省。

(10)䴙䴘目：本次调查见有 1 科(䴙䴘科)4 种。其中，小䴙䴘与凤头䴙䴘(图 3-26)分布广泛；黑颈䴙䴘分布区狭窄，仅见于洞庭湖区；而赤颈䴙䴘系湖南旅鸟，偶然见于东洞庭湖。

图 **3-25** 灰 鹤

图 **3-26** 凤头䴙䴘

(11)鸽形目：本次调查见有 1 科(鸠鸽科)3 种。其中，山斑鸠、珠颈斑鸠与火斑鸠较为常见，遍布全省。

(12)鹈形目：本次调查见有 2 科 2 种。其中，鹈鹕科的卷羽鹈鹕见于西洞庭湖青山垸，而鸬鹚科的普通鸬鹚最为常见，主要分布于湘北地区的湖泊和水库。

(13)鸡形目：本次调查见有1科(雉科)3种。其中，雉鸡和灰胸竹鸡分布广泛，遍布全省。

(14)红鹳目：本次调查见有1科1种，即红鹳科的大红鹳。该鸟在湖南为迷鸟，1998年2月在东洞庭湖的大西湖发现了一只大红鹳亚成体，至2010年4月才离去，此后再未被发现过。

(15)䴕形目：本次调查见有1科(啄木鸟科)1种。斑姬啄木鸟为常见种类，分布广。

2.3.2 雀形目鸟类

(1)鸫科：本次调查见有18种。以北红尾鸲、红尾水鸲、小燕尾、灰背燕尾、乌鸫、斑鸫等较为常见，遍布全省。

(2)鹀科：本次调查见有12种。以黄胸鹀、三道眉草鹀与小鹀较为常见，遍布全省。

(3)莺科：本次调查见有10种。以东方大苇莺、黄眉柳莺与黄腰柳莺等较为常见，在省内广泛分布。

(4)鹡鸰科：本次调查见有9种。以灰鹡鸰、白鹡鸰、树鹨、田鹨东北亚种与水鹨等较为常见，遍布全省。

(5)画眉科：本次调查见有8种。以画眉、红嘴相思与白颊噪鹛等较为常见，遍布全省。

(6)鹎科：本次调查见有6种。以白头鹎与领雀嘴鹎较为常见，遍布全省。

(7)鹟科：本次调查见有6种。以乌鹟、褐头鹪莺与棕头鸦雀等较为常见，遍布全省。

(8)伯劳科：本次调查见有5种。以棕背伯劳、虎纹伯劳、牛头伯劳与红尾伯劳较为常见，遍布全省。

(9)椋鸟科：本次调查见有4种。以丝光椋鸟、八哥与灰椋鸟较为常见，遍布全省。

(10)燕雀科：本次调查见有4种。以燕雀、黄雀与黑尾蜡嘴雀较为常见，遍布全省。

(11)山雀科：本次调查见有4种。以大山雀与黄腹山雀较为常见，在省内广泛分布。

(12)鸦科：本次调查见有4种。以灰喜鹊与喜鹊较为常见，遍布全省。

(13)燕科：本次调查见有3种。其中家燕与金腰燕为省内常见种类，分布广泛，而灰沙燕见于洞庭湖湿地。

(14)绣眼鸟科：本次调查见有2种。其中暗绿绣眼鸟为常见种，遍布全省，而红胁绣眼鸟分布相对较小，仅限于湘北湿地。

(15)长尾山雀科：本次调查见有2种。其中红头长尾山雀为常见种，遍布全省。

(16)百灵科：本次调查见有2种。以云雀与小云雀较为常见，遍布全省。

(17)梅花雀科：本次调查见有2种。其中白腰文鸟为常见种，遍布全省。

(18)王鹟科：本次调查见有2种。以寿带较为常见，遍布全省。

(19)麻雀科：本次调查见有2种。其中麻雀为常见种，遍布全省。

(20)黄鹂科：本次调查见有黑枕黄鹂1种，为常见种，遍布全省。

(21)卷尾科：本次调查见有黑卷尾1种，为常见种，遍布全省。

(22)攀雀科：本次调查仅见有中华攀雀1种，分布于洞庭湖湿地。

2.4 湖南湿地鸟类数量状况

通常而言，野外鸟类的数量随着年度的变化而存在差异。湖南省鸟类监测组自1990年开始对湖南尤其是洞庭湖鸟类进行了连续监测记载，在此基础上，对鸟类数量进行了统计。然而，由于鸟类数据只局限于已调查的区域，且大多尚未涉及湿地，因此监测数据依然体现不了湖南湿地鸟类的真实现状，尤其是位于湿地边缘的雀形目鸟类，存在着较大的遗漏。因此，有关鸟类数量的数据只能反映省内湿地鸟类的资源状况。此外，对于某些旅鸟与迷鸟，虽然多年来尚未再次发现，仍然记载了当时发现的数量。对全省286种湿地鸟类，已记载10967447只，各物种的数量汇总见于表3-12。

表3-12　湖南省湿地鸟类数量

湖南湿地鸟类物种名称	保护级别	IUCN	数量(只)
小䴙䴘			15000
凤头䴙䴘			750
黑颈䴙䴘			250
赤颈䴙䴘	Ⅱ		1000
卷羽鹈鹕	Ⅱ	VU	1
鸬鹚			2909
苍鹭			15000
草鹭			500
绿鹭			750
池鹭			30000
牛背鹭	公约3		15000
大白鹭	公约3		750
中白鹭			500
白鹭	公约3		15000
夜鹭			15000
海南鳽	Ⅱ	EN	4
黄苇鳽			1500
紫背苇鳽			200
栗苇鳽			500
黑苇鳽			250
大麻鳽			500
东方白鹳	公约1	EN	256
黑鹳	Ⅰ，公约2		60
白琵鹭	Ⅱ，公约2		1100
黑脸琵鹭	Ⅱ	EN	10
大红鹳	公约2	NA	1
红胸黑雁	Ⅱ，公约2		1
鸿雁		VU	5600
豆雁			27305
白额雁	Ⅱ		12576

（续）

湖南湿地鸟类物种名称	保护级别	IUCN	数量(只)
小白额雁		VU	16928
灰雁			286
斑头雁			30
雪雁			3
小天鹅	Ⅱ	NT	320
大天鹅	Ⅱ	NT	20
赤麻鸭			143
翘鼻麻鸭			229
绿翅鸭	公约3		24000
绿头鸭			3150
针尾鸭	公约3		305
花脸鸭	公约2	VU	500
罗纹鸭		NT	18352
斑嘴鸭			836
赤膀鸭			200
赤颈鸭	公约3		73
白眉鸭	公约3		250
琵嘴鸭	公约3		3430
鸳鸯	Ⅱ	NT	200
青头潜鸭		VU	200
红头潜鸭		VU	50
凤头潜鸭			2587
白眼潜鸭		VU	7
棉凫		EN	20
斑脸海番鸭			1
鹊鸭			50
斑头秋沙鸭			670
普通秋沙鸭			339
中华秋沙鸭	Ⅰ	EN	40
红胸秋沙鸭			20
鹗	Ⅱ，公约2		100
黑耳鸢	Ⅱ，公约2		60
白尾海雕	Ⅰ，公约1	NT	2
苍鹰	Ⅱ，公约2		600

（续）

湖南湿地鸟类物种名称	保护级别	IUCN	数量(只)
赤腹鹰	Ⅱ，公约2		1500
雀鹰	Ⅱ，公约2		500
松雀鹰	Ⅱ，公约2		400
日本松雀鹰	Ⅱ，公约2		300
白尾鹞	Ⅱ，公约2		650
鹊鹞	Ⅱ，公约2		50
游隼	Ⅱ，公约1		20
燕隼	Ⅱ，公约2		430
阿穆尔隼	Ⅱ，公约2		550
红隼	Ⅱ，公约2		600
灰背隼	Ⅱ，公约2		200
灰胸竹鸡			50000
环颈雉			8000
灰鹤	Ⅱ，公约2		170
白鹤	Ⅰ，公约1	CR	61
白头鹤	Ⅰ，公约1	VU	12
白枕鹤	Ⅱ，公约1	VU	4
蓝胸秧鸡			800
普通秧鸡	公约2		1200
小田鸡			80
红胸田鸡			20
斑胁田鸡		NT	30
花田鸡	Ⅱ，公约2	VU	40
白胸苦恶鸟			1200
红脚苦恶鸟			500
董鸡			1100
黑水鸡			2300
紫水鸡			2
白骨顶			2000
大鸨	Ⅰ，公约2	VU	10
水雉			800
彩鹬			600
凤头麦鸡			1463
灰头麦鸡			1200

（续）

湖南湿地鸟类物种名称	保护级别	IUCN	数量(只)
灰斑鸻			384
金斑鸻			200
长嘴剑鸻			10
金眶鸻			1500
环颈鸻			1870
铁嘴沙鸻			5
东方鸻			300
丘鹬			20
孤沙锥			1
针尾沙锥			500
扇尾沙锥			790
斑尾塍鹬			40
黑尾塍鹬			50
大沙锥			10
白腰杓鹬			70
中杓鹬			10
小杓鹬		NT	50
大杓鹬			10
泽鹬			10
鹤鹬			1586
红脚鹬			800
青脚鹬			750
白腰草鹬			600
林鹬			600
翘嘴鹬			60
矶鹬			3230
翻石鹬			10
三趾滨鹬			50
红颈滨鹬			200
长趾滨鹬			400
青脚滨鹬			250
弯嘴滨鹬			50
黑腹滨鹬			15060
红腹滨鹬			300

（续）

湖南湿地鸟类物种名称	保护级别	IUCN	数量(只)
半蹼鹬		NT	60
流苏鹬			4
红颈瓣蹼鹬			5
反嘴鹬			2227
黑翅长脚鹬			500
普通燕鸻			400
黑尾鸥			40
海鸥			36
西伯利亚银鸥			288
灰背鸥			40
渔鸥			2
红嘴鸥			3078
北极鸥			10
普通燕鸥			100
白额燕鸥			80
须浮鸥			500
白翅浮鸥			100
山斑鸠			24000
珠颈斑鸠			18000
火斑鸠			500
红翅凤头鹃			300
鹰鹃			300
棕腹杜鹃			200
四声杜鹃			400
大杜鹃			500
中杜鹃			30
小杜鹃			100
褐翅鸦鹃	Ⅱ	NT	150
小鸦鹃	Ⅱ	NT	200
草鸮	Ⅱ，公约 2		800
东方角鸮	Ⅱ，公约 2		500
领角鸮	Ⅱ，公约 2		600
黄脚渔鸮	Ⅱ，公约 2		40
领鸺鹠	Ⅱ，公约 2		1200

（续）

湖南湿地鸟类物种名称	保护级别	IUCN	数量(只)
斑头鸺鹠	Ⅱ，公约2		1300
冠鱼狗			150
斑鱼狗			800
普通翠鸟			4300
白胸翡翠			120
蓝翡翠			600
戴胜			550
斑姬啄木鸟			1100
云雀			800
小云雀			900
灰沙燕			300
家燕			22000
金腰燕			25000
黄鹡鸰			100
灰鹡鸰			200
白鹡鸰			1100
田鹨			800
树鹨			600
水鹨			500
领雀嘴鹎			25000
红耳鹎			400
黄臀鹎			800
白头鹎			88000
绿翅短脚鹎			1400
栗背短脚鹎			1200
虎纹伯劳			400
牛头伯劳			300
红尾伯劳			100
棕背伯劳			1200
灰背伯劳			40
黑枕黄鹂			800
黑卷尾			12000
北椋鸟			800
丝光椋鸟			65000

（续）

湖南湿地鸟类物种名称	保护级别	IUCN	数量(只)
灰椋鸟			4800
八哥			32000
松鸦			1200
红嘴蓝鹊			2000
灰喜鹊			1800
喜鹊		NT	1000
褐河乌			800
红尾歌鸲			200
红喉歌鸲			100
蓝喉歌鸲			100
鹊鸲			6500
北红尾鸲			3200
蓝额红尾鸲			20
红尾水鸲			3500
小燕尾			1200
灰背燕尾			1100
白额燕尾			1000
斑背燕尾			200
白顶溪鸲			600
紫啸鸫			1200
乌灰鸫			600
乌鸫			125000
红尾斑鸫			21000
斑鸫			22000
宝兴歌鸫			5
乌鹟			1100
斑胸鹟(灰纹鹟)			3000
北灰鹟			3200
方尾鹟			14000
寿带			12500
紫寿带		VU	100
棕颈钩嘴鹛			20000
红头穗鹛			25000
黑脸噪鹛			24000

（续）

湖南湿地鸟类物种名称	保护级别	IUCN	数量(只)
画眉	公约 2	NT	88000
白颊噪鹛			45000
红嘴相思	公约 2	NT	158000
灰眶雀鹛			258000
棕头鸦雀			1580000
褐头鹪莺			255000
树莺(短翅树莺)			1200
强脚树莺			4500
东方大苇莺			4000
黑眉苇莺			3000
厚嘴苇莺			2000
钝翅稻田苇莺			2000
黄眉柳莺			12000
黄腰柳莺			11000
极北柳莺			800
黑眉柳莺			1000
暗绿绣眼			128000
中华攀雀			200
银喉长尾山雀			300
红头长尾山雀			500000
大山雀			200000
绿背山雀			12000
黄颊山雀			11000
黄腹山雀			15000
树麻雀		NT	5640000
山麻雀			654000
白腰文鸟			245000
斑文鸟			1200
燕雀			2300
金翅			86000
黄雀			300
黑尾蜡嘴雀			3400
栗鹀			1200
黄胸鹀		NT	24000

（续）

湖南湿地鸟类物种名称	保护级别	IUCN	数量(只)
黄喉鹀			1200
灰头鹀			2100
三道眉草鹀			4800
赤胸鹀			3200
田鹀			1200
小鹀			12500
黄眉鹀			1100
白眉鹀			1100
蓝鹀			30

注：Ⅰ：国家Ⅰ级保护动物；Ⅱ：国家Ⅱ级保护动物；CR：IUCN 极濒危级别；EN：IUCN 濒危级别；VU：IUCN 易危级别；NT：IUCN 近危级别；公约 1：国际贸易公约附录Ⅰ保护动物；公约 2：国际贸易公约附录Ⅱ保护动物；公约 3：国际贸易公约附录Ⅲ保护动物。

2.5 栖息地及其保护状况

湖南省湿地鸟类资源丰富，且国家重点保护或珍稀濒危鸟类众多。湖南省湿地鸟类主要栖息于湘北的洞庭湖区以及湘、资、沅、澧四水流域的库塘、湖泊等地，生境呈斑块状分布。近 20 年来，全省开展了大力度的鸟类栖息地保护，在洞庭湖及相邻地区，已建立了不同类型的多个保护区，有东洞庭湖国家级自然保护区、西洞庭湖省级自然保护区、南洞庭湖省级自然保护区、横岭湖省级自然保护区、汨罗江国家湿地公园、毛里湖湿地自然保护区、集成垸省级自然保护区、宝塔湖湿地自然保护区、金洲湖国家湿地公园、洋沙湖国家湿地公园、黄盖湖省级自然保护区、千龙湖国家湿地公园等(图 3-27 至图 3-32)。在以上保护区和湿地公园的保护下，湿地鸟类有了栖息之地，人为干扰减小。然而，近年来，由于地方政府重视经济发展，使得部分保护地域受到了干扰，鸟类自然栖息地有破碎化趋势。如漉湖和君山采桑湖开挖渔场，改变了湖区水位，使得雁鸭类觅食地和越冬地受到了影响。加之土地归属问题一直未得到很好的解决，保护区管理部门的保护行动难以得到当地政府的认同和支持，致使湖区特别是一些库塘，难以实施有效的保护。

目前，湿地鸟类保护存在以下问题：①因水量的减少与水位的降低，鸟类物种和个体数量在逐步下降。②因湖汊与滩涂围垦、围网养殖、芦苇与杨树种植等，湿地鸟类栖息地面积减少，特别是迁徙候鸟适宜的自然栖息地急剧减少。③环境污染严重，周边有害气体、污水及噪音的污染逐年增加，导致鸟类依赖的栖息地生态质量下降；甚至出现鸟类中毒事件。④偷捕偷猎现象客观存在，威胁鸟类生存。虽然打击力度逐渐加大，但偷捕偷猎鸟类行为依然严重，尤其是在候鸟迁徙带和大型湖泊周边，偷猎者以各种手段捕杀鸟类，并通过地下隐蔽途径销售到广东等地谋取利益，屡禁不止。⑤食野生动物观念作祟，影响恶劣。一些饭店从偷猎者手中收购野鸭或雁，甚至国家重点保护鸟类，以野味招揽客人，部分群众以食野味为鲜，客观形成了市场需求，刺激了偷猎和贩卖行为。

图 **3-27** 洞庭湖湿地

图 **3-28** 耒水国家湿地公园

图 **3-29** 东洞庭湖

图 **3-30** 东洞庭湖鹬群鸟

图 **3-31** 西洞庭湖自然保护区

图 **3-32** 南洞庭湖自然保护区

3 鱼 类

3.1 湖南省鱼类物种组成

湖南省水网密布，库塘、湖泊丰富，底质结构多样，适于鱼类栖息、生长。全省共发现鱼类205种，隶属于11目24科102属。以鲤形目种类最多，其数量占全省鱼类总数的65.37%；鲶形目其次，占总物种数的15.12%；鲈形目居第三，占总数的12.20%。湖南鱼类各目、科、属、种的数量及各目物种数占鱼类总种数的比例见表3-13。

表3-13 湖南省鱼类目、科、属、种数量及种数所占比例

目 名	科 数	属 数	种 数	所占比例(%)
鲟形目	2	2	2	0.98
鲱形目	2	2	3	1.46
鲑形目	1	3	4	1.95
鳗鲡目	1	1	1	0.49
鲤形目	3	72	134	65.37
鲶形目	3	9	31	15.12
鳉形目	1	2	2	0.98
颌针鱼目	1	1	1	0.49
合鳃鱼目	1	1	1	0.49
鲈形目	6	8	25	12.20
鲀形目	1	1	1	0.49
合 计	23	102	205	100

根据表3-13，绘制湖南省鱼类目、科、属、种数量图，可直观表示出数量差异(图3-33)。

湖南省鱼类目、科、属与物种的数目占全国淡水鱼类目、科、属与物种数目的比值分别为36%、10%、9%和6%。将统计数据制成柱状图(图3-34)，可直观表示出湖南鱼类占全国淡水鱼类总数的比重。

湖南省鱼类分布广泛，地区差异明显。根据第二次湿地调查所采集的标本，进行统计，计算出物种的比值(某县、市的物种数除以全省的物种数)与物种的密度。由数据可见，湖南省鱼类物种丰富度大的地区主要在洞庭湖区以及湘江、资江、沅江和澧水水域。

3.2 珍稀濒危及国家级保护鱼类

全省205种鱼类中，国家级保护物种以及珍稀濒危物种较多。其中，国家Ⅰ级保护鱼类有2种，即中华鲟和白鲟；国家Ⅱ级保护鱼类有1种，即胭脂鱼。此外，胭脂鱼还是《国际贸易公约》附录Ⅱ的保护物种。而全省有国家林业局颁布的有益的、有特殊科学价值和经济意义的国家级“三有”保护动物中指定的鱼类较少，暗纹东方鲀为其中之一。

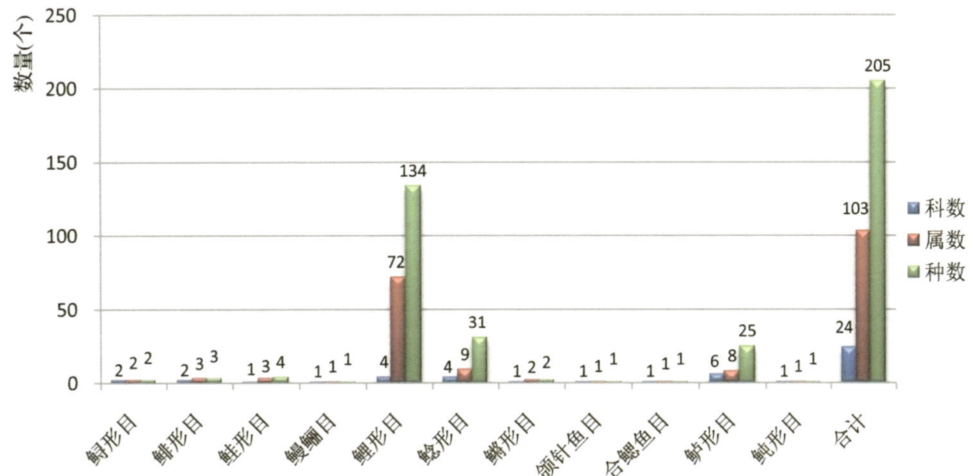

图 **3-33**　湖南省鱼类各目、科、属、种数量

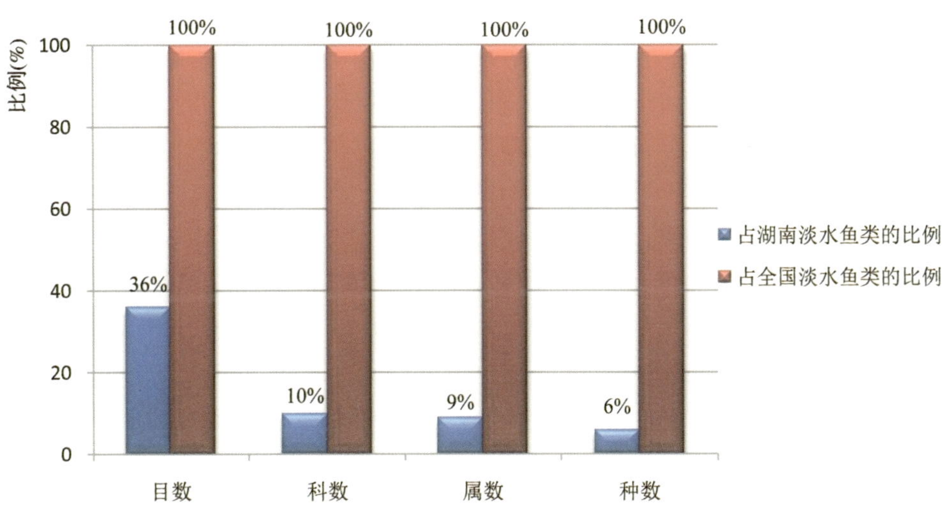

图 **3-34**　湖南省鱼类目、科、属、种数目占全国淡水鱼类的比例

全省鱼类中，有 19 种属于湖南省地方重点保护物种，即鲥鱼、太湖银鱼、鯮鱼、鳡、中华倒刺鲃、白甲鱼、稀有白甲鱼、瓣结鱼、湘华鲮、泸溪直口鲮、湖南吻鮈、湘江蛇鮈、长薄鳅、胡子鲶、暗鳜(无斑鳜)、波纹鳜、长身鳜、圆尾斗鱼、斑鳢。17 种系世界自然保护联盟(IUCN)评价的濒危物种。其中，极危级别的有 1 种，即白鲟；濒危级别的有 5 种，即中华鲟、鲥鱼、稀有白甲鱼、白缘䱀和中华纹胸鮡；易危级别的物种有 11 种，即胭脂鱼、鯮鱼、小口白甲鱼、岩原鲤、长薄鳅、厚唇原吸鳅、岔尾黄颡鱼、青鳉、暗鳜、波纹鳜和长身鳜。

此外，全省 205 种鱼类中，有 9 种属湖南特有物种。尤其是湘西盲高原鳅，仅在龙山县的火岩乡飞虎洞有发现，未见有新的报道。该物种身体呈白色，眼退化，胸鳍特别发达。而有 142 种属中国特有物种，其数量占湖南鱼类总数的 69. 27% 。

3.3 湖南省鱼类及其分布

(1)鲤形目。鲤形目湖南省有3科134种。胭脂鱼属仅胭脂鱼1种，前些年广泛分布于洞庭湖区，而近年来仅在鹿湖口等处偶见。鲤科为鲤形目主要科，数量众多，分布范围广，遍布全省。其中，广泛分布于洞庭湖区以及“四水”干流与大支流的鱼种有青鱼、草鱼、赤眼鳟、鯮鱼、鳡、鳤、银飘鱼、寡鳞银飘鱼、南方拟䱗、䱗、油䱗、四川半䱗、似鱎、翘嘴鲌、蒙古红鲌、青梢红鲌、尖头红鲌、似尖头红鲌、鲂、红鳍原鲌、团头鲂、大眼华鳊、华鳊、鳊鱼、细鳞斜颌鲴、黄尾鲴、银鲴、逆鱼、圆吻鲴、刺鲃、中华倒刺鲃、条纹二须鲃、花䱻、重唇䱻、似刺鳊鮈、麦穗鱼、华鳈、黑鳍鳈、江西鳈、似鮈、银色颌须鮈、济南颌须鮈、点纹颌须鮈、铜鱼、吻鮈、湖南吻鮈、圆筒吻鮈、片唇鮈、棒花鱼、福建棒花鱼、洞庭棒花鱼、蛇鮈、长蛇鮈、湘江蛇鮈、鲤鱼、鲫鱼、鳙鱼、鲢鱼、大鳍刺鳑鲏、高体鳑鲏、兴凯刺鳑鲏、中华鳑鲏等。分布于“四水”或仅在一条水系上游的鱼类有马口鱼、瑶山鲤、宽鳍鱲、中华细鲫、多鳞刺鳑鲏、寡鳞刺鳑鲏、斑条刺鳑鲏、越南刺鳑鲏、须鱊、短须鱊、无须鱊、广西副鱊、彩石鲋、吉首光唇鱼、厚唇光唇鱼、侧条厚唇鱼、阔口光唇鱼、半刺厚唇鱼、带半刺厚唇鱼、泉水鱼、四须盘鮈、异华鲮、光唇裂腹鱼、长丝裂腹鱼、齐口裂腹鱼、宜昌鳅鮀、南方长须鳅鮀、光唇蛇鮀、岩原鲤、粗须白甲鱼、细尾白甲鱼、多鳞铲颌鱼、白甲鱼、小口白甲鱼、稀有白甲鱼、南方白甲鱼、台湾铲颌鱼、瓣结鱼、华鲮、泸溪直口鲮等。仅分布于高山的鲤科鱼类有尖头鲹、长江鲹等。

鲤形目鳅科有21种。其中，泥鳅、大斑花鳅、花鳅、点面沙鳅、中华沙鳅与黄沙鳅全省广布；长薄鳅、紫薄鳅、红唇薄鳅、大鳞泥鳅、江西副沙鳅分布于洞庭湖水域；横纹条鳅、衡阳薄鳅、无斑条鳅、武昌副沙鳅分布于湘江水域；大斑薄鳅、桂林薄鳅、汉水扁尾薄鳅分布于沅水水域；漓江副沙鳅分布于资水水域；短体条鳅仅见于湘江与沅江上游；湘西盲高原鳅则仅见于龙山县火岩乡飞虎洞中。

鲤形目平鳍鳅科有8种。其中，毛缘犁头鳅、刺鳞犁头鳅、间前台口鳅、下司中华吸腹鳅等分布于湘江与沅江上游山溪中；平舟前台口鳅、东陂拟腹吸鳅、珠江拟腹吸鳅、厚唇原吸鳅等分布于“四水”上游溪流中。

(2)鲶形目。鲶形目湖南省有5科31种。鮠科有21种，其中切尾似鮠、长脂似鮠、拟缘鱼央、细体鮠、圆尾拟鮠、短尾拟鮠、白缘鉠分布于湘江上游；盎堂似鮠、鳗尾鉠、黑尾鉠、司氏鉠分布于资江；瓦氏(江)黄颡鱼、光泽黄颡鱼、岔尾黄颡鱼(长须黄颡鱼)、大眼鮠、白边鮠、乌苏里鮠分布于洞庭湖与“四水”下游；长吻鮠仅分布于洞庭湖湿地；鳠与黄颡鱼广泛分布于湖南各地。鮡科有5种，其中中华纹胸鮡分布于洞庭湖湿地，四川宽鳍纹胸鮡分布于湘江上游；三线纹胸鮡、海南纹胸鮡与福建纹胸鮡分布于湘江和沅江上游。鲇科有4种，其中鲶鱼与南方大口鲇广泛分布于各湖泊与大型库塘中；而越南鲶与西江鲶仅分布于湘江上游。胡子鲶科的胡子鲶仅分布于湘江上游。

(3)鲈形目：鲈形目湖南省有6科25种。鮨科有7种，其中鳜与大眼鳜广泛分布于湖南各水域；暗鳜(无斑鳜)与斑鳜分布于湘江上游；波纹鳜则分布于湘江与沅江上游；中国少鳞鳜(石鳜)分布于沅江上游；而长身鳜在“四水”上游均有分布。虾虎鱼科有9种，其中栉虾虎、吻虾虎、克氏虾虎与皮虾虎分布于洞庭湖水域；溪栉虾虎、四川栉虾虎、成都栉虾虎与小栉虾虎分布于澧水上游；而真吻虾虎仅分布于“四水”上游。斗鱼科有2种，其中圆尾斗鱼分布于全省各湖塘库汊的河湾中；而叉尾斗鱼分布于河流上游的溪流中。鳢科有3种，其中乌鳢与斑鳢广泛分布于湖南各大水域；而月鳢分布于湘、资、沅水上游。刺鳅科有2种，其中刺鳅分布于洞庭湖区与四大水系；而大刺鳅分布于湘、资、沅水上游。塘鳢科有2种，沙塘鳢与黄鱼幼鱼在洞庭湖与“四水”下游均有分布。

(4)鲑形目：鲑形目湖南仅1科(银鱼科)4种，即大银鱼、太湖银鱼、寡齿短吻银鱼与长江银鱼(短吻间银鱼)。以上4种银鱼历史上在洞庭湖区均有分布，后逐步减少，而近年来随着人工引种，太湖银鱼在众多水库与湖泊重新分布，而寡齿短吻银鱼与长江银鱼几近绝迹。

(5)鲟形目：鲟形目湖南有2科2种。其中，鲟科的中华鲟分布于洞庭湖以及湘、资、沅水中下游，近20年中仅偶尔见到4米左右的大型雌鱼，而小型个体从未见过；匙吻鲟科的白鲟分布于洞庭湖与“四水”中下游，自葛洲坝修建后再也未见过，现仅有几尾标本保存于湖南师范大学生命科学院标本馆内。

(6)鲱形目：鲱形目湖南有2科3种。其中，鲱科的鲥鱼分布于洞庭湖水域，近20年来再未发现；鳀科有长颌鲚和短颌鲚2种，前者分布于洞庭湖水域，近10年来再未发现过，而后者分布较广，在洞庭湖以及周边的库塘、湖泊均有分布。

(7)鳗鲡目：鳗鲡目湖南仅1科(鳗鲡科)1种(鳗鲡)，前几十年广泛分布于洞庭湖与“四水”干流和大支流，近年来仅在湘江与洞庭湖偶见。

(8)鳉形目：鳉形目湖南仅1科(胎鳉科)2种，即青鳉、食蚊鱼，分布于稻田与小河流中；而花鳉科食蚊鱼系引进物种，现在在众多库塘均有分布。

(9)鲀形目：鲀形目湖南仅1科(鲀科)1种(暗纹东方鲀)，分布于洞庭湖水域，溯水洄游进入洞庭湖产卵，近20年来未再见到过。

(10)颌针鱼目：颌针鱼目湖南目仅1科(鱵科)1种(鱵)，分布于洞庭湖以及毛里湖湿地。

(11)合鳃鱼目：合鳃鱼目湖南仅1科(鳃鱼科)1种(黄鳝)，广泛分布于湖南省各湿地。

4 两栖类、爬行类、哺乳类

4.1 湖南省两栖动物

4.1.1 湖南省两栖动物概况

湖南省两栖动物共63种，分属有尾目和无尾目，共9科28属。其中有尾目有3科7属9种，占全省两栖动物总种数的14.29%；无尾目有6科21属54种，占85.71%。在9个科中，蛙科的种类最多，有26种，占两栖动物总种数的41.27%。两栖动物各科的物种数目见图3-35。

63种两栖动物中，目数、科数、属数、物种数分别占全国两栖动物总目数、科数、属数、物种数的67%、82%、55%、20%(表3-14)。

表3-14 湖南省两栖动物目、科、属、种数目占全国两栖动物的比例

项 目	目 数	科 数	属 数	物种数
湖南省两栖动物(个)	2	9	28	63
占全国两栖动物的比例(%)	67	82	55	20

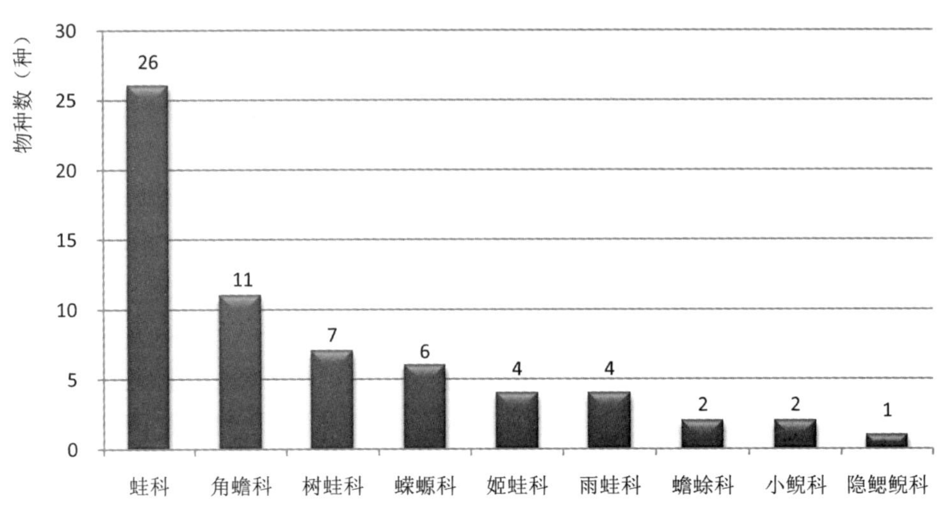

图 **3-35** 湖南省两栖动物各科物种数目

湖南省各县、市之间两栖动物物种数目差异明显，将各县、市发现的两栖动物物种数目换算成比值(各县、市两栖动物的物种数目/湖南省两栖动物总物种数目)，再换算成密度(单位面积的物种数目)，可对湖南省各县(市)两栖动物进行比较和排序。从数据可见，湖南省以桑植县、宜章县、桂东县、道县、新宁县等县两栖动物物种数目较多，而以洞庭湖区的沅江市、汉寿县、南县等县、市物种数目较小。可见，湖南省两栖动物的物种数目与水域无明显关系，而取决于环境的多样性。如湖南边远地区两栖动物物种数目较多，这与两栖类动物对环境的依赖性及其不耐干扰性有着直接关系。

4.1.2 湖南珍稀濒危及受保护的两栖动物

湖南省 63 种两栖动物中，有国家Ⅱ级保护野生动物 3 种，即大鲵、细痣疣螈和虎纹蛙。其中大鲵与虎纹蛙还分别是《国际贸易公约》附录Ⅰ与附录Ⅱ中的保护物种。

湖南省特有的两栖动物种有 7 种，即挂榜山小鲵、桑植角蟾、尾突角蟾、莽山角蟾、华西雨蛙武陵亚种、寒露林蛙和桑植趾沟蛙，至今在其他地方还未见报道。中国特有的两栖动物种有 41 种，占全省两栖动物总物种数的 65.1%。属湖南省重点保护物种有 48 种，占全省两栖动物总种数的 76.19%。此外，还有 26 种被世界自然保护联盟(IUCN)评价为濒危动物，物种名称及濒危级别见表 3-15。

表 3-15 湖南省 IUCN 所评定的濒危两栖动物名录及级别

分类阶元	物种名	IUCN 濒危级别
有尾目隐鳃鲵科	大鲵	CR(极危)
无尾目角蟾科	桑植角蟾	EN(濒危)
无尾目角蟾科	短肢角蟾	EN(濒危)
无尾目角蟾科	峨嵋髭蟾	EN(濒危)
有尾目蝾螈科	细痣疣螈	NT(近危)
无尾目角蟾科	崇安髭蟾瑶山亚种	NT(近危)

（续）

分类阶元	物种名	IUCN 濒危级别
无尾目蛙科	黑斑侧褶蛙	NT(近危)
无尾目角蟾科	莽山角蟾	NT(近危)
有尾目蝾螈科	尾斑瘰螈	NT(近危)
有尾目蝾螈科	中国瘰螈	NT(近危)
无尾目蛙科	无指盘臭蛙	NT(近危)
无尾目蛙科	隆肛蛙	NT(近危)
无尾目蛙科	黑点树蛙	NT(近危)
无尾目蛙科	福建大头蛙	NT(近危)
有尾目小鲵科	黄斑拟小鲵	VU(易危)
无尾目角蟾科	红点齿蟾	VU(易危)
无尾目蛙科	虎纹蛙	VU(易危)
无尾目蛙科	宜章臭蛙	VU(易危)
无尾目蛙科	越南趾沟蛙	VU(易危)
无尾目蛙科	桑植趾沟蛙	VU(易危)
无尾目蛙科	小棘蛙	VU(易危)
无尾目蛙科	棘腹蛙	VU(易危)
无尾目蛙科	棘侧蛙	VU(易危)
无尾目蛙科	金秀水树蛙	VU(易危)
无尾目蛙科	棘胸蛙	VU(易危)
无尾目蛙科	双团棘胸蛙	VU(易危)

4.1.3　湖南省两栖动物及分布

(1)有尾目：湖南省有尾目两栖类共包括小鲵科、隐鳃鲵科和蝾螈科 3 科。其中，小鲵科有 2 属 2 种，黄斑拟小鲵分布于桑植县的八大公山山林湿地中；挂榜山小鲵分布于祁东与祁阳的祁山山林湿地中。隐鳃鲵科仅 1 属(大鲵属)1 种(大鲵)，曾广泛分布于湖南各地，近来仅见于湘西的张家界、龙山、永顺、古丈等地。蝾螈科有 4 属 6 种；细痣疣螈分布于桑植、浏阳、中方与怀化；尾斑瘰螈仅分布于江永；中国瘰螈分布于江永和道县；弓斑肥螈分布于攸县、炎陵、桂东、汝城、茶陵以及罗霄山脉的西坡；无斑肥螈广泛分布于湘南地区的较高山林中；东方蝾螈广泛分布于湖南省各地。

(2)无尾目：湖南省无尾目两栖类共有 6 科 21 属 54 种。其中，蛙科有 11 属 26 种，黑侧褶斑蛙、沼水蛙、阔褶水蛙、弹琴蛙、泽陆蛙、湖北侧褶蛙、棘胸蛙、花臭蛙、虎纹蛙、棘腹蛙与镇海林蛙为常见种，广泛分布于湖南各地；大绿臭蛙、越南趾沟蛙、宜章臭蛙、福建大头蛙、小棘蛙分布于宜章；桑植趾沟蛙、绿臭蛙、隆肛蛙分布于桑植；峨嵋林蛙分布于桑植、张家界、沅陵、城步、新宁和江永；华南湍蛙分布于宜章、南岳和洞口等湘南地区；崇安湍蛙分布于都庞岭、张家界和桑植；寒露林蛙分布于双牌和平江；无指盘臭蛙分布于洞口；双团棘胸蛙分布于绥宁；棘侧蛙分布于江永。

角蟾科有4属11种，红点齿蟾、尾突角蟾、桑植角蟾与峨嵋髭蟾分布于桑植；崇安髭蟾瑶山亚种分布于湖南西北部；宽头短腿蟾分布于宜章、炎陵、双牌和江永；淡肩角蟾分布于湖南东部；挂墩角蟾、短肢角蟾与莽山角蟾分布于宜章。

树蛙科有3属7种，斑腿泛树蛙与大树蛙为常见种，广泛分布于湖南各地；金秀水树蛙与峨嵋树蛙分布于宜章；无声囊泛树蛙分布于安化六步溪；经甫树蛙分布于桑植与安化；黑点树蛙分布于桑植与城步。

姬蛙科仅1属4种，粗皮姬蛙、小弧斑姬蛙与饰纹姬蛙3种为常见种，广泛分布于湘南各地；花姬蛙分布于湘南与广东交界各地。

雨蛙科有1属4种，无斑雨蛙分布于湖南林区；中国雨蛙分布于汝城；三港雨蛙分布于宜章、新宁与江永；华西雨蛙武陵亚种分布于桑植。

蟾蜍科仅1属2种，中华蟾蜍指名亚种分布于湖南各地；黑眶蟾蜍分布于湘中与湘南地区。

4.2 湖南省湿地爬行动物

4.2.1 湖南省湿地爬行动物概况

湖南省湿地爬行动物共39种，分属3目(龟鳖目、蜥蜴目和蛇目)8科27属。其中龟鳖目有3科6属7种，占全省湿地爬行动物总物种数的17.95%；蜥蜴目有2科3属6种，占15.38%；蛇目有3科18属26种，占66.67%。

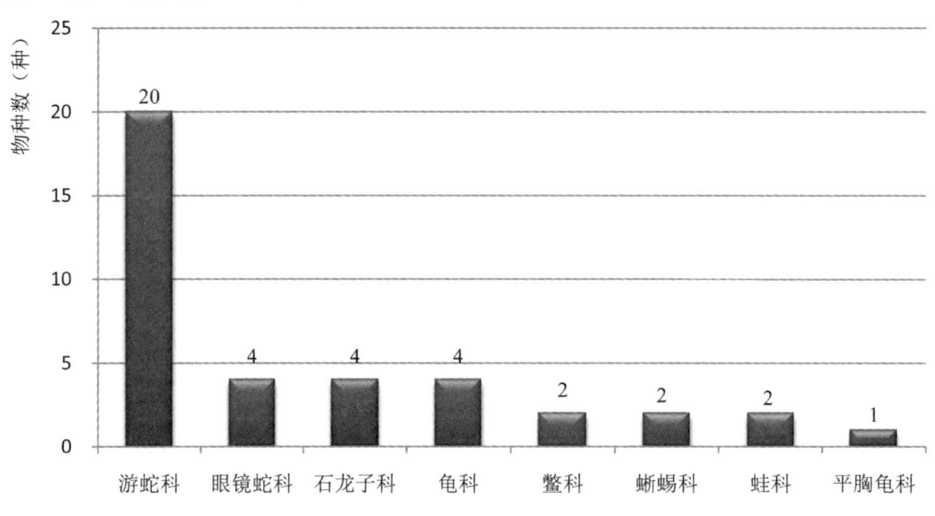

图 **3-36** 湖南省湿地爬行动物各科物种数目

从图3-36可见，全省湿地爬行动物中，以蛇目的游蛇科种数最多，为20种，占湿地爬行动物总物种数的51.28%；以平胸龟科物种数目最少，仅1种。

湖南省湿地爬行动物目、科、属、种数占全省爬行动物的比例分别为100%、62%、48%、40%，占全国爬行动物的比例分别为76%、33%、22%、10%(表3-16)。可见湖南省湿地爬行动物在全省乃至全国爬行动物中占据重要地位。

湖南省各县、市之间爬行动物物种数目差异明显，将各县、市发现的爬行动物物种数目换算成比值(各县、市爬行动物的物种数/湖南省爬行动物总物种数)，再换算成物种密度(单位面积的物种数），可对湖南省各县、市爬行动物物种密度进行比较和排序。从数据可见，湖南省爬行动物物种密度以新宁县、宜章县、茶陵县、炎陵县、安仁县、永兴县最大；而以洞庭湖区的沅江市、南县相对较小。

表 3-16　湖南省湿地爬行动物目、科、属、种数目占全省及全国爬行动物的比例

项　目	目　数	科　数	属　数	种　数
湖南省湿地爬行动物(个)	3	8	27	39
占湖南省爬行动物的比例(%)	100	62	48	40
占全国爬行动物的比例(%)	76	33	22	10

4.2.2　湖南省珍稀濒危及受保护的爬行动物

湖南省 39 种湿地爬行动物中，有 3 种是《国际贸易公约》附录Ⅰ中的保护物种，即黄缘闭壳龟、滑鼠蛇和舟山眼镜蛇。有 17 种被世界自然保护联盟(IUCN)评价为濒危动物，其濒危物种名录及濒危级别见表 3-17。

表 3-17　湖南省 IUCN 所评定的濒危爬行动物名录及级别

分类阶元	物种名称	IUCN 评价级别
龟鳖目鳖科	砂鳖	EN(濒危)
龟鳖目平胸龟科	平胸龟	EN(濒危)
龟鳖目龟科	黄缘闭壳龟	EN(濒危)
龟鳖目龟科	乌龟	EN(濒危)
龟鳖目龟科	黄喉拟水龟	EN(濒危)
龟鳖目龟科	眼斑水龟	EN(濒危)
蛇目游蛇科	中国水蛇	NT(近危)
龟鳖目鳖科	中华鳖	VU(易危)
蛇目游蛇科	乌梢蛇	VU(易危)
蛇目游蛇科	滑鼠蛇	VU(易危)
蛇目游蛇科	王锦蛇	VU(易危)
蛇目游蛇科	黑眉锦蛇	VU(易危)
蛇目游蛇科	灰鼠蛇	VU(易危)
蛇目舟山眼镜蛇科	舟山眼镜蛇	VU(易危)
蛇目舟山眼镜蛇科	银环蛇	VU(易危)
蛇目蝰科	短尾蝮	VU(易危)
蛇目蝰科	尖吻蝮	VU(易危)

此外，湖南省湿地爬行动物中有 5 种属中国特有物种，即股鳞蜓蜥、北草蜥、山溪后棱蛇、环纹华游蛇和乌梢蛇，其数量占全省爬行动物总物种数的 12.82%。

4.2.3 湖南省湿地爬行动物及分布

(1)龟鳖目：湖南省湿地龟鳖目动物有3科6属7种。中华鳖与乌龟分布于湖南各地，近来野生乌龟数量急剧减少；砂鳖、黄缘闭壳龟、黄喉拟水龟、眼斑水龟与平胸龟5种分布于湘南地区。

(2)蜥蜴目：湖南省湿地蜥蜴目动物有2科3属6种。北草蜥、南草蜥、中国石龙子、蓝尾石龙子与铜蜓蜥5种分布于湖南各地；股鳞蜓蜥分布于湘南地区。

(3)蛇目：湖南省湿地蛇目动物有3科18属26种。草腹链蛇、王锦蛇、赤链蛇、灰鼠蛇、滑鼠蛇、红纹滞卵蛇、黑眉锦蛇、虎斑颈槽蛇大陆亚种、环纹华游蛇、舟山眼镜蛇、短尾蝮、尖吻蝮、赤链华游蛇、中国水蛇、渔游蛇、乌梢蛇、银环蛇、乌华游蛇指名亚种18种分布于湖南各地；锈链腹链蛇、钝尾两头蛇、翠青蛇、黄链蛇、山溪后棱蛇、黑背白环蛇、福建华珊瑚蛇、中华珊瑚蛇8种分布于湘南地区。

此外，需要特别提起注意的是湖南省境内发现一些外来入侵的湿地爬行动物。如龟鳖目龟科彩龟属的红耳彩龟，即巴西龟，是世界自然保护联盟(IUCN)公布的全球最具威胁的100种外来物种之一，现已被确定为我国湿地生态系统的主要外来入侵物种。还有鳄龟科的大鳄龟和蛇鳄龟，也是外来物种，曾多次在野外发现，已经对本土物种构成了重要的威胁。

4.3 湿地哺乳动物

4.3.1 湖南省湿地哺乳动物群落

湖南省湿地哺乳动物有46种，隶属于7目15科28属。其中，食虫目有1科3属4种，占全省湿地哺乳动物物种总数的8.7%；翼手目有3科6属20种，占湿地哺乳动物物种总数的43.48%；兔形目仅兔科1科华南兔1种，占湿地哺乳动物物种总数的2.17%；啮齿目有3科6属7种，占湿地哺乳动物物种总数的15.22%；鲸目有2科2属2种，即鳍豚科的白鳍豚和鼠海豚科的江豚，占湿地哺乳动物物种总数的4.35%；食肉目有4科8属9种，占湿地哺乳动物物种总数的19.57%；偶蹄目有1科3属3种，占湿地哺乳动物物种总数的6.52%。

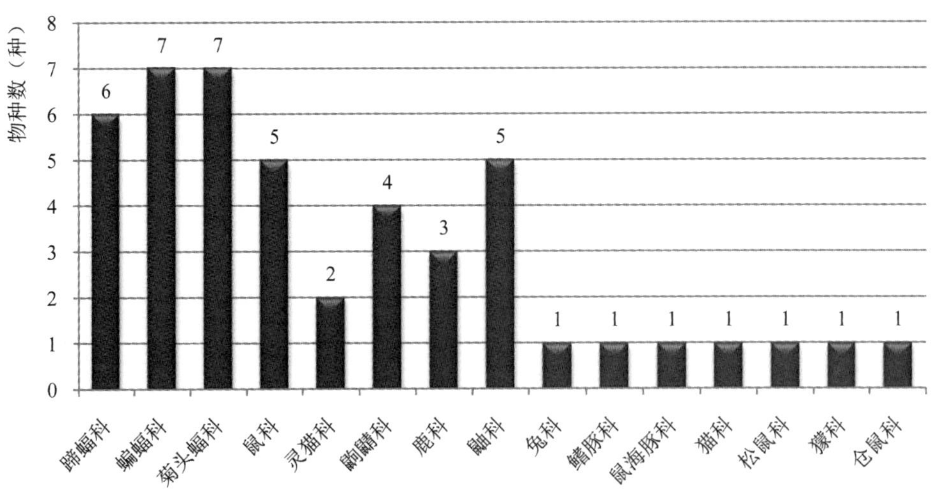

图3-37 湖南省湿地哺乳动物各科所含物种数

从图3-37可见，以翼手目所含物种数目最多。其中，又以菊头蝠科与蝙蝠科所含物种数目最多，分别为7种；而兔形目所含物种数最少，仅为1种。

湖南省46种湿地哺乳动物目、科、属、种数分别占全省哺乳动物总目、科、属、种数的77%、63%、45%、50%；占全国哺乳动物总目、科、属、种数的50%、30%、12%、8%(表3-18)。可见湖南湿地哺乳动物在全省及全国哺乳动物中占据重要位置。

表3-18 湖南省湿地哺乳动物目、科、属、种占全省及全国哺乳动物的比例

项 目	目 数	科 数	属 数	物种数
湖南省湿地哺乳动物(个)	7	15	28	46
占湖南哺乳动物的比例(%)	77	63	45	50
占全国哺乳动物的比例(%)	50	30	12	8

湖南省各县、市之间哺乳动物物种数差异明显，将各县、市发现的哺乳动物物种数换算成比值(各县、市哺乳动物的物种数/湖南哺乳动物总物种数)，再换算成物种密度(单位面积的物种数)，可对湖南省各县、市哺乳动物的物种密度进行比较和排序。从数据可知，湖南省哺乳动物物种密度以湘南的宜章县、双牌县、道县，湘西的石门、桑植、龙山等较大，而以洞庭湖区的沅江市、南县相对较小。

4.3.2 湖南省珍稀濒危及受保护的湿地哺乳动物

湖南省46种湿地哺乳动物中，有国家Ⅰ级保护动物2种，即麋鹿和白鳍豚；国家Ⅱ级保护动物5种，即獐、水鹿、江豚、水獭和小灵猫。还有一批世界自然保护联盟(IUCN)认定的濒危物种，其物种名录及濒危级别见表3-19。

表3-19 湖南省IUCN认定的濒危哺乳动物名录及级别

分类阶元	物种名称	IUCN濒危级别
鲸目鳍豚科	白鳍豚	CR(极危)
鲸目鼠海豚科	江豚	EN(濒危)
食肉目鼬科	水獭	EN(濒危)
偶蹄目鹿科	麋鹿	EW(野外灭绝)
翼手目菊头蝠科	中菊头蝠	NT(近危)
翼手目菊头蝠科	角菊头蝠	NT(近危)
翼手目菊头蝠科	大菊头蝠	NT(近危)
翼手目蹄蝠科	双色蹄蝠	NT(近危)
翼手目蹄蝠科	普氏蹄蝠	NT(近危)
翼手目蝙蝠科	灰伏翼	NT(近危)
翼手目蝙蝠科	北京鼠耳蝠	NT(近危)
食肉目獴科	食蟹獴	NT(近危)
食肉目鼬科	黄鼬	NT(近危)
食肉目灵猫科	花面狸	NT(近危)

（续）

分类阶元	物种名称	IUCN 濒危级别
食肉目鼬科	黄腹鼬	NT(近危)
食肉目鼬科	鼬獾	NT(近危)
偶蹄目鹿科	獐	VU(易危)
偶蹄目鹿科	水鹿	VU(易危)
翼手目蹄蝠科	中蹄蝠	VU(易危)
翼手目蝙蝠科	犬吻蝠	VU(易危)
食肉目灵猫科	小灵猫	VU(易危)
食肉目猫科	豹猫	VU(易危)
食肉目鼬科	猪獾	VU(易危)

此外，湖南湿地哺乳动物中，还有《国际贸易公约》附录Ⅰ的保护动物3种、附录Ⅱ的保护动物1种、附录Ⅲ的保护动物4种；还有中国特有物种2种；国家“三有”保护动物9种；湖南省重点保护动物24种。

4.3.3 湖南省湿地哺乳动物分布

(1)翼手目：湖南省湿地翼手目动物有3科6属20种。其中，中菊头蝠、大蹄蝠、鲁氏(栗黄)菊头蝠、东方蝙蝠、普通伏翼、灰伏翼6种分布于湖南大部分地区；小菊头蝠、皮氏(绒毛)菊头蝠、角菊头蝠、福建大蹄蝠、普氏蹄蝠、犬吻蝠、大足鼠耳蝠、大鼠耳蝠、北京鼠耳蝠、小蹄蝠10种分布于湖南南部地区；双色蹄蝠分布于湖南中部地区；马铁菊头蝠、中蹄蝠分布于江永；大菊头蝠分布于通道县。

(2)食肉目：湖南省湿地食肉目动物有4科8属9种。黄鼬、黄腹鼬、鼬獾、猪獾、水獭、花面狸、小灵猫、食蟹獴、豹猫9种，分布于湖南大部分地区。

(3)啮齿目：湖南省湿地啮齿目动物有3科6属7种。隐纹花松鼠(豹鼠)、东方田鼠、黑线姬鼠、黄胸鼠、褐家鼠、社鼠6种分布于湖南大部分地区；巢鼠1种分布于湖南南部地区。

(4)食虫目：湖南省湿地食虫目动物有1科3属4种。灰麝鼩、中麝鼩、臭鼩、喜马拉雅水麝鼩均分布于湖南大部分地区。

(5)偶蹄目：湖南省湿地偶蹄目动物有1科3属3种。獐曾分布于湖南省大部分地区，现仅见于洞庭湖区与常宁；水鹿分布于湘南与湘西；麋鹿仅分布于洞庭湖区。

(6)鲸目：湖南省湿地鲸目动物有2科2属2种。白鳍豚与江豚分布于长江中下游干流与洞庭湖。

(7)兔形目：湖南省湿地兔形目动物仅有1科(兔科)1种(华南兔)。分布于湖南大部分地区。

5 湿地无脊椎动物种类

5.1 贝 类

湖南省湿地贝类动物共94种，分属于腹足纲与瓣鳃纲，共4目13科。其中，腹足纲有1目

8科37种，占湿地贝类动物总物种数的39.36%；瓣鳃纲种类有3目5科57种，占湿地贝类动物总物种数的60.64%。在湿地贝类动物分属的13个科中，以蚌科所含物种数最多，为51种，占湿地贝类动物总物种数的47.22%。全省湿地贝类动物各科所含物种数量如图3-38。

5.2 虾蟹类

湖南省湿地虾蟹类动物共有14种，隶属软甲纲，共1目5科。其中长臂虾科7种，占全省湿地虾蟹类动物总物种数的50.00%；匙指虾科、溪蟹科与方蟹科各2种，均占全省湿地虾蟹类动物总物种数的14.29%；龙虾科1种，占全省湿地虾蟹类动物总物种数的7.13%。全省湿地虾蟹类动物各科所含物种数如图3-39。

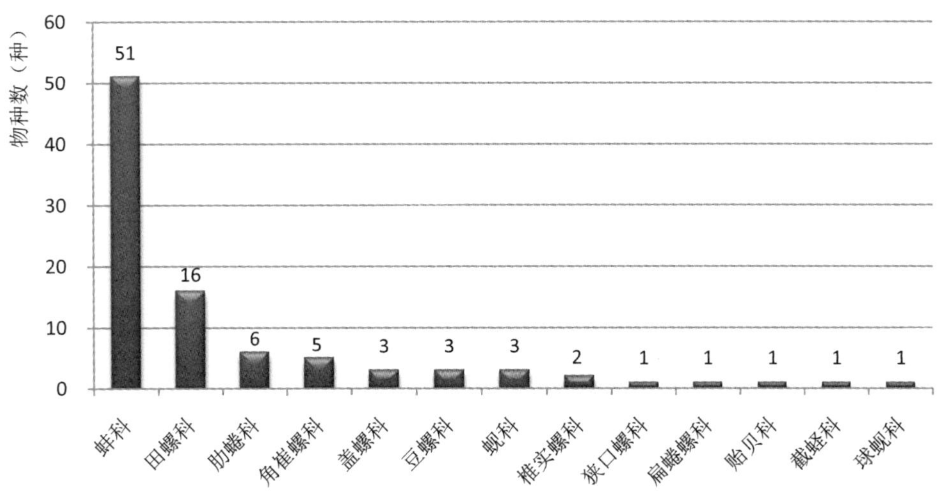

图3-38　湖南省湿地贝类各科所含物种数

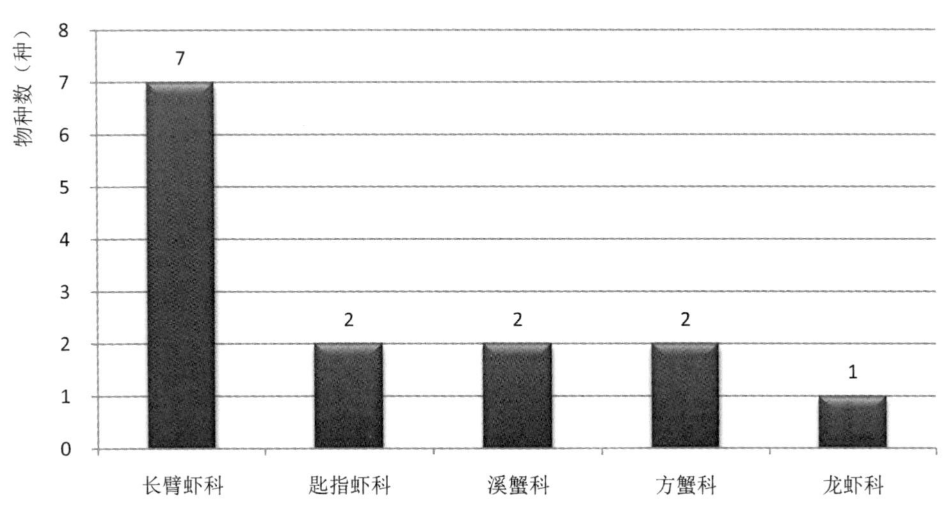

图3-39　湖南省湿地虾、蟹类各科所含物种数

第四章 湿地资源利用

第一节 湿地资源利用方式及其利用现状

湿地资源，一般为表生资源，如土地、水、生物、景观、泥炭、物种、基因、能源等，是包括水资源、土地资源、生物资源、景观资源、矿产资源、能源资源、人文资源等多种资源类别的综合体，与人类的生存息息相关，被称为"生命的摇篮""地球之肾"和"鸟的乐园"。湖南省湿地资源利用的历史源远流长，早在春秋战国时期，洞庭湖就被围湖造田用来发展农业。目前，湖南省湿地资源利用主要集中在以下几个方面：

1 湿地土地资源利用

湿地是重要的国土资源和自然资源，不仅提供了生物资源、水资源等，长期以来还作为一种重要的后备土地资源为人类的生产、生活提供多种资源。资料表明，湖南省人均耕地面积仅0.06公顷，是全国平均水平的60%。然而，长期以来，为增加土地利用，大量的湖泊被围垦用作农业用地、水产养殖塘或城市用地。新中国成立以来，湖南省围垦湿地约25万公顷，用于农业用地、工业区建设、港口、水产养殖等，为区域经济社会的发展做出了巨大的贡献。为适应建设生态湖南的要求，根据湖南湿地土地资源的特点，全面评估湿地开发利用的综合效益，科学制定湿地土地资源保护利用规划，开展退田还湖，实现湿地土地资源的可持续利用，是十分必要的。

2 水资源及矿产资源利用

湖南湿地水资源主要包括河流、湖泊与水库的淡水资源，总量丰富，地区分布不均。多雨区降水量高达1500毫米以上，少雨区少于500毫米。全省共有大小河流5341条，湖泊290余个。截至2008年，有各类水库13326座（其中大型水库21座、中型水库276座、小型水库13029座），水资源总量超过1689亿立方米，在防洪、调蓄、灌溉、工业和居民供水、养殖、发电等方面都发挥着巨大的综合效益，基本保证了全省经济社会发展的基本需求。同时，湿地资源也是一种矿产资源，随着社会经济的发展，能源成为了制约区域发展的一个重要的因素，而丰富的水电资源为湖南省缓解能源压力提供了很好的途径，开发潜力巨大。如五强溪水电站年发电量53.7亿千瓦时，还有东江水电站、柘溪水电站、凤滩水电站、水府庙水电站等。

3 湿地生物资源开发利用

湿地是水陆在时空坐标上交替的界面区域，是自然界生物多样性最为丰富的生态系统之一。湿地的物理、化学及生物学特性具有调节流量、控制洪水、涵养水源、净化水质、调节气候、提供资源、旅游休闲等重要的生态功能和经济价值。据第二次全国湿地资源调查，湖南湿地共记录有植物491种、脊椎动物639种。其中，鸟类286种、鱼类205种、湿地贝类动物94种、虾蟹类动物14种，形成了独具特色的生态景观与得天独厚的自然资源。据2012年《湖南省统计年鉴》，湖南2011年水产品产量达200多万吨，其中淡水捕捞产量16.57多万吨，淡水产品养殖产量183万吨。此外，湿地动植物中有相当一部分属于利用价值较高的物种。如湿地植物芦苇是重要的造纸原料，在洞庭湖周围已经形成一个规模较大的产业链；衡阳等地的席草，历来用来编织凉席、蒲团等；荸荠、菱角、慈姑、芡实、莲、莼菜等蔬菜，价值高，开发潜力大。随着人们生活水平的提高，有机、生态、绿色水产品更受人们青睐，洞庭湖银鱼、“四水”的黄尾鲴等著名水产品皆是餐桌上的上等佳肴。丰富的湿地生物资源为社会提供了多样化的湿地产品，逐渐成为社会物质消费的重要组成部分。

4 湿地资源的农业开发利用

首先，对湿地的围垦与改造，直接为种植业、畜牧业提供了大量肥沃的土地。其次，对湿地的水资源储备进行了开发利用，湖南省建立了一系列的大型灌溉系统，提供农业灌溉。第三，生态养殖、环保农业等对人工湿地、天然湿地的开发利用方式多种多样，在洞庭湖区大中小水面分层混合养殖，对鱼、蚌、珠、鳖等采取多种模式组合，开展立体养殖。在遵循湿地环境良性发展的前提下，充分利用湿地，具有较高的生态、经济、社会综合效益。

5 水运的开发利用

湖南省是全国内河航运最为发达的地区之一，水资源丰富。有通航河流373条，里程11968公里，居全国第三。其中，千吨级及以上航道700公里，港口63个；年货物吞吐量200万吨以上的港口10个，生产性泊位1893个。2011年年底，全省船舶总运力342万吨，最大内河货船5600吨。全省水路货运及其货物周转量分别为1.87亿吨与562.26亿吨/公里，主要港口货物及集装箱吞吐量分别为2.19亿吨、29.57万标箱。洞庭湖入江口的城陵矶港为全省首个亿吨大港，全省已基本形成以洞庭湖为中心，长江、湘江、沅水干流为依托的内河水运体系。

6 湿地景观资源利用

湖南湿地类型多样，包括河流湿地、湖泊湿地、沼泽湿地、人工湿地4大湿地类中的永久性河流、季节性或间歇性河流、洪泛平原湿地、永久性淡水湖、草本沼泽、灌丛沼泽、森林沼泽、沼泽化草甸、库塘、运河/输水河、水产养殖场等11个湿地型，分布相对集中，湿地景观资源丰富。现多地相继开展以生态旅游、河湖湿地生态观光旅游为主体的河湖水乡湿地生态旅游。洞庭湖作为候鸟的主要越冬地，候鸟迁徙的独特景观使得洞庭湖观鸟成为岳阳的一张名片，在宣传湿地生态保护的同时创造了经济发展的机会，让保护自然资源使当地居民受益。依托洞庭湖鸟类资源及迁徙景观，开展观鸟活动，扩大科学知识普及力度，提高人类对野生候鸟的认识，增加大众对生态环境的了解与保护意识，这同时也是一种有益身心健康的休闲活动。湿地游逐渐成为生态旅游的热点，以此为契机，依托各地的湿地特色景观资源，湖南省已经建立东江湖、水府庙、峒河、五强溪水库、汨罗江、琼湖、南洲等国家湿地公园(试点)32 个。

第二节 湿地资源可持续利用前景分析

湿地被誉为“地球之肾”，是物种的基因库，是世界上最具生产力的生态系统之一，同时也是地球上最敏感的地区之一，是重要的自然资源和人类生存环境资本，在支撑人类社会和谐发展和自然系统有序循环等方面有着举足轻重的作用。由于历史上人类对湿地环境功能和生态效益的认识不足，加上在政治、经济方面的“短视”，在湿地利用过程中出现了盲目开垦、过度开发和忽视保护等一系列问题。作为著名的鱼米之乡的湖南洞庭湖地区，湿地开发利用活动历史悠久，受人为干扰历史长、强度高，随着人口持续增长、工业化发展、城市扩张、农村居民生产生活方式逐渐转变，对湿地开发利用强度持续加大，特别是围垦造田、围网养殖、污染等因素，已对湿地生态系统造成很多不可逆转的影响。如今，湿地资源的可持续利用越来越受到重视。

1 湿地资源现状特点及其优势

湖南省境内北部为滨湖平原，中部为丘陵，东南西三面低山环绕，多样的地貌类型，孕育出特点鲜明与类型丰富的湿地资源。全省湿地总面积为 101.97 万公顷，有湿地 4 类 11 型。在 4 大湿地类中，河流湿地面积占全省总湿地面积的 39.07%，湖泊湿地占 37.83%，人工湿地占 20.23%，最少为沼泽湿地，占 2.87%。全省湿地分布不均，呈现明显的地域性特点。洞庭湖一带集湖泊、河流与沼泽湿地为一体；其他区域则以河流与人工湿地为主。洞庭湖是我国第二大淡水湖泊，是全球 200 个重要生态区之一，有 3 块国际重要湿地、1 个国家级自然保护区、3 个省级自然保护区，在国际与国家生态地位高，湿地生物多样性丰富，文化历史悠久，底蕴深厚。

1.1 湿地植物资源

虽然湖南湿地受到人为干扰力度大，但湿地物种资源种类仍十分丰富，且国家重点保护或珍稀濒危物种多。湖南 491 种湿地植物中，有约 150 种各具用途。按照吴征镒 1983 年的植物资源分类系统，将这 150 余种植物划分为 5 类：食用植物资源、药用植物资源、工业用植物资源、保护和改造环境植物资源、观赏植物资源。

1.1.1 食用湿地植物资源

具有食用价值的湿地植物包括直接被人食用和间接被人食用两大类。如洞庭湖湿地的莲、荸荠、菱角、慈姑等是常见的食用植物，产销量大。其中，莲子(湘莲)是湖南著名的品牌，莲藕是重要的蔬菜；芡实叶柄是重要的野生蔬菜，种子是调味品芡粉的原料；春季蒌蒿嫩茎、菰(茭笋)

是蔬菜佳品；芦苇笋(芦笋)，近年来多被开发成鲜食或制酱菜。

1.1.2 药用湿地植物资源

药用植物资源包括中药植物类、农药植物类和有毒植物类，常见的有枸杞、何首乌、白前、接骨草、车前、益母草、夏枯草等。

1.1.3 工业用湿地植物资源

工业用湿地植物资源包括木材类、纤维植物类、糅料植物类、香料植物类、工业用油脂植物类、植物胶类、工业用植物性染料类、能源植物类、经济昆虫寄主植物类和其他用途植物类，常见的有构树、苘麻、薄荷、活血丹、香蒲等。

1.1.4 保护和改造环境湿地植物资源

保护和改造环境的湿地植物资源包括防风固沙植物类、水土保持植物类、绿肥植物类、指示植物类、抗污染植物类等多个方面。在湿地生态系统中，植物在防浪固堤、护坡、防治污染、净化水质、沉降淤泥、涵养水源，为鱼类提供庇护、产卵场所及食物，为湿地鸟类提供食物等方面具有重要作用。如龙舌草是重要的环境指示植物，狗牙根、水竹叶、鸭舌草等是防浪固堤植物，而眼子菜、黑藻、苦草、菹草、金鱼藻等具有良好的净化水质功能。

1.1.5 观赏湿地植物资源

观赏湿地植物资源是可作为庭园观赏的植物，特别以水生植物居多。如莲(荷花)、水葱、香蒲、萍蓬草、三白草、千屈菜、慈姑、菖蒲、菰、芦苇、南荻等可作为庭园水景中的挺水植物；荇菜、芡实、水皮莲、眼子菜等可作为庭园浮叶植物观赏。在水质良好的庭园水景或水族箱中，有大量的沉水植物可供观赏，如观赏价值较高的主要有狐尾藻、穗花狐尾藻、石龙尾、异叶石龙尾、龙舌草、黑藻、菹草、苦草、金鱼藻等。

1.2 湿地动物资源

在湿地动物中，野生经济动物资源丰富，有“四大家鱼”原种、丰富的野生蛇类、中华鳖等经济价值高的滋补食品与名贵菜肴食材，以及丰富的雁鸭类，为人类开发湿地储存了丰富的后备资源。

2 湖南省湿地资源可持续利用对策

(1)加大资金投入，加强湿地资源可持续利用研究，建立省级湿地监测体系：科研是自然资源保护管理与合理开发的基础，目前湖南省湿地资源可持续利用研究还处于起步阶段。一方面，现有湿地研究成果难以为各级政府制定湿地保护和利用决策提供科学依据；另一方面，由于缺乏战略规划和建设项目对湿地生物多样性影响的评价研究，以致不能在经济建设开发活动前对湿地生物多样性影响做出正确的评估，并提出有针对性的对策措施。因此，加大科研投入，尤其是要加强对湿地资源动态监测、湿地健康及功能评价、湿地生态恢复与生物多样性保护、湿地生态系统主要外来物种入侵及防控技术、湿地价值评估与生态补偿机制方面的研究，同时加强湿地资源利用与开发技术及其利用模式的研究，通过对全省湿地资源动态格局研究，建设湿地监测中心，可以及时了解湿地变化规律及其对生态环境的影响，极大地提高湖南省湿地保护的效率，使决策更加科学，管理目的更具体，为区域经济社会可持续发展提供重要保障。

（2）建立高效的多部门参与、支持、协调的湿地管理机构：湿地管理，目前涉及林业、水利、农业、国土、电力、环保等多个部门，在共享湿地产生的利益的前提下，部门之间矛盾多，部分矛盾还特别突出，缺乏问题解决的协调机制。在湿地管理上，忽视了对湿地生态系统的有效保护，致使湿地面积与资源日益减少，功能和效益下降，生物多样性丧失，湿地生态系统面临的压力正在增强，严重影响了对湿地资源的开发利用。因此，应建立一个多部门参与、支持、协调的湿地管理机构，开展湿地资源科学评估，制定与实施《湿地保护条例》，规范湿地保护与利用行为。要进一步考察各重点湿地的历史、现状、存在的问题与发展前景；探讨防止湿地遭受重大破坏和威胁的途径、手段及政策措施；研究湿地保护、管理、开发的资金筹集渠道、运行机制与经济补偿规则等。

（3）开展有效的生态建设措施，制定科学的湿地土地资源利用政策：平垸行洪、退田还湖是党中央、国务院的重大决策。湖南省人大常委会于 2005 年 7 月 30 日通过了《湖南省湿地保护条例》，通过源头治淤、恢复水系与湿地生态系统，实施退田还湿，以稳定湿地面积、确保湖泊调蓄功能。建设措施包括：严格禁止围垦、采挖、堤岸工程、景点建设、餐饮宾馆建设侵占湿地；对已经大面积围垦的湖泊水域，适时退田还湖（水、湿），特别是洞庭湖与其周围的湖泊群，以及湘江等；综合评估生态安全、防洪抗旱、经济可持续发展等多方面客观需求等，实施积极的退田还湖措施。

（4）建立湿地可持续利用的生态补偿机制：湿地生态系统，具有多种资源的生产承载力，是当地居民赖以生存和发展的基础。而进行湿地保护，起初必然影响当地居民对于这种公共资源的获取，因此在保护和利用之间必然产生矛盾。目前，湿地生态系统的保护经费严重不足，采取“谁受益，谁支付”“谁破坏，谁补偿”的原则，在一定程度上能够暂时缓解湿地保护同周边居民之间的矛盾，建立一种长效的补偿机制势在必行。

（5）加强湿地资源可持续利用示范区建设，促进引导与推介：湿地资源只有被科学利用才能产生积极的综合效益，才能为科学合理利用湿地提供经验和示范作用。要根据湿地资源的特点，开展生态农业、生态渔业、水利工程建设等与生态相结合的湿地多用途利用和管理示范区建设。同时，要结合退田还湖，因地制宜发展湿地农业建设，发展水生蔬菜、水生养殖、水生经济作物等，提高湿地可持续利用引领作用。

第五章 湿地资源评价

第一节 湿地生态状况

1 湿地水文与水质状况

湖南湿地类型多样，水系错综复杂，形成的河流湿地、湖泊湿地、沼泽湿地、人工湿地生态系统水文、水质与富营养化差异明显，因此，将湖南省湿地依照国际重要湿地、国家重要湿地及自然保护区，与国家湿地公园分别进行阐述。

1.1 国际重要湿地、国家重要湿地及自然保护区

(1)东洞庭湖国家级自然保护区：东洞庭湖湿地水源补给为综合补给，包括地表径流、大气降水和地下水；流出状况为永久性流出；积水状况为永久性积水。正常年份平水位28.0米，枯水位22.5米，丰水位33.0米；最大水深20.8米，平均水深6.4米；蓄水量810000.0万立方米。地表水pH值7.7，呈弱碱性；矿化度0.92毫克/升，淡水；透明度0.80米，浑浊；总氮1.54毫克/升，总磷0.30毫克/升，为富营养状况；化学需氧量26.00毫克/升，水质级别为Ⅴ级。主要污染因子为氨、磷及有机型耗氧污染。地下水pH值7.5，呈弱碱性；矿化度0.80毫克/升，淡水；水质级别为Ⅲ类。

(2)西洞庭湖省级自然保护区：西洞庭湖湿地内水系发育良好，水面广阔，丰富的水资源构成了江湖交错的水网景观，主要河流有沅水、澧水、沧浪撇洪河、龙池河和烟包山河等。湖区多年平均地表径流量为12.51亿立方米；汇入本区的客水面积为592.6平方公里，多年平均客水径流量2.43亿立方米；其中沅水、澧水两河多年平均过境水量957.43亿立方米。湖西面的坡头是沅水湖口，区域内水面最大宽达数公里，最大流量29000立方米/秒。湖的东北为澧水入湖口，最大流量为10600立方米/秒。

水源补给为综合补给，主要为地表径流、大气降水和地下水；流出状况为永久性流出；积水状况为永久性积水。正常年份平水位28.5米，枯水位22.0米，丰水位35.0米；最大水深18.0米，平均水深6.5米；蓄水量250000.0万立方米。地表水pH值7.2，呈中性；矿化度0.88克/

升，淡水；透明度0.60米，浑浊；总氮1.37毫克/升，总磷0.25毫克/升，营养状况为富营养；化学需氧量18.00毫克/升，水质级别为Ⅳ类。地下水pH值7.2，呈中性；矿化度0.82克/升，淡水；水质级别为Ⅲ类。

(3)南洞庭湖省级自然保护区：由于吞吐湘、资、沅、澧和长江之水，南洞庭湖呈现出水浸皆湖、水落为洲的特征。南洞庭湖湿地的水源补给为综合补给；流出状况为永久性流出；积水状况为永久性积水。正常年份平水位28.0米，丰水位32.5米，枯水位23.6米；最大水深21.8米，平均水深7.0米；蓄水量800000.0万立方米。地表水pH值6.9，中性；矿化度0.30克/升，淡水；透明度0.70米，浑浊；总氮1.58毫克/升，总磷0.42毫克/升，营养状况为富营养；化学需氧量19.33毫克/升，水质级别为Ⅳ类。地下水pH值7.5，弱碱性；矿化度0.29克/升，淡水；水质级别为Ⅱ类。

(4)横岭湖省级自然保护区：横岭湖湿地水源补给为综合补给，主要为地表径流、大气降水；流出状况为永久性流出；积水状况为永久性积水。正常年份平水位28.5米，枯水位22.1米，丰水位36.4米；最大水深22.0米，平均水深6.0米；蓄水量120000.0万立方米。地表水pH值7.2，中性；矿化度0.30克/升，淡水；透明度1.50米，浑浊；总氮0.04毫克/升，总磷0.03毫克/升，营养状况为中营养；化学需氧量10.00毫克/升，水质级别为Ⅲ类。主要污染因子为生活垃圾、污水、船只排放的尾气等。地下水pH值7.3，中性；矿化度0.29克/升，淡水；水质级别为Ⅱ类。

(5)衡南江口鸟洲省级自然保护区：湖南衡南江口鸟洲湿地水源补给为综合补给，主要为大气降水、地表径流；流出状况为永久性流出；积水状况为永久性积水。正常年份平水位61.0米，枯水位58.0米，丰水位62.1米；最大水深22.0米，平均水深8.0米；蓄水量1340.0万立方米。地表水pH值6.9，中性；矿化度0.87克/升，淡水；透明度2.50米，较清；总氮0.05毫克/升，总磷0.01毫克/升，营养状况为贫营养；化学需氧量10.00毫克/升，水质级别为Ⅱ类。地下水pH值7.1，中性；矿化度0.92克/升，淡水；水质级别为Ⅱ类。

(6)湖里湿地省级自然保护区：湖南湖里湿地水源补给为综合补给，主要包括地表径流、大气降水和地下水；流出状况为永久性流出；积水状况为永久性积水。正常年份平水位168.0米，枯水位167.5米，丰水位169.0米；最大水深3.0米，平均水深0.5米；蓄水量560.0万立方米。地表水pH值7.0，中性；矿化度0.26克/升，淡水；透明度2.00米，浑浊；总氮0.05毫克/升，总磷0.01毫克/升，营养状况为贫营养；化学需氧量25.00毫克/升，水质级别为Ⅲ类。地下水pH值7.1，中性；矿化度0.63克/升，淡水；水质级别为Ⅲ类。

(7)张家界大鲵国家级自然保护区：张家界大鲵自然保护区湿地水源补给为综合补给，主要为大气降水、地表径流；流出状况为永久性流出；积水状况为永久性积水。正常年份平水位412.6米，枯水位410.5米，丰水位415.2米；最大水深3.2米，平均水深3.0米；蓄水量1340.0万立方米。地表水pH值6.9，中性；矿化度0.87克/升，淡水；透明度2.50米，清澈；总氮0.05毫克/升，总磷0.01毫克/升，营养状况为贫营养；化学需氧量0.27毫克/升，水质级别为Ⅱ类。地下水pH值7.1，中性；矿化度0.92克/升，淡水；水质级别为Ⅱ类。

(8)华容集成垸麋鹿省级自然保护区：湖南华容县集成垸湿地位于长江中游南岸，四面环水，灌溉渠道密布，水源充足。水源补给为综合补给；流出状况为永久性流出，积水状况为永久性积水。正常年份平水位30.2米，枯水位26.2米，丰水位37.6米；最大水深8.0米，平均水深4.0米；蓄水量5800.0万立方米。地表水pH值6.8，中性；矿化度0.82克/升，淡水；透明度1.10米，浑浊；总氮0.30毫克/升，总磷0.05毫克/升，营养状况为中营养；化学需氧量0.25毫克/升，水质级别为Ⅲ类。地下水pH值7.0，中性；矿化度0.88克/升，淡水；水质级别为Ⅱ类。

(9)黄盖湖县级自然保护区：湖南黄盖湖水源补给为综合补给，主要为地表径流、大气降水；流出状况为永久性流出；积水状况为永久性积水。正常年份平水位26.5米，枯水位22.0米，丰水位28.0米；最大水深20.0米，平均水深7.0米；蓄水量87855.0万立方米。地表水pH值7.1，中性；矿化度0.21克/升，淡水；透明度1.70米，浑浊；总氮0.40毫克/升，总磷0.03毫克/升，营养状况为中营养；化学需氧量12.00毫克/升，水质级别为Ⅲ类。主要污染因子为工业污水、农业污水。地下水pH值7.2，中性；矿化度0.27克/升，淡水；水质级别为Ⅱ类。

(10)毛里湖县级自然保护区：湖南毛里湖湿地水源补给为综合补给；流出状况为间歇性流出；积水状况为永久性积水。正常年份平水位31.7米，枯水位28.5米，丰水位34.9米；最大水深16.0米，平均水深7.0米；蓄水量13800.0万立方米。地表水pH值7.5，弱碱性；矿化度0.65克/升，淡水；透明度0.30米，浑浊；总氮1.32毫克/升，总磷0.20毫克/升，营养状况为富营养；化学需氧量3.60毫克/升，水质级别为Ⅴ类。主要污染因子为工业污水、生活污水。地下水pH值5.5，微酸性；矿化度0.50克/升，淡水；水质级别为Ⅱ类。

1.2 湿地公园

(1)千龙湖国家湿地公园：湖南千龙湖湿地水源补给为综合补给，主要包括大气降水、人工补给；流出状况为偶尔流出；积水状况为永久性积水。正常年份平水位38.0米，枯水位37.0米，丰水位39.0米；最大水深5.0米，平均水深4.2米；蓄水量587.0万立方米。地表水pH值6.8，中性；矿化度0.92克/升，淡水；透明度2.14米，浑浊；总氮0.90毫克/升，总磷0.05毫克/升，营养状况为中营养；化学需氧量20.00毫克/升，水质级别为Ⅲ类。主要污染因子为农药、化肥。地下水pH值6.3，微酸性；矿化度0.95克/升，淡水；水质级别为Ⅱ类。

(2)酒埠江国家湿地公园：酒埠江属湘江水系，位于湘江二级支流攸水(洣水支流)的上游。水流从南、东、北三面汇入酒埠江水库(国家级大Ⅱ型水库)，形成以水库为中心的半向心状水系。水库集雨面积达610.0平方公里，坝址多年平均流量17.3立方米/秒，多年平均径流量5.45亿立方米。

酒埠江国家湿地公园水源补给为综合补给，主要包括地表径流、大气降水和地下水；流出状况为永久性流出；积水状况为永久性积水。正常年份平水位164.0米，枯水位152.5米，丰水位165.5米；最大水深12.0米，平均水深3.0米；蓄水量29500.0万立方米。地表水pH值7.2，中性；矿化度0.48克/升，淡水；透明度2.50米，清澈；总氮0.05毫克/升，总磷0.01毫克/升，营养状况为贫营养；化学需氧量16.00毫克/升，水质级别为Ⅲ类。地下水pH值7.3，中性；矿化度0.80克/升，淡水；水质级别为Ⅲ类。

(3)湘阴洋沙湖-东湖国家湿地公园：湘阴洋沙湖-东湖湿地水源补给为综合补给，包括地表径流、大气降水和地下水；流出状况为永久性流出；积水状况为永久性积水。正常年份平水位28.5米，枯水位22.1米，丰水位36.4米；最大水深20.0米，平均水深6.0米；蓄水量1200.0万立方米。地表水 pH 值 7.0，中性；矿化度 0.28 克/升，淡水；透明度 1.50 米，浑浊；总氮 0.45 毫克/升，总磷 0.03 毫克/升，营养状况为中营养；化学需氧量 14.00 毫克/升，水质级别为 Ⅲ 类。主要污染因子为生活垃圾、污水。地下水 pH 值 7.1，中性；矿化度 0.22 克/升，淡水；水质级别为 Ⅱ 类。

(4)宁乡金洲湖国家湿地公园：湖南宁乡金洲湖湿地包括沩水河(湘江一级支流)的部分河段及其支流乌江部分汇水区。水源补给为综合补给，主要为地表径流、大气降水和地下水；流出状况为永久性流出；积水状况为永久性积水。正常年份平水位 77.7 米，枯水位 70.5 米，丰水位 87.8 米；最大水深 12.0 米，平均水深 1.7 米；蓄水量 2100.0 万立方米。地表水 pH 值 7.5，弱碱性；矿化度 0.30 克/升，淡水；透明度 0.62 米，浑浊；总氮 1.83 毫克/升，总磷 0.22 毫克/升，营养状况为富营养；化学需氧量 5.00 毫克/升，水质级别为 Ⅴ 级。主要污染因子为氨、氮及有机型耗氧污染。地下水 pH 值 7.2，中性；矿化度 0.20 克/升，淡水；水质级别为 Ⅲ 级。

(5)吉首峒河国家湿地公园：湖南吉首峒河湿地内水系的主河流为沱江、峒河，主要支流为万溶江、司马河、洽比河等。各支流从地势高的西部、北部、南部分别向中部盆地汇集流入峒河，组成复聚合状水系。水源补给为综合补给，主要包括地表径流、大气降水和地下水；流出状况为永久性流出；积水状况为永久性积水。正常年份平水位 219.5 米，枯水位 214.3 米，丰水位 223.8 米；最大水深 7.2 米，平均水深 2.3 米；蓄水量 4800.0 万立方米。地表水 pH 值 7.1，中性；矿化度 0.53 克/升，淡水；透明度 1.80 米，浑浊；总氮 0.82 毫克/升，总磷 0.04 毫克/升，营养状况为中营养；化学需氧量 15.20 毫克/升，水质级别为 Ⅲ 类。地下水 pH 值 7.2，中性；矿化度 0.53 克/升，淡水；水质级别为 Ⅲ 类。

(6)汨罗江国家湿地公园：湖南汨罗江湿地水源补给为综合补给，主要包括地表径流、大气降水；流出状况为永久性流出；积水状况为永久性积水。正常年份平水位 28.2 米，枯水位 23.0 米，丰水位 36.0 米；最大水深 8.0 米，平均水深 2.0 米；蓄水量 5008.0 万立方米。地表水 pH 值 7.5，弱碱性；矿化度 0.18 克/升，淡水；透明度 1.40 米，浑浊；总氮 0.20 毫克/升，总磷 0.05 毫克/升，富营养状况中营养；化学需氧量 10.30 毫克/升，水质级别为 Ⅲ 类。主要污染因子为工业污水、生活污水。地下水 pH 值 7.1，中性；矿化度 0.22 克/升，淡水；水质级别为 Ⅱ 类。

(7)水府庙国家湿地公园：湖南水府庙水库上游有涟水、孙水、酉阳河 3 条河流呈树状汇聚于水府庙库区，下游为涟水和侧水汇聚于洋潭引水坝，库区水域总面积 44.3 平方公里，有效库容量 3.74 亿立方米，平均入流量 65.93 立方米/秒，年平均最大入库流量 73.0 立方米/秒，控制流域 3160.0 平方公里。

水府庙湿地水源补给为综合补给，主要包括大气降水和地表径流；流出状况为永久性流出；积水状况为永久性积水。正常年份平水位 74.2 米，枯水位 68.5 米，丰水位 94.3 米；最大水深 26.6 米，平均水深 18.4 米；蓄水量 37400.0 万立方米。地表水 pH 值 7.2，中性；矿化度 0.76 克/升，淡水；透明度 3.50 米，清澈；总氮 0.05 毫克/升，总磷 0.01 毫克/升，营养状况为贫营养；化学需氧量 0.34 毫克/升，水质级别为 Ⅱ 类。地下水 pH 值 7.2，中性；矿化度 0.92 克/升，淡水；水质级别为 Ⅱ 类。

(8)东江湖国家湿地公园：湖南东江湖湿地水源补给为综合补给，主要包括地表径流、大气降水和地下水；流出状况为永久性流出；积水状况为永久性积水。正常年份平水位 275.0 米，枯水位270.0米，丰水位285.0米；最大水深26.0米，平均水深16.0米；蓄水量83000.0万立方米。地表水pH值6.9，中性；矿化度0.19克/升，淡水；透明度5.20米，清澈；总氮0.26毫克/升，总磷0.02毫克/升，营养状况为中营养；化学需氧量10.40毫克/升，水质级别为Ⅲ类。地下水pH值7.0，中性；矿化度0.26克/升，淡水；水质级别为Ⅱ类。

(9)柘溪水库湿地(含雪峰湖国家湿地公园)：湖南柘溪水库水源补给为综合补给，主要为地表径流、大气降水和湖泊补给，流出状况为永久性流出；积水状况为永久性积水。正常年份平水位170.0米，枯水位165.0米，丰水位178.0米；水库最大水深25.0米，平均水深15.0米；蓄水量575000.0万立方米。地表水pH值7.7，弱碱性；矿化度0.20克/升，淡水；透明度3.80米，清澈；总氮0.28毫克/升，总磷0.03毫克/升，营养状况为中营养；化学需氧量18.70毫克/升，水质级别为Ⅲ类。地下水pH值7.5，弱碱性；矿化度0.28克/升，淡水；水质级别为Ⅱ类。

1.3　其他重点调查湿地

(1)大通湖湖泊湿地：大通湖东临洞庭湖，与之交界的防洪大堤北面超过向东闸，南至五门闸，是沿湖各乡镇最大的调蓄湖。水源补给为综合补给，主要包括大气降水和人工补给；流出状况为永久性流出；积水状况为永久性积水。正常年份平水位28.5米，丰水位32.5米，枯水位22.0米；最大水深12.0米，平均水深6.2米；蓄水量6900.0万立方米。地表水pH值7.7，弱碱性；矿化度0.20克/升，淡水；透明度1.40米，浑浊；总氮1.29毫克/升，总磷0.62毫克/升，营养状况为富营养；化学需氧量18.95毫克/升，水质级别为Ⅴ类。地下水pH值7.3，中性；矿化度0.29克/升，淡水；水质级别为Ⅱ类。

(2)珊珀湖湖泊湿地：湖南珊珀湖湿地水源补给为综合补给，主要包括地表径流、大气降水和地下水；流出状况为永久性流出；积水状况为永久性积水。正常年份平水位29.3米，枯水位28.8米，丰水位29.8米；最大水深12.0米，平均水深5.8米；蓄水量4500.0万立方米。地表水pH值7.2，中性；矿化度0.82克/升，淡水；透明度1.60米，浑浊；总氮1.43毫克/升，总磷0.55毫克/升，营养状况为富营养；化学需氧量为24.60毫克/升，水质级别为Ⅴ类。地下水pH值7.3，中性；矿化度0.92克/升，淡水；水质级别为Ⅳ类。

(3)团头湖湖泊湿地：团头湖湿地水源补给为综合补给，主要包括地表径流、大气降水；流出状况为永久性流出；积水状况为永久性积水。正常年份平水位27.5米，丰水位36.0米，枯水位25.0米；最大水深6.0米，平均水深4.0米；蓄水量2885.0万立方米。地表水pH值6.8，中性；矿化度0.92克/升，淡水；透明度2.14米，浑浊；总氮0.45毫克/升，总磷0.20毫克/升，营养状况为中营养；化学需氧量18.30毫克/升，水质级别为Ⅲ类。主要污染因子为农药、化肥。地下水pH值6.3，微酸性；矿化度0.95克/升，淡水；水质级别为Ⅱ类。

(4)柳叶湖湖泊湿地：柳叶湖湿地水源补给为综合补给，主要包括地表径流、大气降水；流出状况为永久性流出；积水状况为永久性积水。正常年份平水位29.6米，枯水位28.0米，丰水位34.0米；最大水深16.8米，平均水深12.6米；蓄水量580.0万立方米。地表水pH值7.1，中性；矿化度0.95，淡水；透明度2.50，清澈；总氮0.24毫克/升，总磷0.01毫克/升，营养状况为中营养；化学需氧量0.44毫克/升，水质级别为Ⅲ类。地下水pH值7.1，中性；矿化度0.25克/升，淡水；水质级别为Ⅱ类。

(5)南湖湖泊湿地：南湖湿地水源补给为综合补给，主要包括大气降水、人工补给；流出状况为永久性流出；积水状况为永久性积水。正常年份平水位28.2米，丰水位34.0米，枯水位26.4米；最大水深25.0米，平均水深10.0米；蓄水量1100.0万立方米。地表水pH值6.8，中性；透明度1.30米，浑浊；总氮0.50毫克/升，总磷0.03毫克/升，营养状况为中营养；化学需氧量2.50毫克/升，水质级别为Ⅲ类。主要污染因子为生活垃圾、污水。地下水pH值6.4，微酸性；矿化度0.85克/升，淡水；水质级别为Ⅱ类。

(6)团结水库湿地：团结水库湿地水源补给为综合补给，主要包括地表径流、大气降水；流出状况为永久性流出；积水状况为永久性积水。正常年份平水位330.0米，枯水位328.5米，丰水位335.6米；最大水深5.8米，平均水深4.5米；蓄水量850.0万立方米。地表水pH值7.1，中性；矿化度0.94克/升，淡水；透明度1.20米，浑浊；总氮0.72毫克/升，总磷0.05毫克/升，营养状况为中营养；化学需氧量0.36毫克/升，水质级别为Ⅲ类。地下水pH值7.2，中性；矿化度0.98克/升，淡水；水质级别为Ⅱ类。

(7)欧阳海水库湿地：欧阳海水库湿地水源补给为综合补给，主要包括地表径流、大气降水；流出状况为永久性流出，积水状况为永久性积水。正常年份平水位133.1米，枯水位125.0米，丰水位136.8米；最大水深26.0米，平均水深18.0米；蓄水量24000.0万立方米。地表水pH值8.1，弱碱性；矿化度0.93克/升，淡水；透明度1.00米，浑浊；总氮0.52毫克/升，总磷0.03毫克/升，营养状况为中营养；化学需氧量10.19毫克/升，水质级别为Ⅲ类。地下水pH值7.9，弱碱性；矿化度0.95克/升，淡水；水质级别为Ⅱ类。

(8)五强溪水库湿地：五强溪水库湿地水源补给为综合补给，主要包括地表径流、大气降水和地下水；流出状况为永久性流出；积水状况为永久性积水。正常年份平水位104.5米，枯水位94.0米，丰水位126.0米；最大水深27.0米，平均水深16.7米；蓄水量136000.0万立方米。地表水pH值7.3，中性；矿化度0.66克/升，淡水；透明度0.80米，浑浊；总氮0.45毫克/升，总磷0.04毫克/升，营养状况为中营养；化学需氧量25.50毫克/升，水质级别为Ⅲ类。地下水pH值7.2，中性；矿化度0.66克/升，淡水；水质级别为Ⅲ类。

(9)凤滩水库湿地：凤滩水库位于沅水支流酉水下游，水库控制流域面积17500平方公里，占酉水流域面积的94.4%。水源补给为综合补给，主要包括地表径流、大气降水和地下水；流出状况为永久性流出；积水状况为永久性积水。正常年份平水位255.5米，枯水位213.7米，丰水位285.5米；最大水深26.5米，平均水深17.0米；蓄水量139000.0万立方米。地表水pH值7.2，中性；矿化度0.52克/升，淡水；透明度1.50米，浑浊；总氮1.28毫克/升，总磷0.25毫克/升，营养状况为富营养；化学需氧量为16.00毫克/升，水质级别为Ⅳ类。地下水pH值7.2，中性；矿化度0.50克/升，淡水；水质级别为Ⅲ类。

(10)仰天湖山地湿地：仰天湖山地湿地水源补给为综合补给，主要包括地表径流和大气降水；流出状况为间歇性流出；积水状况为永久性积水。正常年份平水位1340.0米，枯水位1335.0米，丰水位1341.0米；最大水深11.0米，平均水深8.0米；蓄水量230.0万立方米。地表水pH值6.9，中性；矿化度0.19克/升，淡水；透明度1.60米，浑浊；总氮0.05毫克/升，总磷0.01毫克/升，营养状况为贫营养；化学需氧量10.40毫克/升，水质级别为Ⅲ类。地下水pH值7.0，中性；矿化度0.18克/升，淡水；水质级别为Ⅰ类。

(11)三浪田山地湿地：三浪田山地湿地水源补给为大气降水；流出状况为季节性流出；积水状况为季节性积水。地表水pH值7.0，中性；矿化度0.95克/升，淡水；透明度26.00米，很清；总氮0.03毫克/升，总磷0.01毫克/升，营养状况为贫营养；化学需氧量0.32毫克/升，水质级别为Ⅱ类。地下水pH值7.1，中性；矿化度0.98克/升，淡水；水质级别为Ⅱ类。

(12)韭菜岭山地湿地：韭菜岭山地湿地水源补给为大气降水；流出状况为季节性流出；积水状况为季节性积水。正常年份平水位1791.5米，枯水位1788.0米，丰水位1796.1米；最大水深10.8米，平均水深5.7米；蓄水量100.0万立方米。地表水pH值6.9，中性；矿化度0.18克/升，淡水；透明度17.00米，清澈；总氮0.02毫克/升，总磷0.01毫克/升，营养状况为贫营养；化学需氧量10.60毫克/升，水质级别为Ⅱ类。地下水pH值7.0，中性；矿化度0.24克/升，淡水；水质级别为Ⅰ类。

(13)浪畔湖山地湿地：浪畔湖山地湿地水源补给为综合补给，主要包括地表径流和大气降水；流出状况为永久性流出；积水状况为永久性积水。正常年份平水位1156.0米，枯水位1154.0米，丰水位1158.0米；最大水深4.0米，平均水深2.0米；蓄水量300.0万立方米。地表水pH值6.9，中性；矿化度0.11克/升，淡水；透明度12.80米，清澈；总氮0.03毫克/升，总磷0.01毫克/升，营养状况为贫营养；化学需氧量10.40毫克/升，水质级别为Ⅱ类。地下水pH值6.9，中性；矿化度0.26克/升，淡水；水质级别为Ⅰ类。

(14)挂榜山山地湿地：挂榜山湿地水源补给为大气降水；流出状况为间歇性流出；积水状况为季节性积水。正常年份平水位500.2米，枯水位500.0米，丰水位501.0米；最大水深1.0米，平均水深0.2米；蓄水量247.0万立方米。地表水pH值6.8，中性；矿化度0.10克/升，淡水；透明度6.50米，清澈；总氮0.05毫克/升，总磷0.01毫克/升，营养状况为贫营养；化学需氧量10.10毫克/升，水质级别为Ⅱ类。地下水pH值7.0，中性；矿化度0.24克/升，淡水；水质级别为Ⅱ类。

(15)桃源洞山地湿地：桃源洞湿地水源补给为大气降水，流出状况为季节性流出，积水状况为季节性积水。地表水pH值6.8，中性；矿化度0.82克/升，淡水；透明度25.50米，很清；总氮0.04毫克/升，总磷0.01毫克/升，营养状况为贫营养；化学需氧量2.54毫克/升，水质级别为Ⅱ类。地下水pH值7.0，中性；矿化度0.78克/升，淡水；水质级别为Ⅰ类。

2 湿地生态状况综合评价

2.1 评价方法

2.1.1 评价指标体系

湿地生态状况直接反映湿地生态系统的健康水平，也是评价湿地生态功能能否正常发挥和满足人类需要的重要依据。依据本次调查成果数据，我们综合利用反映湿地生态状况的自然湿地面积、生物多样性、水环境，及湿地利用和受威胁状况等方面指标，对本次重点调查湿地进行了湿地生态状况的综合评价(表5-1)。

2.1.2 指标赋值与权重

采用层次分析方法(AHP)和德尔菲法，对评价指标进行分级和赋值，确定指标权重(表5-2)。

(1)各指标标准值计算：自然湿地率、湿地密度、湿地斑块密度、单位面积物种多度、植被覆盖度、人口密度6个指标根据大小分为5级，分别赋值1、3、5、7、9，指标值越高，反映的生态状况越好；外来物种入侵、污染物2个指标，分2个等级，“有”赋值2，“无”赋值8；营养状况分3级，贫营养赋值8，中营养赋值5，富营养赋值2；水质级别分5级，分别赋值9、7、5、3、1；利用情况分4级，工业(旅游)赋值3，农业(种植、牧业、林业)赋值5，水源地赋值7，未利用赋值9；威胁因子数量分为10级，采用“10－数量”来赋值；威胁程度分为3级，安全赋值8，轻度赋值5，重度赋值2。

表5-1 湿地评价指标体系一览

一 级	二 级	三 级	因 子
自然指标	景观指标	自然湿地率	自然湿地面积/湿地总面积
		湿地密度	平均斑块面积/湿地总面积
		湿地斑块密度	湿地斑块数/湿地总面积
	生物多样性指标	单位面积物种多度	物种数量/湿地面积
		植物覆盖度	植被面积/湿地面积
		外来物种入侵	有、无
	水环境指标	污染物	有、无
		富营养	贫、中、富3级
		水质级别	Ⅰ、Ⅱ、Ⅲ、Ⅳ、Ⅴ5级
人为干扰指标	社会指标	人口密度	人口数量/重点调查面积
		利用情况	工(旅游)、农、水、未4级
	威胁指标	威胁因子数量	数量
		威胁程度	安全、轻、重3级

表5-2 湿地评价指标体系权重

一 级	权 重	二 级	权 重	三 级	权 重
自然指标	0.6	景观指标	0.1	自然湿地率	0.03
				湿地密度	0.012
				湿地斑块密度	0.018
		生物多样性指标	0.45	单位面积物种多度	0.108
				植物覆盖度	0.108
				外来物种入侵	0.054
		水环境指标	0.45	污染物	0.054
				富营养	0.081
				水质级别	0.135
人为干扰指标	0.4	社会指标	0.4	人口密度	0.064
				利用情况	0.096
		威胁指标	0.6	威胁因子数量	0.084
				威胁程度	0.156

根据统计学累计求和公式，计算每处重点调查湿地生态状况综合得分。

综合得分 = Σ 指标值 × 指标权重。

根据综合得分，对重点调查湿地的生态状况进行综合评定，再利用统计学的自然断点法对重点调查湿地的生态状况综合得分进行划分，分为好、中、差 3 个等级。

2.2　湿地生态状况

综合评价结果表明，湖南重点调查湿地评价指数位于 0.60 ~ 1.69 之间，指数越高，表明生态状况越好。韭菜岭山地湿地与挂榜山山地湿地生态状况最好；珊珀湖湖泊湿地等生态状况最差。总体上呈现出高山沼泽湿地生态状况好，而城市湖泊湿地生态状况较差的格局(表 5-3)。

表 5-3　湖南省重点调查湿地生态状况综合评价

序　号	重点调查湿地	综合得分
1	东洞庭湖国家级自然保护区	1.00379
2	西洞庭湖国家级自然保护区	0.76821
3	南洞庭湖省级自然保护区	0.76605
4	横岭湖省级自然保护区	1.27488
5	衡南江口鸟洲省级自然保护区	1.25795
6	湖里湿地省级自然保护区	1.32609
7	张家界大鲵国家级自然保护区	1.21295
8	华容集成垸麋鹿省级自然保护区	1.11624
9	黄盖湖县级自然保护区	0.90240
10	毛里湖县级自然保护区	0.88395
11	千龙湖国家湿地公园	1.09672
12	酒埠江国家湿地公园	1.02521
13	湘阴洋沙湖 - 东湖国家湿地公园	1.01936
14	宁乡金洲湖国家湿地公园	0.91618
15	吉首峒河国家湿地公园	0.88688
16	汨罗江国家湿地公园	0.80152
17	水府庙国家湿地公园	1.12883
18	东江湖国家湿地公园	1.18472
19	柘溪水库湿地	0.87968
20	大通湖湖泊湿地	0.86627
21	珊珀湖湖泊湿地	0.60995
22	团头湖湖泊湿地	1.16602
23	柳叶湖湖泊湿地	1.07296

（续）

序号	重点调查湿地	综合得分
24	南湖湖泊湿地	1.02696
25	团结水库湿地	1.15940
26	欧阳海水库湿地	0.84824
27	五强溪水库湿地	0.88504
28	凤滩水库湿地	1.02647
29	仰天湖山地湿地	1.21221
30	三浪田山地湿地	1.65571
31	韭菜岭山地湿地	1.69603
32	浪畔湖山地湿地	1.66675
33	挂榜山山地湿地	1.69035
34	桃源洞山地湿地	1.64659

第二节 湿地受威胁状况

湖南省有河流湿地、湖泊湿地、沼泽湿地、人工湿地4个湿地类，永久性河流、季节性或间歇性河流、洪泛平原湿地、永久性淡水湖、草本沼泽、灌丛沼泽、森林沼泽、沼泽化草甸、库塘、运河/输水河、水产养殖场11个湿地型。当前主要存在泥沙淤积、水文变化、水体污染、人为活动、生物入侵、全球变化等六大威胁。

1 泥沙淤积

多年来，泥沙淤积一直是影响湿地发育与形成的重要环境因子。以洞庭湖湿地为例，从湘(江)、资(江)、沅(江)、澧(水)“四水”与松滋口、太平口、藕池口“三口”分泄的洪水所携带的大量泥沙进入洞庭湖湿地，除少量通过城陵矶注入长江外，大部分在洞庭湖沉积，导致洞庭湖湿地泥沙淤积，湿地功能逐渐萎缩。研究表明，年均入境的泥沙总量为：1951～1998年47年间为17302万吨，其中“三口”占80.69%，“四水”占19.31%。1951～1958年为26415万吨，1959～1966年为21977万吨，1967～1972年为18495万吨，1973～1980年为15369万吨，1981～1990年为13298万吨，1991～1998年为9648万吨。而1951～1998年47年间由城陵矶输出的泥沙量年均为4664万吨，泥沙淤积于洞庭湖湿地为12638万吨，相当于0.9722亿立方米。遥感影像分析表明，1983～2004年的21年间，洞庭湖湿地洲滩土地面积增加2.12万公顷，年均新增土地面积1011公顷。泥沙淤积，尽管在一定程度上消除了洞庭湖湿地构造运动的下沉过程，但仍对洞庭湖湿地生态系统的生物，尤其是植被的演替产生了重要的影响。

从1974年以来，湖底平均每年淤高3.7厘米，其中西洞庭湖底平均抬高7.0厘米，湖底高程高出堤垸内耕地1~3米，使西洞庭成为悬湖。目前，西洞庭迅速接近淤平，南洞庭向南萎缩，东洞庭向东淤积，中心湖洲逐年扩大。洞庭湖区容积在新中国建立初期约为293亿立方米，到1995年减至167亿立方米，大片的天然湿地转化为人工湿地，湖泊调蓄功能严重下降。

三峡建坝后，由于挟沙能力最强的特大洪水被三峡水库大幅度削峰，加之荆江冲刷作用增强而导致江流加速，泥沙走荆江而径直下泄，致使松滋、太平、藕池“三口”口门相对抬升，注入洞庭湖湿地的泥沙明显减少。此外，为配合三峡工程建设，在长江上游营造大面积的水土保持林亦有效地阻止了水土流失。研究表明，洞庭湖的年均拦沙率由建坝前的65%减少为建坝后的30%，绝对年均淤积量由建坝前的1.0亿吨减少为建坝后的1600万吨。洞庭湖在今后相当长的一段时间里，尽管入湖泥沙量在减少，但输出的泥沙仍将小于入湖来沙，全湖仍处于淤积状态，但速度趋缓，有助于维持洞庭湖的调蓄功能，延长湖泊的寿命。

2 水文变化

水是湿地生态系统最为关键的环境因子，水位的变化关系着湿地的演变与功能的发挥，威胁着湿地生态系统的健康。洞庭湖区是洪灾频发地区，在大水之年经常发生溃垸，其中1950~2000年的51年间，发生溃垸的年份有35年，高达68.6%，受灾面积达72.87万平方公里。频繁的洪涝灾害严重影响了湿地生态系统的健康，制约了地方经济的发展。三峡工程运行后，水库下泄流量的变化及河床的冲刷影响“三口”的分流，入湖水量发生改变。由于三峡水库具有显著的削峰和蓄洪作用，对于洞庭湖区的防洪作用主要体现在：控制松滋、太平、藕池“三口”来水并使其洪峰过程显著和缓化；减轻荆江南岸堤防系统的防汛压力；在汛期降低城陵矶口的长江水位，使洞庭湖洪水因削弱江水顶托而易于下泄；三峡大坝下游的冲刷点逐渐下移，有利于加深荆江河道，提高行洪能力。而在枯水季节，三峡水库的运行可使洞庭湖枯水季节的水位提高，对湖区的航运及供水是有利的。

3 污 染

水环境质量的好坏直接影响湿地生态系统植物资源的状况，是生态系统的主要环境因子。洞庭湖因其独特的自然资源而成为我国重要的粮、棉、鱼生产基地及湖南省主要的原材料加工地。然而，随着人们对价值需求的日益增强，湖区工农业生产规模与方式也在发生变化，如农业生产资料(化肥、农药等)过度投入，造纸及化工企业的盲目性扩张，加之湖区人口众多、城市扩张，生活污染日趋严重，极大地降低了洞庭湖湿地的生态承载力。对洞庭湖湿地1991~2009年水环境重要参数进行统计及Mann-Kendall趋势分析，结果表明：电导率、色度、大肠杆菌、COD、BOD_5、总氮、硝态氮、铵态氮、总磷、悬浮物呈上升趋势。其中，COD、BOD_5、总磷、悬浮物达到极显著水平，电导率、总氮达到显著水平，色度、大肠杆菌、硝态氮、铵态氮差异不显著；pH、透明度、溶解氧呈下降趋势，其中，溶解氧达到显著水平，pH、透明度差异不显著。可见，洞庭湖湿地水质在近20年间呈现出逐步下降的趋势，而工业污染、农业污染及生活污染是引起洞庭湖湿地水质下降的主要原因。

3.1　工业污染

工业污染是导致洞庭湖湿地水环境变化的主要因素，来自长江上游和湘、资、沅、澧“四水”所携带的工业废水以及湖区周边的污染企业构成了洞庭湖湿地的主要污染源。从20世纪80年代末90年代初，大批污染企业迅速侵占湖区，大部分污染物在未经过任何处理的情况下排入洞庭湖，导致水质明显下降，生态系统功能急剧衰退，引起了政府及公众组织的高度关注。1996年，湖南省开展了首次环洞庭湖区造纸污染企业整治，关闭了部分污染严重的造纸企业，有效地减轻了湖区的水质污染。因此，在1996年洞庭湖污染整治滞后效应的影响下，洞庭湖湿地水质于1999年开始呈缓慢下降趋势。据调查统计，“四水”沿岸分布着2000余家工厂，年污水排放量高达10亿吨。以湘江为例，沿线的有色冶炼废气所夹带的重金属沉积以及冶炼废水污染相当严重。2007年，工业废水排放量为4.7亿吨，致使湘江水呈暗红色，基本丧失灌溉功能。洞庭湖区也有600余家以造纸、化工、纺织、酿造为主的污染企业，年废水排出量为2亿吨，其中造纸企业44家，化工企业12家，纺织企业16家，酿酒、制糖企业16家，其他企业13家，如鹿角造纸厂、沅江造纸厂、蒋家嘴工业区等。在地区分布上，东、南、西洞庭湖区存在明显差别。如2006年湖区因造纸释放的废水为1.3亿吨，其中东洞庭湖占10.9%，南洞庭湖占41.2%，西洞庭湖高达47.9%，呈现出造纸污染以南、西洞庭湖为主的格局。可见，在外来污染未得到有效控制及自身污染不断增加的影响下，洞庭湖湿地水环境呈恶化的趋势。

3.2　农业污染

洞庭湖湿地的农业污染主要包括化肥污染、农药污染、水产养殖以及畜禽粪便污染等。

(1)化肥污染：据调查统计，2007年，洞庭湖周围的8个县区化肥使用量达1354745吨，其中氮肥745984吨、磷肥381064吨，年汇入湘江的化肥量为220000吨。我国南方稻田肥效利用率低，大部分氮磷以径流、淋溶、反硝化、吸附和侵蚀等方式进入了水体或土壤。

(2)农药污染：由于农药的不合理使用，大量被附于地面或不断溶于水体而富集起来，对环境造成了严重的污染。在占全省面积25.8%的洞庭湖区，农药使用量高达36.37%，反映了湖区农药的过多过滥现象。来自常德市的统计年鉴数据表明，粮食与化肥及农药的年增长比例为1:4.7:14.6,即粮食每增加1倍，使用的化肥要增加4.7倍，农药增加14.6倍。这反映出湖区在追求粮食高产下的高化肥及农药投入趋势，从而导致洞庭湖湿地水体化肥及农药的污染。

(3)养殖业：水产养殖及畜禽粪便是洞庭湖湿地污染不可忽视的一面。近年来，在市场机制的驱动下，洞庭湖养殖业飞速发展，这给本已污染的水体产生了严重影响。具体表现在：大量饲料的投放不仅造成浪费而且污染了水体。据统计，2007年，湖区8个市县区养殖面积为116420公顷，水产养殖总量为559553吨，水产养殖平均每公顷水面投放混合饲料315公斤、饼107.5公斤、肥水剂43.2公斤、青饲料1.3公斤；大量人畜粪便及化肥作为的饲料的投放加速了水质的恶化，如每公顷水面投放碳铵927.3公斤、磷肥43.0公斤、复合肥10.5公斤；大量药物，如杀虫剂、杀菌剂等在提高鱼类生存环境的同时打破了原有的生态系统平衡，引起生物及环境发生变化，如水生植物及浮游动物的减少、水质的恶化等；而养殖鱼类的粪便排出及残体腐烂也加速了水体的污染。由于牛、羊、猪、鸡、鸭养殖的粪便利用率低，湖区及“四水”流域因养殖业产生的粪便最终被直接或间接通过河道排入洞庭湖。2007 年，湖区 8 个市县区生猪存栏 681.26 万头、养殖牛 13.26 万头、家禽存栏 8511.26 万只，全年畜禽养殖类便产生量达 794.42 万吨，大部分进入洞庭湖湿地。

3.3 生活污染

洞庭湖湿地的生活污染主要来自湖区及"四水"流域的居民厨房、厕所、洗衣用水及生活垃圾所产生的生活污水。其中城市生活污水直接排入河流湿地，污染严重，而农村生活污水随水漫流，经过多处湿地系统降解后注入洞庭湖，污染相对较轻。在居民达 40000 余万人的湘江流域，生活污水年排入量为 7 亿吨，数量惊人。据计算，每日流入洞庭湖的生活污水就多达 610136.8 吨，包含了大量的氮、磷和其他营养物质，相当于每日排入洞庭湖 48.81 吨纯氮和 1.8 吨磷，构成了洞庭湖湿地主要的污染源。

4 人类活动

历史上，出于人口增加的压力，加上低洼的洞庭湖平原土地比较肥沃，人类修建堤防、围垸开荒等与湖泊争地的活动不断开展，导致湿地面积萎缩。近年来，尽管围湖造田、开荒得到了遏制，并开展了退田还湖，但过度捕捞与放牧、不合理的筑堤等人类活动依然存在，仍是威胁湿地生态系统的重要因子。

以湿地捕捞为例，多年来洞庭湖天然渔业生产进行掠夺式经营，盲目增船添网，非法渔具渔法以及禁渔期的非法捕捞也是导致主要经济鱼类资源衰退的主要原因。据调查，电捕、密阵、拖网是目前洞庭湖的主要捕捞方式，部分地方还出现了划割承包的现象，非法渔具、渔法屡禁不止，造成对渔业资源的极度破坏。另外，长江中下游，特别是河口江段的过度捕捞、过度捞苗，也是造成洞庭湖洄游性渔业资源衰退的最主要原因。比较典型的例子就是长颌鲚(又称刀鲚)，据 20 世纪 70 年代鱼类资源调查，洞庭湖有 2 种鲚鱼，即长颌鲚和短颌鲚，而资源量则以长颌鲚为主。洞庭湖鲚鱼产量 20 世纪 60 年代占渔获物总量的 5% 左右；70 年代平均达 8.7%，1972 年在岳阳东洞庭湖东风湖为仅次于鲤鱼的第二大经济鱼类；80 年代初期产量仍维持在 5% 左右，年产约 1600 吨，1987 年鲚鱼渔获量仍占东洞庭湖总渔获量的 5%；至 90 年代后，由于迷魂阵、电捕等非法渔具的长年捕捞，致使这一重要经济鱼类产量急剧下降到不足 4 吨，仅为 80 年代初产量的 1/400，已形不成明显的鱼汛；到 2000 年，仅占总渔获量的 0.01%，资源濒于枯竭；2003 年后则很难监测到长颌鲚，该鱼种已于 2002 年列入湖南省重点保护鱼类。

5 生物入侵

生物入侵导致本地物种减少，威胁生态系统的健康。近 30 年来，湖南湿地，尤其是洞庭湖湿地受到外来物种入侵严重。以植物多样性为例，据侯志勇等对洞庭湖湿地跟踪研究表明，洞庭湖湿地共有外来植物 43 种，约占该地区植物种类总数的 18.3%，隶属于 19 科 34 属，其中菊科种类最多，有 7 种，占总入侵种的 16.2%；苋科次之，有 6 种，占总入侵种的 14%；玄参科、禾本科及蝶形花科各 3 种；其余 20 种分别归属于大戟科、十字花科、伞形科、旋花科、雨久花科、藜科等 14 科，每科有 1 ~2 种。调查发现，菊科和苋科的外来入侵植物都具有非常强的繁殖能力和适应能力，所产生的种子量大、个体小，且菊科植物的种子具有特殊的冠毛，有助于种子的传播和扩散，在很大程度上提高了后代的存活概率。最常见的外来植物有一年蓬、喜旱莲子草、泽漆、刺苋、皱果苋、反枝苋、北美独行菜、白车轴草、野胡萝卜、积雪草、凤眼莲、野燕麦、日本看麦娘、土荆芥、垂序商陆、野老鹳草、五叶地锦、大薸、意大利杨、美洲黑杨等 17 种。其中危害较大的有杨树、喜旱莲子草、野胡萝卜、积雪草、凤眼莲、垂序商陆、五叶地锦和大薸等，这些植物都有很强的有性或无性繁殖能力，能迅速产生大量的后代，且适生范围广。

作为洞庭湖最为主要的外来物种，杨树在 1976 年从南京林业大学引入。1977 年，在汉寿围堤湖营造了洞庭湖区垸内第一片试验林，沅江首次栽植于东南湖芦苇场的拐棍洲(新港对河)。杨树的发展经历了从引种到推广，从零星栽植到成片造林，从西洞庭湖逐渐向南洞庭、东洞庭扩展，从垸内至垸外洲滩造林，从高位洲滩向中、低位洲滩推进，从保护区的缓冲区向核心区发展，从粗放管理到集约经营，从一般绿化造林到工业原料林造林等几个不同规模、不同性质的发展阶段，而在最近 10 年(2000 ~ 2010 年)，发展更为迅速，以年均 4 万公顷的速度递增，如今已达到 23 万公顷，成为洞庭湖湿地的主要优势植物。邓帆等利用不同时相洞庭湖湿地遥感影像，结合实地调查，采用决策树分类方法，提取湿地信息，对湿地植被格局演变调查的结果表明，过去近 20 年间(1993 ~ 2010)，洞庭湖湿地杨树面积增加了 367.88 平方公里，增长率为 1127.51%，面积比由 1993 年的 1.17% 上升到 2010 年的 14.34%。其中，西洞庭湖区域杨树面积增加最快，面积比由 1993 年的 1.09%，上升至 2010 年的 26.47%，平均年增加面积为 21.64 平方公里。东洞庭湖和南洞庭湖次之，1993 ~ 2002 年，新增杨树林滩地面积 107.16 平方公里，2002 ~ 2010 年新增杨树林滩地 260.08 平方公里。随着杨树的大面积推广，杨树种植区域也在发生改变，如 1993 年，杨树林滩地主要沿大堤呈条带状分布；2010 年，在东洞庭湖的漉湖、资江三角洲、湘江三角洲、南洞庭湖西部洲滩以及西洞庭湖目平湖洲滩呈块状大片分布，尤其在西洞庭湖，杨树林已取代草滩地成为第二大湿地类型。

6 全球气候变化

在全球变暖背景下，湖南全省气温明显升高，尤其是 20 世纪 90 年代的突变式增温，驱动水循环急剧加快，夏季降水尤其是暴雨明显增多，而蒸发量不断减弱，增大了洪水风险。20 世纪 90 年代，洞庭湖流域降水呈明显增多趋势，夏季降水的增加尤为显著。1990 年以来，夏季降水较之前的 30 年增加了 60 毫米，个别年份甚至达到 200 毫米。与此同时，暴雨在夏季降水中的比率也不断增大。虽然夏季暴雨强度无明显增加，但暴雨频率增加明显，这是整个长江流域普遍存在的特点，在洞庭湖流域尤为显著。暴雨频率的突变式增大，是洞庭湖流域 20 世纪 90 年代洪水频发的重要贡献因子。长江流域是我国洪涝灾害最为严重的地区，而洞庭湖又是长江洪涝灾害的高发地。频繁发生的洪涝灾害，严重制约和威胁了湿地生态系统的健康。

然而，进入 21 世纪，2006、2007、2009、2011、2013 年洞庭湖乃至湖南湿地都出现了不同程度的干旱，水面萎缩，威胁生态系统功能的维持。以 2011 年为例，洞庭湖先后出现春旱与冬旱，作为中国第二大淡水湖，因持续少雨和来水的减少，正面临数十年来最严峻的旱情，湖区水体面积较往年缩小了一半，冲击眼帘的全是干涸开裂的湖床和死去的鱼、蚌，湖床上的裂缝可伸进一只拳头。作为国家级自然保护区，东洞庭湖一直以来是鸟的天堂。每年冬季，6.54 万公顷的湖面上，数万只候鸟从寒冷的西伯利亚翻山越岭而来，栖居于此。然而，由于干旱导致水草的减少，无足够的食物和水，夏季候鸟正在向湿地外围转移。据统计，洞庭湖的低水位使东洞庭湖湿地自然保护区的大、小西湖共2.2万亩湿地干涸，湖区生物多样化已受到严重破坏，尤其是沉水植被几乎面临灭顶之灾。而更大的隐患在于，干旱使得集中在3～5月产卵的鱼类失去了繁殖场所，鱼类无法繁殖。旱情不仅仅威胁鱼类，而导致湿地储水、水质净化以及固碳功能的下降，依赖浅水滩生存的蚌、螺等底栖动物也将无法生存，湖区生物链遭到破坏，生物多样性降低。洞庭湖湿地干涸也影响着一种珍稀动物——麋鹿的生存环境。麋鹿是典型的湿地型动物，喜欢泥浴，食物以湿地禾本科植物和豆科植物为主。旱情持续，将造成其活动区域面积缩减，直接威胁它们的生存空间。因此，在全球气候变化大背景下，洞庭湖湿地已由过去单一的洪水灾害演变成季节性洪水与季节性干旱交替出现的格局，严重威胁湿地生态系统功能。

第三节
湿地资源变化及其原因分析

1　湿地面积与类型变化

1.1　湿地总面积与类型变化

2000年第一次湿地资源调查结果表明：湖南省共有湿地1239228.35公顷，占全省国土面积的5.85%。其中，自然湿地1059266.24公顷，占湿地总面积的85.48%；人工湿地179962.11公顷，占湿地总面积的14.52%。自然湿地中，河流湿地694199.48公顷，湖泊湿地359611.66公顷，沼泽湿地5455.10公顷；人工湿地中，仅含库塘179962.11公顷(表5-4)。

表5-4　两次湿地资源调查结果比较

湿地类型		2000年		2010年		变　化	
		面积(公顷)	比例(%)	面积(公顷)	比例(%)	面积(公顷)	比率(%)
自然湿地	河流湿地	694199.48	56.02	398399.40	39.07	-295800.08	-42.61
	湖泊湿地	359611.66	29.02	385797.72	37.83	26186.06	7.28
	沼泽湿地	5455.10	0.44	29287.54	2.87	23832.44	436.88
	小　计	1059266.24	85.48	813484.66	79.77	-245781.58	-23.20
人工湿地	库塘	179962.11	14.52	120477.47	11.81	-59484.64	-33.05
	运河/输水河			49920.80	4.90	49920.80	
	水产养殖场			35844.32	3.52	35844.32	
	小　计	179962.11	14.52	206242.59	20.23	26416.57	14.68
合　计		1239228.35	100	1019727.25	100.00	-219501.10	-17.71

2010 年第二次湿地资源调查结果表明：湖南省共有湿地 1019727. 25 公顷，占全省国土面积的 4. 81%。其中，自然湿地 813484. 66 公顷，占湿地总面积的 79. 77%；人工湿地 206242. 59 公顷，占湿地总面积的 20. 23%。自然湿地中，河流湿地 398399. 40 公顷，湖泊湿地 385797. 72 公顷，沼泽湿地 29287. 54 公顷；人工湿地中，库塘湿地 120477. 47 公顷，运河/输水河 49920. 80 公顷，水产养殖场 35844. 32 公顷。

两次湿地资源普查结果对比表明：近 10 年间(2000 ~ 2010 年)，全省湿地总面积减少 219501. 10 公顷，减少率为 17. 71%。其中，自然湿地面积减少 245781. 58 公顷，减少率为 23. 20%；人工湿地增加 26416. 57%，增加率为 14. 68%。自然湿地中，河流湿地减少 295800. 08 公顷，减少率为 42. 61%；湖泊湿地增加 26186. 06 公顷，增加率为 7. 28%；沼泽湿地增加 23832. 44 公顷，增加率为 436. 88%。人工湿地中，库塘减少 59484. 64 公顷，减少率为 33. 05%；运河/输水河增加 49920. 80 公顷，水产养殖场增加 35844. 32 公顷。

1. 2 100 公顷以上湿地总面积与类型变化

两次湿地资源普查对比结果表明：近 10 年间(2000 ~ 2010 年)，全省 100 公顷以上湿地总面积减少 489944. 29 公顷，减少率为 39. 93%。其中，自然湿地面积减少 418121. 95 公顷，减少率为 39. 92%；人工湿地减少 71822. 34 公顷，减少率为 40. 02%。自然湿地中，河流湿地减少 424386. 47 公顷，减少率为 62. 12%；湖泊湿地减少 6133. 66 公顷，减少率为 1. 71%；沼泽湿地增加 12398. 18 公顷，增加率为 244. 97%。人工湿地中，库塘减少 106380. 01 公顷，减少率为 59. 28%；运河/输水河增加 13022. 35 公顷，水产养殖场增加 21535. 32 公顷(表 5-5)。

表 5-5 100 公顷以上湿地资源调查结果比较

湿地类型		2000 年		2010 年		变 化	
		面积(公顷)	比例(%)	面积(公顷)	比例(%)	面积(公顷)	比率(%)
自然湿地	河流湿地	683130. 13	55. 68	258743. 66	35. 11	-424386. 47	-62. 12
	湖泊湿地	359265. 66	29. 28	353132. 00	47. 92	-6133. 66	-1. 71
	沼泽湿地	5061. 10	0. 41	17459. 28	2. 37	12398. 18	244. 97
	小 计	1047456. 89	85. 37	629334. 94	85. 40	-418121. 95	-39. 92
人工湿地	库塘	179451. 61	14. 63	73071. 60	9. 91	-106380. 01	-59. 28
	运河/输水河			13022. 35	1. 77	13022. 35	
	水产养殖场			21535. 32	2. 92	21535. 32	
	小 计	179451. 61	14. 63	107629. 27	14. 60	-71822. 34	-40. 02
合 计		1226908. 50	100	736964. 21	100	-489944. 29	-39. 93

2 湿地面积与类型变化原因

比较两次全省湿地普查结果，2010 年第二次湿地资源调查湿地总面积比 2000 年第一次减少了 219501. 10 公顷，100 公顷以上湿地面积比第一次减少了 502264. 14 公顷。导致全省湿地总面积与100公顷以上湿地面积减少的可能原因有：

(1)2000年第一次湿地资源调查时间匆忙，调查人员未经统一培训，采用调查的标准与技术落后，导致普查结果不科学。如第一次湿地资源调查，长沙市及常德市面积大于100公顷以上湿地面积比第二次湿地资源调查统计数据多出70.50余万公顷，可能的原因是第一次这些湿地统计面积的不正确导致的。

(2)第一次湿地资源调查以资料收集为主，由各地市上报数据，部分地市的河流湿地与本次调查的结果差别大，而第二次湿地资源调查采用遥感卫片与地形图结合判读的方式，由各县(市、区)实地进行验证，准确度大大提高。如长沙市的浏阳河，第一次湿地资源调查结果为32458.00公顷，第二次湿地资源调查为2426.40公顷，两次相差30031.60公顷。

(3)由于工程建设占用或退化，湿地破碎化是一种发展趋势，第一次湿地资源调查100公顷以上湿地面积如今已小于100公顷，导致面积大于100公顷以上湿地面积的减少。

2.1　自然湿地变化原因

比较两次自然湿地调查结果：第二次湿地资源调查自然湿地总面积比第一次减少了245781.58公顷，减少率为42.61%；100公顷以上的自然湿地面积比第一次减少了418121.95公顷，减少率为39.92%。与第一次湿地资源地调查相比，第二次湿地资源调查中各种自然湿地面积均大幅减少，尤其是河流湿地减少更多，主要原因可能是两次调查数据统计差别所致。

2.1.1　河流湿地比较及原因分析

比较两次全省自然湿地调查结果，第二次湿地资源调查中100公顷以上的河流湿地减少424386.47公顷，减少率为62.12%。

表5-6　两次湿地资源调查面积相差很大的主要河流湿地(公顷)

地　市	河　流	第一次普查数据	第二次普查数据	差　值
长沙市	浏阳河	32458.00	2426.40	-30031.60
	捞刀河	113958.00	1413.60	-112544.00
	湘　江	39000.00	3688.40	-35311.60
	南川河	66164.00	433.50	-65730.50
常德市	澧　水	347741.00	10450.80	-337290.00
	穿山河	34770.00	166.40	-34603.60
合　计		634091.00	18579.10	-615511.90

2000年第一次与2010年第二次湿地资源调查的河流湿地范围相同，均为宽度10米以上、长度5公里以上的河流湿地。导致第二次调查河流湿地面积大幅度减少的主要原因是第一次湿地资源调查中部分地市的数据统计汇总存在错误，致使湿地总面积偏大。如浏阳市境内的南川河流域面积为433.5公顷，而在第一次湿地资源调查时南川河湿地面积按66164.00公顷进行统计，明显增大了湿地面积。如表5-6所示，2000年第一次湿地资源调查时，长沙市的浏阳河、捞刀河、湘江和南川河及常德市的澧水、穿山河等几条河流湿地面积均按照当时流域面积进行统计，总面积

为634091.00公顷，而第二次湿地资源调查时，以上几条河流真实的湿地面积仅为18579.10公顷，两次相差615511.90公顷，仅澧水湿地面积就相差337290.00公顷。因此，第一次湿地资源调查数据统计的失误是导致第二次湿地资源调查河流湿地面积偏小的主要原因。

2.1.2 湖泊湿地比较及原因分析

比较两次自然湿地普查结果，第二次湿地资源调查中湖泊湿地面积比第一次湿地资源调查增加26186.06公顷，增加率为7.28%；100公顷以上湖泊湿地减少6133.66公顷，减少率为1.71%。

表5-7 6个主要市湖泊湿地两次湿地资源调查面积比较(公顷)

地 市	区、县	第一次调查	第二次调查	相 差
长沙市	岳麓区	101.00	116.09	15.09
	长沙县	1230.00	2088.04	858.04
	望城县	550.00	572.68	22.68
	宁乡县	120.00	232.16	112.16
衡阳市	蒸湘区	230.00	354.31	124.31
邵阳市	城步县	560.00	515.61	-44.39
常德市	鼎城区	11500.00	15414.64	3914.64
	武陵区	750.00	1400.90	650.90
	津市	5708.00	7005.59	1297.59
	澧县	6325.00	8157.78	1832.78
	汉寿县	43811.00	45581.73	1770.73
	安乡县	8699.00	13416.09	4717.09
益阳市	赫山区	5625.00	6104.66	479.66
	资阳区	1493.80	1223.90	-269.90
	沅江市	94290.80	94164.72	-126.08
	南县	13181.86	13791.67	609.81
岳阳市	君山区	11000.00	12061.99	1061.99
	云溪区	2179.00	3994.34	1815.34
	岳阳楼区	8780.50	8989.24	208.74
	岳阳县	78550.00	79202.35	652.35
	湘阴县	39235.00	41085.32	1850.32
	汨罗市	2514.00	2599.03	85.03
	华容县	15080.00	15531.05	451.05
	临湘市	7744.00	7736.62	-7.38
合 计		359257.96	353154.57	-6103.39

2000年第一次湿地资源调查，湖泊起始调查面积为100公顷，而第二次湿地资源调查湖泊湿地起始调查的面积为8公顷，两次调查起始面积的极大差异，导致第二次湿地资源调查比第一次

共多出湖泊湿地型斑块1293块、面积26186.06公顷。对于可比的100公顷以上湖泊湿地而言，两次调查湿地面积仅相差6133.66公顷，变化为1.71%。导致可比湖泊湿地面积的降低主要原因是近年来对湖泊湿地的围垦与湖泊自身的退化。对全省湖泊分布较多的地区，对比分析湖泊湿地面积表明(表5-7)，湖泊分布集中的洞庭湖区(岳阳、常德、益阳等相关县市区)，尤其在城市化建设较快的地区，被围垦湖泊湿地面积均较大，平均达到500公顷以上。因此，湿地围垦与退化是导致第二次调查可比湖泊湿地面积减少的主要原因。

2.1.3　沼泽湿地比较及原因分析

比较两次自然湿地调查结果，第二次湿地资源调查中，沼泽湿地面积比第一次湿地资源调查增加23832.44公顷，增加率为436.88%；100公顷以上沼泽湿地增加12398.18公顷，增加率为244.97%。

近年来，虽然部分沼泽湿地被围垦或者退化，转变成了水产养殖场、稻田或陆地生态系统，但第二次湿地资源调查面积比第一次调查明显增大。产生这种结果的主要原因为，第一次湿地资源调查中沼泽湿地的调查标准是大于100公顷，或者小于100公顷但具有特殊价值的17个沼泽湿地，而第二次湿地资源调查中沼泽湿地的标准为8公顷以上的沼泽湿地，所调查的起始面积明显变小，且增加了新的调查板块——山地沼泽湿地，导致了第二次调查沼泽湿地的明显增大。

2.2　人工湿地变化原因

比较两次人工湿地调查结果，第二次湿地资源调查人工湿地面积比第一次湿地资源调查增加26416.57%，增加率为14.68%；100公顷以上人工湿地减少71822.34公顷，减少率为40.02%。

2.2.1　库塘湿地比较及原因分析

比较两次人工湿地资源调查结果，第二次湿地资源调查中库塘湿地面积比第一次湿地资源调查减少59484.64公顷，减少率为33.05%；100公顷以上库塘减少106380.01公顷，减少率为59.28%。

第一次湿地资源调查关于库塘湿地调查标准为大于100公顷，或者小于100公顷但具有特殊价值的库塘，而第二次湿地资源调查中有关库塘湿地的标准为8公顷以上的库塘湿地。理论上，第二次湿地资源调查中库塘湿地面积应大于第一次湿地资源调查中的库塘湿地面积，但实际上由于围垦、围网养殖使部分库塘变为水产养殖场或陆地生态系统，而且第一次调查中的水产养殖场统计至库塘中，导致第二次调查中库塘面积的减少。扣除第二次湿地资源调查中库塘湿地中35844.32公顷的水产养殖场面积，第二次湿地资源调查中库塘湿地则较第一次仅减少23640.32公顷，减少率为16.40%。

2.2.2　运河/输水河湿地比较及原因分析

比较两次人工湿地调查结果，第二次湿地资源调查运河/输水河湿地面积增加了49920.80公顷，100公顷以上的面积增加了13022.35公顷。

第一次湿地资源调查中有关运河/输水河的调查面积大于100公顷，由于湖南无人工修建的面积在100公顷以上的运河/输水河，因此第一次湿地资源调查中运河/输水河的面积为0。而第二次湿地资源调查中起调面积为8公顷，致使运河/输水河湿地面积增加至49920.80公顷。

2.2.3 水产养殖场湿地比较及原因分析

比较两次人工湿地调查结果，第二次湿地资源调查中水产养殖场湿地面积增加了35844.32公顷，100公顷以上的面积增加了21535.32公顷。

产生这种结果的主要原因为：第一次湿地资源调查中关于水产养殖场调查起调面积为100公顷，且均统计至库塘中，因此，第一次调查中水产养殖场面积为0。而第二次湿地资源调查起调面积为8公顷，且近10年来，由于人为活动的干扰，大量自然湿地转化成为人工养殖场湿地，使人工养殖场湿地面积大量增加至35844.32公顷。

3 生物多样性变化及原因

3.1 生物多样性变化

2000年第一次湿地资源调查对全省的动物资源进行了调查，对植物资源仅限于湖南省重点调查湿地；而2010年第二次湿地资源调查，对全省湿地的动植物资源都进行了调查。因此，两次湿地资源调查，全省的动物资源具有可比性，而仅湖南省重点调查湿地的植物资源具有可比性。

3.1.1 动物多样性

第一次湿地资源调查结果表明，湖南省湿地生态系统中栖息着脊椎动物413种。其中，鱼类114种、两栖类15种、爬行类32种、鸟类217种、哺乳类35种。第二次湿地资源调查结果表明，湖南省湿地生态系统中栖息有脊椎动物639种，隶属于5纲39目110科317属。其中，鱼纲11目23科102属205种，两栖纲2目9科28属63种，爬行纲3目8科27属39种，鸟纲16目55科132属286种，哺乳纲7目15科28属46种。两次湿地资源调查动物资源对比结果表明，第二次湿地资源调查中鱼类、两栖类、爬行类、鸟类、哺乳类均比第一次调查明显增加，增加数目分别为91种、48种、7种、69种、11种，增加率分别为320.00%、21.88%、31.43%、79.82%、54.72%。可见，第二次湿地资源调查的动物多样性明显增强(表5-8)。

表5-8 两次湿地资源调查动物资源比较

种 类	第一次调查(种)	第二次调查(种)	变化数(种)	变化率(%)
鱼类	114	205	91	79.82
两栖类	15	63	48	320.00
爬行类	32	39	7	21.88
鸟类	217	286	69	31.80
哺乳类	35	46	11	31.43
脊椎动物	413	639	226	54.72

以湿地脊椎动物中的鸟类为例，第一次湿地资源调查鸟类有16目46科217种。其中，属于国家Ⅰ级保护鸟类7种，属于Ⅱ级保护鸟类32种，具有世界特殊保护意义的有51种，164种属于国内国际间协定的、有重要保护意义的种类。第二次湿地资源调查，鸟类有16目55科132属286种。其中，属于国家Ⅰ级保护的鸟类6种，属于国家Ⅱ级保护的鸟类35种，34种是世界自然保

护联盟评定的濒危物种，国家林业局颁发的"三有"保护动物212种，《国际贸易公约》指定的附录Ⅰ保护动物6种、附录Ⅱ保护动物30种、附录Ⅲ保护动物8种，湖南省重点保护动物116种、中日候鸟保护协定所覆盖的鸟类139种，中澳候鸟保护协定所覆盖的鸟类47种。可见，第二次湿地资源调查的鸟类多样性明显增强。

在以南洞庭湖湿地为例，第一次湿地资源调查中鸟类共有43种，其中冬候鸟24种，留鸟17种。第二次湿地资源调查结果表明：南洞庭湖湿地共记录到湿地脊椎动物375种，隶属5纲35目91科。其中，鱼纲8目19科97种，两栖纲2目5科12种，爬行纲3目7科19种，鸟纲16目50科224种，哺乳纲6目10科23种。属国家Ⅰ级保护动物5种，即东方白鹳、黑鹳、中华秋沙鸭、白尾海雕和大鸨，国家Ⅱ级保护动物30种，即虎纹蛙、白琵鹭、小天鹅、赤腹鹰、小灵猫等，属"国家保护的有益的或者有重要经济、科学研究价值的陆生野生动物"（"三有"保护动物）215种，列入《国际贸易公约》附录的有41种，列入《湖南省重点保护物种》的有152种。与第一次湿地资源调查结果相比，第二次湿地资源调查的动物多样性明显增加。

3.1.2　植物多样性

以洞庭湖湿地植物资源为例，第一次湿地资源调查结果表明，洞庭湖湿地共有维管束植物160种，隶属43科94属。其中，湿生植物75种，占维管束植物的47%；挺水植物43种，占维管束植物的26.2%；浮叶植物11种，占维管束植物的7.1%；沉水植物2种，占维管束植物的1.3%；漂浮植物10种，占维管束植物的6.0%。第二次湿地资源调查结果表明，洞庭湖湿地范围内共记录到维管束植物468种，隶属于83科229属。其中，蕨类植物13科14属18种，被子植物70科215属450种。可见，与第一次湿地资源调查相比，第二次湿地资源调查的植物多样性明显增加。

3.2　生物多样性变化原因

与第一次湿地资源调查相比，第二次湿地资源调查的植物多样性与动物多样性均明显增加。产生生物多样性增加的主要原因有：

（1）由于在技术、方法以及专业人员上的相对落后，第一次湿地资源调查对于动、植物资源过于粗放，尤其是在植物资源上，仅对重点调查湿地的植物多样性进行了单一调查，缺乏较为详细的可比数据，导致动、植物资源调查的数据与真实值相比偏小。

（2）近10年来，湖南省建立了一批湿地自然保护区与湿地公园，湿地保护面积大幅度增加，实行了严格的湿地保护政策，湿地保护成效显著。加之，采用了一批湿地恢复工程与物种保护与恢复项目，可能也是导致第二次调查湿地植物多样性明显高于第一次调查的主要原因之一。

4　湿地资源保护状况变化

2000年第一次湿地资源调查的湿地保护范围主要集中在洞庭湖区，湿地自然保护区主要为东洞庭湖湿地自然保护区。东洞庭湖保护区于1982年成立，总面积达19万平方公里，1994年晋升为国家级自然保护区，1992年7月被列入《湿地公约》重要湿地名录。从1985年开始，东洞庭湖开展了宣传教育、鸟类调查、定权发证、国际合作和基础设施的建设。同时，划定了南洞庭湖、西洞庭湖、横岭湖3处湿地类型的自然保护区。湿地保护的范围小、形式单一。

2010 年第二次湿地资源调查时，湖南省以湿地自然保护区与湿地公园等形式保护的湿地面积达到 37.80 万公顷，占全省湿地总面积的 37.07%。湖南各级湿地类自然保护区或与湿地保护相关的自然保护区 10 个，包括国家级 2 个，省级 6 个，市级、县级 2 个，总面积 47.7041 万公顷，湿地面积 29.73 万公顷。国家湿地公园(试点)13 个，总面积达 12.8679 万公顷，湿地面积 3.39 万公顷，受保护湿地面积逐步增加。湖南省基本形成了涵盖不同层次及多种类型湿地的湿地保护网络。全省 40.54% 的自然湿地和大部分重要库塘湿地得到了有效保护。与第一次相比，第二次湿地普查所保护的湿地范围与面积逐步增大，保护形式多样，保护能力得到了明显的提升。

第六章
湿地保护与管理

第一节 湿地保护管理现状

湖南省湿地保护形式多样，构成了以自然保护区、自然保护小区、湿地公园为主体，以水源保护区、森林公园、风景名胜区为辅助的保护网络。近10年来，湖南省扎实推进湿地保护工作，现已初见成效。

1 出台了一系列相关政策法规，湿地保护有章可循，有法可依

为加强湿地保护，维护湿地生态平衡，促进湿地资源的可持续利用，湖南省人大常委会颁布实施了《湖南省湿地保护条例》，成为全国最早颁布湿地保护地方性法规的三个省份之一。依据该条例的有关规定，随后出台了《湖南省人民政府办公厅关于发布湖南省重要湿地名录的通知》(湘政办函〔2008〕79号)，率先在全国颁布了18个省级重要湿地，为进一步实施湿地保护条例奠定了基础。此外，出台的与湿地保护有关的政策法规还有：《湖南省人民政府办公厅关于加强洞庭湖湿地保护管理工作的通知(湘政办函〔2006〕168号)》《关于成立洞庭湖湿地保护委员会的通知(湘政办函〔2007〕113号)》《湖南省人民代表大会常务委员会关于加强洞庭湖渔业资源保护的决定》《关于解决洞庭湖区捕捞渔民生产生活困难的意见》等。有关市、州也出台了相关的湿地保护政策。如岳阳市人民政府《关于洞庭湖核心保护区大小西湖及壕沟封闭管理办法的通告》，岳阳市委办公室、岳阳市人民政府办公室《关于加强东洞庭湖湿地保护管理工作的通知(岳办发〔2007〕13号)》等。以上政策法规的出台，使湖南省湿地保护进一步制度化，同时也明确了林业部门作为湿地保护管理行政主管的职责，赋予了林业部门在湿地保护管理中的组织、协调及监督三大重要使命，为推动湖南省湿地保护创造了良好的法制环境。

2 建立了多层次保护网络，湿地保护体系更趋完善

截至2014年年末，湖南省以湿地自然保护区与湿地公园等形式保护的湿地面积达到70.69万公顷，占全省湿地总面积的69.3%，即湿地保护率为69.3%。湖南省拥有各级湿地类自然保护区或与湿地保护相关的自然保护区74个，包括国家级3个，省级6个，市级县级65个，总面积

44.6万公顷；同时，还建立了国家湿地公园(试点)49个，总面积达22.7677万公顷，湿地面积14.8365万公顷，受保护湿地面积逐步增加。

在所保护的湿地中，东洞庭湖于1992年被列入《国际重要湿地名录》，西洞庭湖、南洞庭湖于2002年列入《国际重要湿地名录》，而横岭湖被列为中国重要湿地。洞庭湖湿地(包括东洞庭湖、西洞庭湖和南洞庭湖湿地)也已纳入了《中国湿地保护行动计划》的国家重要湿地名单。2008年，湖南省政府颁布了岳阳市东洞庭湖等18个湖南省重要湿地名录，总面积达321520公顷。至此，湖南省基本形成涵盖不同层次及多种类型湿地的湿地保护网络，全省69.3%的自然湿地和大部分重要库塘湿地得到了有效保护。

3 成立了湿地主管部门，机构队伍建设逐步得到加强

《湖南省湿地保护条例》规定，“各级人民政府应当将湿地保护工作纳入国民经济和社会发展计划，制定和组织实施湿地保护规划，根据湿地保护需要安排专项资金，用于湿地保护工作。县级以上人民政府林业行政主管部门为湿地保护的行政主管部门，负责湿地保护的组织、协调和监督；县级以上人民政府农(渔)业、水利、国土资源、环境保护等行政主管部门按照各自的职责，做好湿地保护工作。各级人民政府及其林业、农(渔)业、水利、国土资源、环境保护等行政主管部门，应当加强湿地保护的宣传教育，提高公民的湿地保护意识”。

各湿地自然保护区，如湖南东洞庭湖国家级自然保护区、湖南西洞庭湖省级自然保护区、湖南南洞庭湖省级自然保护区等都有专门的管理机构——保护区管理处(局)。各湿地公园，如湖南水府庙国家湿地公园、湖南千龙湖国家湿地公园等22个国家湿地公园均有专门的管理机构与管理人员负责湿地公园的建设和日常管理，湿地公园的业务主管部门多为相应的林业部门，但管理机构涉及地方政府，包括旅游、林业、专门的管委会等。

4 制订了湿地保护规划，湿地保护更为具体

2005年10月1日湖南省颁布实施了《湖南省湿地保护规划》，东、西、南洞庭湖相继组织开展湿地专项调查，编制了湿地专项规划。为了更好地贯彻执行《湖南省湿地保护条例》，筹划、指导全省湿地保护管理工作，湖南省组织编写了《湖南省湿地保护总体规划(2010~2020年)》《湖南省林业发展“十二五”规划——湿地保护专项规划(2010~2015年)》《湖南省湿地公园发展规划(2009~2030年)》及《湖南省湿地用地规划》。这些规划的制定明确了湖南省湿地近期、中期及长远保护目标、任务和重点。规划的制定还将有助于将湖南省湿地保护纳入国家“十二五”规划以及湖南省经济和社会发展计划。

此外，为指导开展湿地的保护工作，湖南省洞庭湖区相继编制了《湖南洞庭湖区黄盖湖湿地保护与恢复工程建设项目》《湖南集成麋鹿自然保护区湿地保护工程项目可行性研究》《湖南洞庭湖区万子湖湿地保护与恢复工程建设项目》《湖南洞庭湖区团湖、采桑湖水禽栖息地保护与恢复工程建设项目》《湖南洞庭湖区珊珀湖、明塘湖湿地保护与恢复工程建设项目》《湖南洞庭湖横岭湖湿地保护工程项目》《湖南毛里湖湿地保护工程二期建设项目可行性研究报告》等，湿地保护与恢复工程建设项目逐年增加。

5 实施生态保护恢复工程，湿地生态系统功能逐步恢复

湖南省通过多渠道争取湿地相关项目，开展湿地保护与恢复。

(1)实施了一批湿地保护与恢复工程项目："十二五"期间，根据《全国湿地保护工程实施规划》，湖南先后实施了岳阳东洞庭湖、益阳南洞庭湖、汉寿西洞庭湖、津市毛里湖等多个湿地保护与恢复工程项目，共完成投资7751万元，其中国家投资2233万元，地方配套5518万元，恢复湿地面积近6000公顷。通过湿地恢复工程项目的建设，新建6个高标准的管理站、1个救护繁育中心、3个宣教中心，添置了一批科研监测及巡护设备设施。

(2)开展了湿地生态效益补助试点：在东洞庭湖、南洞庭湖两个国际重要湿地首次开展了湿地生态效益补助试点，投入资金共计1100万元。

(3)实施了由国务院三峡工程建设委员会办公室资助的东洞庭湖湿地保护示范项目：该项目获得资助共计1400万元。

(4)实施了一批重点林业生态工程：针对洞庭湖泥沙淤积比较严重的问题，在洞庭湖上游及周边地区实施了"长江防护林工程""生态公益林保护工程"和"退耕还林工程"等重点林业生态工程，覆盖洞庭湖上游的湘、资、沅、澧"四水"流域，已完成投入资金35亿元。

此外，地方政府积极开展了"退田还湖还湿"工作，完成双退巴垸或外洲约196个，还湖还湿面积达1.65万公顷，增加蓄洪量3.3亿立方米。其中，长沙县政府实施了团结垸退田还湖(松雅湖)工程，共投入自筹资金达20多亿元，改造恢复湿地面积达332公顷。这些国家与地方湿地保护及恢复工程项目的实施，使全省湿地生态系统恶化的趋势得到了遏制，关键区域的湿地功能得到了初步恢复，珍稀濒危物种得到了较好的保护，消失多年的物种麋鹿、牙獐等重新回归洞庭湖，为湖南社会经济发展提供了生态安全保障。

6 开展了系统的基础调查与科研监测，为湿地保护决策提供科学依据

为有效地开展湿地保护与恢复工作，湖南省启动了湿地生态系统基础调查与科研监测。1996~2000年，湖南省首次开展了野生动植物及湿地资源调查，初步摸清了全省湿地资源基本状况。2004年，湖南省再次进行了全省陆生野生动物资源调查、省重点植物资源调查。随后，由湖南省财政列支部分经费，湖南省林业厅对全省湿地资源进行了补充调查，为湿地保护与管理提供基础数据。

此外，在湿地生态系统监测方面，制定了洞庭湖鸟类、鱼类及植被监测方案，开展了大范围的调查。建立了洞庭湖湿地生态系统定位观测研究站与湖南省湿地监测中心，并在东洞庭湖采桑湖建设安装了远程监控设备一套。同时，与中国科学院、湖南大学、中国科技大学、中南林业科技大学、湖南城市学院、湖南省林业科学院等多家科研院所就湿地生态补偿、湿地碳汇以及湿地恢复等重点课题开展了科研合作，并出版了专著3本，即《洞庭湖湿地生态系统价值评估》《洞庭湖脊椎动物监测及鸟类资源》和《洞庭湖湿地资源与环境》。以上基础调查、监测科研工作积累了大量的湿地资源与环境的本底数据，为湿地保护科学决策提供了强有力的科技支撑，也为保护管理和合理利用好湿地资源，履行《湿地公约》奠定了坚实的基础。

7 广泛开展湿地宣传教育，公众保护意识明显增强

湖南湿地宣传教育形式多样：①建立了5个湿地宣教馆或访客中心，每年接待中小学生等参观人员近20万人次。“西洞庭湖湿地保护宣传教育中心”被授予“湖南省优秀科普基地”称号。②建立了东洞庭湖自然保护区网站，湖南省林业厅及4个湿地自然保护区在“湿地中国”网站开通了宣传网页。其中，西洞庭湖的宣传报道量曾位居全国国际重要湿地前3名。③举办了3届岳阳国际观鸟节，共发现新记录种54种。国内外参赛队员500余人，接待国内外嘉宾、观摩人员和媒体近4000人，参与观鸟节活动的市民近12余万人次。中央电视台、人民日报、新华社、中国日报、中国绿色时报、湖南日报等近50家境内外媒体的260余名记者，累计报道岳阳观鸟节及转载新闻达2000余篇次。电视台转播、直播、播放宣传短片累计达150余小时。④成功举办了两届湿地保护“岳阳论坛”。2007年，来自五大洲15个国家的150多名中外嘉宾参加了“岳阳论坛”，通过并发表了《洞庭湖宣言》。⑤坚持开展了常规宣传活动，如世界湿地日、爱鸟周、湿地文化节、龙舟节及野生动物保护月等。

通过宣传教育，全社会湿地保护意识有了明显提高。涌现了不少湿地保护的先进个人、先进事迹。如岳阳普通市民朱再保20年如一日坚持义务宣传湿地保护，渔民张厚义由捕鸟人成为了候鸟保护的义务宣传员。此外，东洞庭湖湿地从事打鱼捕捞的36位渔民也转变了生产作业方式，加入了野生动物保护联防队。

8 积极开展对外交流与学习，加快湿地保护国际合作

湖南拥有3处国际重要湿地，一直备受国际关注，为积极开展国际合作提供了良好的条件。

(1)与全球环境基金会(GEF)的合作：成功实施了全球环境基金会与中国政府合作的“中国湿地生物多样性保护与可持续利用”项目，完成投资共600万美元，其中国际无偿资金200万美元，保护区关键区域洞庭湖湿地生物多样性得到了有效恢复，当地政府湿地保护主流化不断提升，保护区的保护管理能力明显增强。湖南省独立申报的“中国洞庭湖自然保护区生物多样性保护与可持续利用”项目又获全球环境基金批准，计划投入无偿援助资金300万美元。

(2)与世界自然基金会(WWF)的合作：在南洞庭湖西畔山洲、西洞庭湖青山垸开展平垸行洪、退田还湖、替代生计等湿地恢复保护示范项目，与在东洞庭湖开展核心区封闭管理等工作，资金投入累计超过1000万元，为我国长江中下游地区退田还湖湿地恢复工作起到了良好的示范作用。

(3)其他途径的湿地保护国际合作与交流：湖南省林业厅与美国鱼和野生动物管理局、伊拉克林业与湖泊部、全球环境基金总部就湿地保护管理进行了交流考察或人员互访。多途径的湿地保护国际合作与交流，为湖南的湿地保护工作引入了资金，吸纳了国外保护和管理的先进技术和经验，提升了湿地保护管理水平，极大地促进了湖南湿地保护工作。

9 开展专项打击整治行动，破坏湿地资源的违法犯罪势头得到遏制

对湿地野生动植物资源，尤其是珍稀动植物，湖南省进行了严格的保护。为打击破坏野生动物资源，特别是鸟类资源的违法犯罪行为，湖南在全省范围内先后开展了“候鸟3号行动”“飞鹰”

及“雷霆一号”等专项打击行动。2012年，在全国率先实施为期5年的鸟类全面禁猎，有效地保护了野生鸟类资源及候鸟迁飞通道。

此外，针对洞庭湖近年来非法修筑矮围养殖、乱布围网捕鱼、抬垄开沟种植芦苇与杨树等圈湖占地非法活动，湖南省林业厅及时督促洞庭湖各自然保护区与周边县市区开展了多次专项整治行动。各地相继成立了领导小组，制定了打击整治实施工作方案，对所辖湖区内的矮围进行了摸底调查，并开展集中整治行动，共拆除围网20余处。如西洞庭湖撤围长度达11700米；岳阳县共拆毁围网2800米、摧毁矮堤5600余米。岳阳市政府颁布了《关于进一步加强东洞庭湖湿地保护的通告》，岳阳县政府颁布了《关于依法严厉打击东洞庭湖违法建设矮围行为的通告》，华容县政府颁布了《关于打击私禁湖场维护渔业捕捞秩序的通告》，汉寿县人民政府连续2年下发了《汉寿县人民政府关于开展河湖洲滩专项整治工作的通告》和《汉寿县人民政府关于加强西洞庭湖自然保护区湿地保护管理的通告》。破坏湿地资源的违法犯罪行为得到有效的遏制。

第二节 湿地保护管理建议

1 不断完善湿地保护法律体系，强化湿地资源保护

围绕湖南湿地自然保护区与湿地公园，加强建章立制，制订《湖南省湿地公园建设管理办法》，完善湿地保护法律体系。国家级自然保护区、湿地公园要尽快启动“一区一法”工作，切实落实和维护执法权和管理权，严厉打击乱砍滥伐、乱捕滥猎、乱采滥挖资源和乱占滥用保护区土地的行为。其次，根据湿地保护进程，及时编制、修订和实施总体规划和管理计划，使湿地保护管理工作有序进行。

2 依托自然保护区与湿地公园，扩大湿地保护面积

充分利用湿地自然保护区与湿地公园两大平台，扩大湿地保护面积。在自然保护区方面，针对洞庭湖湿地自然保护区存在多头管理、保护执行力低等不足，抓好洞庭湖湿地自然保护区的升级提质。同时，针对湖南高山区域的沼泽湿地资源，划建山地沼泽湿地保护区，扩大湿地保护区的保护类型。在湿地公园方面，要继续申报国家湿地公园，对已获批准进行国家湿地公园试点建设的，要争取早日挂牌，严格按照规划方案，进行建设。启动一批省级湿地公园建设，将未进入国家湿地公园，而具有重要价值的湿地列入省级湿地公园建设名单，纳入严格保护范畴，完善湖南湿地保护网络体系。

3 建立湿地跨流域与行政区域的协作机制，促进湿地协同保护

行政区域是人为的地理区域划分，而生态系统内部或生态系统之间物质、能量和信息交流无行政边界。湿地生态系统之间常通过水系等生态廊道或生物信息交流而彼此影响，特别是洞庭湖这样跨区域的大型湿地生态系统，局部保护和合理利用已不足以保护整个湿地生态系统。湿地生

物多样性保护除了着力缓解或消除行政区域内围垦、污染、过度利用等对湿地的威胁因素，加强各相对独立的湿地生态系统的保护与恢复外，必须综合评估湿地资源，突破行政区划概念，加强湿地相关行政区域之间的合作和交流，建立协调沟通机制，统筹规划湿地资源保护，消除或缓解威胁因素，统一湿地保护政策。

4 新建一批国家湿地公园，完善湖南湿地保护平台

截至2014年，湖南省已经批建49个国家级湿地公园，包括东江湖、水府庙、千龙湖、酒埠江、雪峰湖、宁乡金湖洲、吉首峒河、汨罗江、毛里湖、五强溪、松雅湖、耒水、书院洲、新墙河、南洲国家湿地公园等。

5 广泛开展湿地保护宣传教育，提高全民湿地保护意识

以“爱鸟周”“湿地日”和“国际观鸟节”等为平台，继续开展形式多样、内容丰富、讲求实效的宣传教育工作。要大力普及生态保护知识，增强国民生态意识和责任意识，树立良好的生态伦理和生态道德观，使人与自然和谐相处的重要价值观更加深入人心，在全社会形成爱护野生动植物、保护生态环境、崇尚生态文明的良好风尚。

6 多渠道开展融资，建立湿地保护与可持续发展机制

湿地自然保护区的建设在自筹资金的基础上，既要积极争取国家与地方政府项目建设的资金，也要积极争取全球环境基金会(GEF)、联合国粮农组织(FAO)、世界自然基金会(WWF)等国际合作组织项目的资助。湿地公园除争取以上资金外，还要尽可能地争取社会、民间资本的投入，拓展融资渠道，增加资金投入量。在广泛融资的同时，对湿地资源进行适度的开发利用，将开发所获资金再用于湿地保护，做到在保护中利用，在利用中保护，形成保护与开发的良性循环与互惠关系，促进湿地保护的可持续发展，通过湿地保护区、湿地公园建设，推进湖南省湿地保护事业进一步发展。

7 以项目为依托，完善湿地研究与监测网络

做好在湖南实施的各类湿地项目，如国家湿地保护恢复项目、湿地生态效益补助试点项目、三峡洞庭湖示范项目、湿地自然保护区基础设施建设项目、全球环境基金(GEF)及世界自然基金会(WWF)洞庭湖湿地保护项目、国家林业局洞庭湖湿地生态系统定位观测研究站、湖南省湿地监测中心等，做好项目的实施与管理工作，夯实湿地研究基础，完善湿地监测体系，提升湿地保护与恢复的技术与理念，增强湿地保护的软件平台，促进湿地资源的保护。

8 以洞庭湖生态经济发展为契机，加强洞庭湖流域湿地保护

洞庭湖生态经济区域的建设，为洞庭湖湿地的保护与发展提出了更广泛的需求。因此，湖南湿地的保护应该以环洞庭湖湿地保护为核心，在严格保护的基础上，积极实施相应的湿地恢复和修复工程、湿地可持续利用示范工程和科研监测工程，以提高环洞庭湖湿地保护管理的能力和成效，保护好洞庭湖湿地这一湖南湿地的核心区域。同时，围绕环洞庭湖湿地的保护，必须加强湘、资、沅、澧“四水”河流湿地的保护，促进湖南湿地的保护。

附录1　湖南湿地调查区域植物名录

序号	科	属	种	
			中文名	拉丁名
一、苔藓植物				
1	钱苔科	浮苔属	浮苔	*Ricciocarpus natans*
2	泥炭藓科	泥炭藓属	泥炭藓	*Sphagnum palustre*
3	金发藓科	金发藓属	金发藓	*Polytrichum commune*
二、维管束植物				
(一)蕨类植物				
1	紫萁科	紫萁属	分株紫萁	*Osmunda cinnamomea*
2			紫萁	*Osmunda japonica*
3			华南紫萁	*Osmunda vachellii*
4	金星蕨科	毛蕨属	干旱毛蕨	*Cyclosorus aridus*
5		金星蕨属	光脚金星蕨	*Parathelypteris japonica*
6		沼泽蕨属	沼泽蕨	*Thelypteris palustris*
7	木贼科	木贼属	节节草	*Equisetum ramosissimum*
8			犬问荆	*Equisetum palustre*
9	水蕨科	水蕨属	粗梗水蕨	*Ceratopteris pteridoides*
10			水蕨	*Ceratopteris thalictroides*
11	满江红科	满江红属	细叶满江红	*Azolla filiculoides*
12			满江红	*Azolla imbricata*
13	水韭科	水韭属	中华水韭	*Isoetes sinensis*
14	蕨科	蕨属	蕨	*Pteridium aquilinum*
15	蹄盖蕨科	菜蕨属	菜蕨	*Callipteris esculenta*
16	苹科	苹属	苹(四叶草)	*Marsilea quadrifolia*
17	槐叶苹科	槐叶苹属	槐叶苹	*Salvinia natans*
(二)裸子植物				
1	杉科	落羽杉属	落羽杉*	*Taxodium distichum*
2			池杉*	*Taxodium ascendens*
3		水松属	水松	*Glyptostrobus pensilis*
4		水杉属	水杉	*Metasequoia glyptostroboides*
(三)被子植物				
1	毛茛科	铁线莲属	短柱铁线莲	*Clematis cadmia*
2			威灵仙	*Clematis chinensis*
3			铁线莲	*Clematis florida*

（续）

序号	科	属	种	
			中文名	拉丁名
（三）被子植物				
4	毛茛科	毛茛属	禺毛茛	*Ranunculus cantoniensis*
5			茴茴蒜	*Ranunculus chinensis*
6			西南毛茛	*Ranunculus ficariifolius*
7			毛茛	*Ranunculus japonicus*
8			肉根毛茛	*Ranunculus polii*
9			石龙芮	*Ranunculus sceleratus*
10			扬子毛茛	*Ranunculus sieboldii*
11			猫爪草	*Ranunculus ternatus*
12		天葵属	天葵	*Semiaquilegia adoxoides*
13	金鱼藻科	金鱼藻属	金鱼藻	*Ceratophyllum demersum*
14			五刺金鱼藻	*Ceratophyllum oryzetorum*
15	睡莲科	萍蓬草属	萍蓬草	*Nuphar pumilum*
16			中华萍蓬草	*Nuphar sinensis*
17		睡莲属	红睡莲*	*Nymphaea ruba*
18			睡莲	*Nymphaea tetragona*
19		莼属	莼菜	*Brasenia schreberi*
20		芡属	芡实	*Euryale ferox*
21		莲属	莲	*Nelumbo nucifera*
22	三白草科	蕺菜属	蕺菜	*Houttuynia cordata*
23		三白草属	三白草	*Saururus chinensis*
24	紫堇科	紫堇属	伏生紫堇	*Corydalis decumbens*
25	山柑科	白花菜属	黄花草	*Cleome viscosa*
26	十字花科	碎米荠属	弯曲碎米荠	*Cardamine flexuosa*
27			碎米荠	*Cardamine hirsuta*
28			湿生碎米荠	*Cardamine hygrophila*
29			水田碎米荠	*Cardamine lyrata*
30		蔊菜属	无瓣蔊菜	*Rorippa dubia*
31			风花菜	*Rorippa globosa*
32			蔊菜	*Rorippa indica*
33			沼生蔊菜	*Rorippa islandica*
34		臭荠属	臭荠*	*Coronopus didymus*
35		独行菜属	北美独行菜*	*Lepidium virginicum*

（续）

序号	科	属	种	
			中文名	拉丁名
36	堇菜科	堇菜属	堇菜	*Viola arcuata*
37	景天科	景天属	佛甲草	*Sedum lineare*
38			垂盆草	*Sedum sarmentosum*
39	虎耳草科	扯根菜属	扯根菜	*Penthorum chinense*
40		虎耳草属	虎耳草	*Saxifraga stolonifera*
41		绣球属	圆锥绣球	*Hydrangea paniculata*
42	石竹科	卷耳属	簇生卷耳	*Cerastium fontanum*
43			球序卷耳	*Cerastium glomeratum*
44		繁缕属	雀舌草	*Stellaria uliginosa*
45		鹅肠菜属	繁缕	*Stellaria media*
46			鹅肠菜	*Myosoton aquaticum*
47		漆姑草属	漆姑草	*Sagina japonica*
48	马齿苋科	土人参属	土人参*	*Talinum paniculatum*
49		马齿苋属	马齿苋	*Portulaca oleracea*
50	番杏科	粟米草属	粟米草	*Mollugo stricta*
51	蓼科	蓼属	两栖蓼	*Polygonum amphibium*
52			萹蓄	*Polygonum aviculare*
53			火炭母	*Polygonum chinense*
54			蓼子草	*Polygonum criopolitanum*
55			稀花蓼	*Polygonum dissitiflorum*
56			水蓼	*Polygonum hydropiper*
57			蚕茧草	*Polygonum japonicum*
58			愉悦蓼	*Polygonum jucundum*
59			酸模叶蓼	*Polygonum lapathifolium*
60			小蓼花	*Polygonum muricatum*
61			尼泊尔蓼	*Polygonum nepalense*
62			红蓼	*Polygonum orientale*
63			湿地蓼	*Polygonum paralimicola*
64			杠板归	*Polygonum perfoliatum*
65			习见蓼	*Polygonum plebeium*
66			丛枝蓼	*Polygonum posumbu*
67			疏蓼	*Polygonum praetermissum*
68			赤胫散	*Polygonum runcinatum*
69			刺蓼	*Polygonum senticosum*
70			细叶蓼	*Polygonum taquetii*
71			戟叶蓼	*Polygonum thunbergii*

（续）

序号	科	属	种	
			中文名	拉丁名
72	蓼科	蓼属	香蓼	*Polygonum viscosum*
73		酸模属	酸模	*Rumex acetosa*
74			齿果酸模	*Rumex dentatus*
75			羊蹄	*Rumex japonicus*
76			长刺酸模	*Rumex trisetifer*
77		金钱草属	金线草	*Antenoron filiforme*
78		荞麦属	金荞麦	*Fagopyrum dibotrys*
79		何首乌属	何首乌	*Fallopia multiflora*
80		虎杖属	虎杖	*Reynoutria japonica*
81	商陆科	商陆属	垂序商陆*	*Phytolacca americana*
82	藜科	藜属	藜	*Chenopodium album*
83			灰绿藜	*Chenopodium glaucum*
84			小藜	*Chenopodium serotinum*
85			土荆芥*	*Chenopodium ambrosioides*
86		千针苋属	千针苋	*Acroglochin persicarioides*
87		地肤属	地肤	*Kochia scoparia*
88	苋科	牛膝属	土牛膝	*Achyranthes aspera*
89			牛膝	*Achyranthes bidentata*
90		莲子草属	喜旱莲子草*	*Alternanthera philoxeroides*
91			莲子草	*Alternanthera sessilis*
92		苋属	凹头苋	*Amaranthus lividus*
93			刺苋*	*Amaranthus spinosus*
94			皱果苋*	*Amaranthus viridis*
95		青葙属	青葙	*Celosia argentea*
96	牻牛儿苗科	老鹳草属	鼠掌老鹳草	*Geranium sibiricum*
97			老鹳草	*Geranium wilfordii*
98	酢浆草科	酢浆草属	酢浆草	*Oxalis corniculata*
99	凤仙花科	凤仙花属	华凤仙	*Impatiens chinensis*
100			棒尾凤仙花	*Impatiens clavicuspis*
101			鸭跖草状凤仙花	*Impatiens commelinoides*
102			管茎凤仙花	*Impatiens tubulosa*
103	千屈菜科	水苋菜属	水苋菜	*Ammannia baccifera*
104		千屈菜属	千屈菜	*Lythrum salicaria*
105		节节菜属	节节菜	*Rotala indica*
106			圆叶节节菜	*Rotala rotundifolia*

（续）

序号	科	属	种	
			中文名	拉丁名
107	柳叶菜科	柳叶菜属	柳叶菜	*Epilobium hirsutum*
108			长籽柳叶菜	*Epilobium pyrricholophum*
109		丁香蓼属	水龙	*Ludwigia adscendens*
110			假柳叶菜	*Ludwigia epilobioides*
111			毛草龙	*Ludwigia octovalvis*
112			卵叶丁香蓼	*Ludwigia ovalis*
113			丁香蓼	*Ludwigia prostrata*
114	菱科	菱属	细果野菱	*Trapa maximowiczii*
115			欧菱	*Trapa natans*
116	小二仙草科	狐尾藻属	穗状狐尾藻	*Myriophyllum spicatum*
117			狐尾藻*	*Myriophyllum verticillatum*
118	水马齿科	水马齿属	沼生水马齿	*Callitriche palustris*
119	葫芦科	盒子草属	盒子草	*Actinostemma tenerum*
120		栝楼属	栝楼	*Trichosanthes kirilowii*
121		马瓜(交)儿属	马瓜(交)儿	*Zehneria indica*
122	野牡丹科	金锦香属	金锦香	*Osbeckia chinensis*
123			假朝天罐	*Osbeckia crinita*
124			朝天罐	*Osbeckia opipara*
125	藤黄科	金丝桃属	地耳草	*Hypericum japonicum*
126			元宝草	*Hypericum sampsonii*
127		三腺金丝桃属	三腺金丝桃	*Triadenum breviflorum*
128	椴树科	田麻属	田麻	*Corchoropsis tomentosa*
129		黄麻属	甜麻	*Corchorus aestuans*
130	梧桐科	马松子属	马松子	*Melochia corchorifolia*
131	锦葵科	苘麻属	苘麻	*Abutilon theophrasti*
132	大戟科	铁苋菜属	铁苋菜	*Acalypha australis*
133		大戟属	乳浆大戟	*Euphorbia esula*
134			泽漆	*Euphorbia helioscopia*
135			地锦草	*Euphorbia humifusa*
136			大戟	*Euphorbia pekinensis*
137			千根草	*Euphorbia thymifolia*
138		叶下珠属	叶下珠	*Phyllanthus urinaria*
139			蜜甘草	*Phyllanthus ussuriensi*
140	蔷薇科	委陵菜属	蛇含委陵菜	*Potentilla kleiniana*

（续）

序号	科	属	种	
			中文名	拉丁名
141	蔷薇科	委陵菜属	朝天委陵菜	*Potentilla supina*
142		蛇莓属	蛇莓	*Duchesnea indica*
143		路边青属	路边青	*Geum aleppicum*
144		蔷薇属	野蔷薇	*Rosa multiflora*
145		悬钩子属	茅莓	*Rubus parvifolius*
146		地榆属	地榆	*Sanguisorba officinalis*
147	豆科	决明属	含羞草决明*	*Chamaecrista mimosoides*
148			短叶决明	*Cassia leschenaultiana*
149			望江南*	*Senna occidentalis*
150			决明*	*Senna tora*
151	蝶形花科	野豌豆属	小巢菜	*Vicia hirsuta*
152			救荒野豌豆	*Vicia sativa*
153			四籽野豌豆	*Vicia tetrasperma*
154		合萌属	合萌	*Aeschynomene indica*
155		黄耆属	紫云英	*Astragalus sinicus*
156		猪屎豆属	响铃豆	*Crotalaria albida*
157		大豆属	野大豆	*Glycine soja*
158		鸡眼草属	鸡眼草	*Kummerowia striata*
159		苜蓿属	天蓝苜蓿*	*Medicago lupulina*
160			南苜蓿*	*Medicago polymorpha*
161		草木犀属	草木犀	*Melilotus officinalis*
162		车轴草属	白车轴草*	*Trifolium repens*
163		豇豆属	贼小豆	*Vigna minima*
164	杨柳科	杨属	加杨*	*Populus canadensis*
165		柳属	垂柳	*Salix babylonica*
166			腺柳	*Salix chaenomeloides*
167			旱柳	*Salix matsudana*
168			南川柳	*Salix rosthornii*
169			川三蕊柳	*Salix triandroides*
170	桦木科	桤木属	江南桤木	*Alnus trabeculosa*
171	桑科	构属	构树	*Broussonetia papyrifera*
172		榕属	石榕树	*Ficus abelii*
173		桑属	桑	*Morus alba*
174		葎草属	葎草	*Humulus scandens*
175	荨麻科	水麻属	水麻	*Debregeasia orientalis*
176		糯米团属	糯米团	*Gonostegia hirta*

（续）

序号	科	属	种	
			中文名	拉丁名
177	荨麻科	冷水花属	冷水花	*Pilea notata*
178			透茎冷水花	*Pilea pumila*
179		雾水葛属	雾水葛	*Pouzolzia zeylanica*
180	葡萄科	乌蔹莓属	乌蔹莓	*Cayratia japonica*
181	胡桃科	枫杨属	枫杨	*Pterocarya stenoptera*
182	伞形科	积雪草属	积雪草	*Centella asiatica*
183		蛇床属	蛇床	*Cnidium monnieri*
184		胡萝卜属	野胡萝卜	*Daucus carota*
185		天胡荽属	破铜钱	*Hydrocotyle sibthorpioides*
186		水芹属	细叶水芹	*Oenanthe dielsii*
187			水芹	*Oenanthe javanica*
188			线叶水芹	*Oenanthe linearis*
189		窃衣属	小窃衣	*Torilis japonica*
190			窃衣	*Torilis scabra*
191	萝藦科	鹅绒藤属	白前	*Cynanchum glaucescens*
192			柳叶白前	*Cynanchum stauntonii*
193		萝藦属	萝藦	*Metaplexis japonica*
194	茜草科	水团花属	细叶水团花	*Adina rubella*
195		拉拉藤属	猪殃殃	*Galium aparine*
196		耳草属	白花蛇舌草	*Hedyotis diffusa*
197		鸡矢藤属	鸡矢藤	*Paederia scandens*
198			毛鸡矢藤	*Paederia scandens*
199	忍冬科	忍冬属	忍冬	*Lonicera japonica*
200		接骨木属	接骨草	*Sambucus chinensis*
201			裂叶接骨草	*Sambucus chinensis*
202	败酱科	败酱属	败酱	*Patrinia scabiosifolia*
203			白花败酱	*Patrinia villosa*
204	菊科	蒿属	豚草*	*Ambrosia artemisiifolia*
205			黄花蒿	*Artemisia annua*
206			艾	*Artemisia argyi*
207			茵陈蒿	*Artemisia capillaries*
208			青蒿	*Artemisia carvifolia*
209			南牡蒿	*Artemisia eriopoda*
210			五月艾	*Artemisia indices*

（续）

序号	科	属	种	
			中文名	拉丁名
211	菊科	蒿属	野艾蒿	*Artemisia lavandulifolia*
212			蒌蒿	*Artemisia selengensis*
213		紫菀属	钻叶紫菀*	*Aster subulatus*
214		鬼针草属	婆婆针	*Bidens bipinnata*
215			三叶鬼针草	*Bidens pilosa*
216			狼杷草	*Bidens tripartita*
217		飞廉属	节毛飞廉	*Carduus acanthoides*
218		天名精属	天名精	*Carpesium abrotanoides*
219		石胡荽属	石胡荽	*Centipeda minima*
220		蓟属	蓟	*Cirsium japonicum*
221			刺儿菜	*Cirsium setosum*
222		白酒草属	香丝草*	*Conyza bonariensis*
223			小蓬草*	*Conyza canadensis*
224			白酒草	*Conyza japonica*
225		野茼蒿属	野茼蒿	*Crassocephalum crepidioides*
226		菊属	野菊	*Dendranthema indicum*
227		鳢肠属	鳢肠	*Eclipta prostrata*
228		一点红属	小一点红	*Emilia prenanthoidea*
229		飞蓬属	一年蓬*	*Erigeron annuus*
230		鼠麴草属	鼠麴草	*Gnaphalium affine*
231		泥胡菜属	泥胡菜	*Hemistepta lyrata*
232		旋覆花属	欧亚旋覆花	*Inula britannica*
233			旋覆花	*Inula japonica*
234			线叶旋覆花	*Inula lineariifolia*
235		稻槎菜属	稻槎菜	*Lapsana apogonoides*
236		橐吾属	蹄叶橐吾	*Ligularia fischeri*
237		千里光属	湖南千里光	*Senecio actinotus*
238			千里光	*Senecio scandens*
239		一枝黄花属	加拿大一枝黄花*	*Solidago canadensis*
240		裸柱菊属	裸柱菊*	*Soliva anthemifolia*
241		苦苣菜属	苦苣菜	*Sonchus oleraceus*
242		苍耳属	苍耳	*Xanthium sibiricum*
243		黄鹌菜属	黄鹌菜	*Youngia japonica*
244	龙胆科	荇菜属	水皮莲	*Nymphoides cristata*
245			荇菜	*Nymphoides peltatum*

（续）

序号	科	属	种	
			中文名	拉丁名
246	报春花科	点地梅属	点地梅	*Androsace umbellata*
247		珍珠菜属	临时救	*Lysimachia congestiflora*
248			红根草	*Lysimachia fortunei*
249			黑腺珍珠菜	*Lysimachia heterogenea*
250	车前草科	车前属	车前	*Plantago asiatica*
251	桔梗科	异檐花属	异檐花*	*Triodanis biflora*
252	半边莲科	半边莲属	半边莲	*Lobelia chinensis*
253			江南山梗菜	*Lobelia davidii*
254	紫草科	附地菜属	附地菜	*Trigonotis peduncularis*
255	茄科	枸杞属	枸杞	*Lycium chinense*
256		酸浆属	苦蘵	*Physalis angulata*
257			小酸浆	*Physalis minima*
258		茄属	龙葵	*Solanum nigrum*
259			刺天茄*	*Solanum indicum*
260	旋花科	打碗花属	打碗花	*Calystegia hederacea*
261			旋花	*Calystegia silvatica*
262		番薯属	蕹菜*	*Ipomoea aquatica*
263			牵牛花*	*Ipomoea nil*
264			圆叶牵牛*	*Ipomoea purpurea*
265			三裂叶薯*	*Ipomoea triloba*
266	菟丝子科	菟丝子属	菟丝子	*Cuscuta chinensis*
267	玄参科	水八角属	白花水八角	*Gratiola japonica*
268		石龙尾属	抱茎石龙尾	*Limnophila connata*
269			异叶石龙尾	*Limnophila heterophylla*
270			石龙尾	*Limnophila sessiliflora*
271		母草属	泥花草	*Lindernia antipoda*
272			母草	*Lindernia crustacea*
273			狭叶母草	*Lindernia angustifolia*
274			陌上菜	*Lindernia procumbens*
275		通泉草属	匍茎通泉草	*Mazus miquelii*
276		沟酸浆属	沟酸浆	*Mimulus tenellus*
277		蝴蝶草属	光叶蝴蝶草	*Torenia glabra*
278		婆婆纳属	直立婆婆纳*	*Veronica arvensis*
279			蚊母草	*Veronica peregrina*
280			阿拉伯婆婆纳*	*Veronica persica*

（续）

序号	科	属	种	
			中文名	拉丁名
281	玄参科	婆婆纳属	婆婆纳	*Veronica didyma*
282			水苦荬	*Veronica undulata*
283	狸藻科	狸藻属	黄花狸藻	*Utricularia aurea*
284	胡麻科	茶菱属	茶菱	*Trapella sinensis*
285	爵床科	水蓑衣属	水蓑衣	*Hygrophila salicifolia*
286		爵床属	爵床	*Rostellularia procumbens*
287	马鞭草科	过江藤属	过江藤	*Phyla nodiflora*
288	唇形科	风轮菜属	风轮菜	*Clinopodium chinense*
289			细风轮菜	*Clinopodium gracile*
290		水蜡烛属	水虎尾	*Dysophylla stellata*
291			水蜡烛	*Dysophylla yatabeana*
292		活血丹属	活血丹	*Glechoma longituba*
293		香茶菜属	香茶菜	*Rabdosia amethystoides*
294		野芝麻属	宝盖草	*Lamium amplexicaule*
295		益母草属	益母草	*Leonurus artemisia*
296		薄荷属	薄荷	*Mentha haplocalyx*
297		紫苏属	紫苏	*Perilla frutescens*
298		夏枯草属	夏枯草	*Prunella vulgaris*
299		鼠尾草属	荔枝草	*Salvia plebeia*
300		黄芩属	半枝莲	*Scutellaria barbata*
301			韩信草	*Scutellaria indica*
302		水苏属	针筒菜	*Stachys oblongifolia*
303	水鳖科	水筛属	无尾水筛	*Blyxa aubertii*
304			有尾水筛	*Blyxa echinosperma*
305			水筛	*Blyxa japonica*
306		黑藻属	黑藻	*Hydrilla verticillata*
307			罗氏轮叶黑藻	*Hydrilla verticillata* var. *roxburghii*
308		水鳖属	水鳖	*Hydrocharis dubia*
309		水车前属	龙舌草	*Ottelia alismoides*
310		苦草属	苦草	*Vallisneria natans*
311			刺苦草	*Vallisneria spinulosa*
312	泽泻科	泽泻属	窄叶泽泻	*Alisma canaliculatum*
313		泽苔草属	宽叶泽苔草	*Caldesia grandis*
314			泽苔草	*Caldesia parnassifolia*
315		毛茛泽泻属	长喙毛茛泽泻	*Ranalisma rostratum*

（续）

序号	科	属	种	
			中文名	拉丁名
316	泽泻科	慈姑属	小慈姑	*Sagittaria potamogetifolia*
317			矮慈姑	*Sagittaria pygmaea*
318			野慈姑	*Sagittaria trifolia*
319			慈姑	*Sagittaria trifolia* var. *sinensis*
320	眼子菜科	眼子菜属	菹草	*Potamogeton crispus*
321			鸡冠眼子菜	*Potamogeton cristatus*
322			眼子菜	*Potamogeton distinctus*
323			微齿眼子菜	*Potamogeton maackianus*
324			南方眼子菜	*Potamogeton octandrus*
325			钝脊眼子菜	*Potamogeton octandrus*
326			尖叶眼子菜	*Potamogeton oxyphyllus*
327			篦齿眼子菜	*Potamogeton pectinatus*
328			穿叶眼子菜	*Potamogeton perfoliatus*
329			小眼子菜	*Potamogeton pusillus*
330			竹叶眼子菜	*Potamogeton wrightii*
331	角果藻科	角果藻属	角果藻	*Zannichellia palustris*
332	茨藻科	茨藻属	纤细茨藻	*Najas gracillima*
333			大茨藻	*Najas marina*
334			小茨藻	*Najas minor*
335			东方茨藻	*Najas orientalis*
336	鸭跖草科	鸭跖草属	鸭跖草	*Commelina communis*
337		聚花草属	聚花草	*Floscopa scandens*
338		水竹叶属	根茎水竹叶	*Murdannia hookeri*
339			裸花水竹叶	*Murdannia nudiflora*
340			水竹叶	*Murdannia triquetra*
341	谷精草科	谷精草属	毛谷精草	*Eriocaulon australe*
342			谷精草	*Eriocaulon buergerianum*
343			白药谷精草	*Eriocaulon cinereum*
344			长苞谷精草	*Eriocaulon decemflorum*
345			莽山谷精草	*Eriocaulon mangshanense*
346	百合科	沿阶草属	麦冬	*Ophiopogon japonicus*
347	雨久花科	凤眼蓝属	凤眼莲*	*Eichhornia crassipes*
348		雨久花属	雨久花	*Monochoria korsakowii*
349			鸭舌草	*Monochoria vaginalis*
350	天南星科	菖蒲属	菖蒲	*Acorus calamus*

（续）

序号	科	属	种	
			中文名	拉丁名
351	天南星科	菖蒲属	石菖蒲	*Acorus tatarinowii*
352		海芋属	海芋	*Alocasia macrorrhiza*
353		芋属	芋头*	*Colocasia esculentum*
354			野芋	*Colocasia antiquorum*
355			大野芋	*Colocasia gigantea*
356		大薸属	大薸*	*Pistia stratiotes*
357	浮萍科	浮萍属	浮萍	*Lemna minor*
358			品藻	*Lemna trisulca*
359		紫萍属	紫萍	*Spirodela polyrrhiza*
360		芜萍属	芜萍	*Wolffia arrhiza*
361	黑三棱科	黑三棱属	曲轴黑三棱	*Sparganium fallax*
362	香蒲科	香蒲属	水烛	*Typha angustifolia*
363			香蒲	*Typha orientalis*
364	兰科	绶草属	绶草	*Spiranthes sinensis*
365	灯心草科	灯心草属	翅茎灯心草	*Juncus alatus*
366			小灯心草	*Juncus bufonius*
367			灯心草	*Juncus effusus*
368			笄石菖	*Juncus prismatocarpus*
369			野灯心草	*Juncus setchuensis*
370		地杨梅属	多花地杨梅	*Luzula multiflora*
371	莎草科	球柱草属	球柱草	*Bulbostylis barbata*
372		薹草属	短尖薹草	*Carex brevicuspis*
373			十字薹草	*Carex cruciata*
374			二型鳞薹草	*Carex dimorpholepis*
375			芒尖薹草	*Carex doniana*
376			条穗薹草	*Carex nemostachys*
377		莎草属	阿穆尔莎草	*Cyperus amuricus*
378			扁穗莎草	*Cyperus compressus*
379			异型莎草	*Cyperus difformis*
380			头状穗莎草	*Cyperus glomeratus*
381			碎米莎草	*Cyperus iria*
382			香附子	*Cyperus rotundus*
383		荸荠属	紫果蔺	*Heleocharis atropurpurea*
384			木贼荸荠状	*Heleocharis equisetina*
385			透明鳞荸荠	*Heleocharis pellucida*

（续）

序号	科	属	种	
			中文名	拉丁名
386	莎草科	荸荠属	荸荠*	*Heleocharis tuberosa*
387			稈荸荠	*Heleocharis valleculosa*
388			牛毛毡	*Heleocharis yokoscensis*
389		飘拂草属	复序飘拂草	*Fimbristylis bisumbellata*
390			两歧飘拂草	*Fimbristylis dichotoma*
391			水虱草	*Fimbristylis miliacea*
392			双穗飘拂草	*Fimbristylis subbispicata*
393			疣果飘拂草	*Fimbristylis verrucifera*
394		水莎草属	水莎草	*Juncellus serotinus*
395		水蜈蚣属	短叶水蜈蚣	*Kyllinga brevifolia*
396		鳞籽莎属	鳞籽莎	*Lepidosperma chinense*
397		扁莎属	球穗扁莎	*Pycreus globosus*
398			红鳞扁莎	*Pycreus sanguinolentus*
399		刺子莞属	刺子莞	*Rhynchospora rubra*
400		藨草属	萤蔺	*Scirpus juncoides*
401			水毛花	*Scirpus triangulatus*
402			三棱水葱	*Schoenoplectus triqueter*
403			席草	*Scirpus michelianus*
404			百球藨草	*Scirpus rosthornii*
405			水葱	*Scirpus validus*
406	禾本科	看麦娘属	看麦娘	*Alopecurus aequalis*
407			日本看麦娘	*Alopecurus japonicus*
408		荩草属	荩草	*Arthraxon hispidus*
409		芦竹属	芦竹	*Arundo donax*
410		燕麦属	野燕麦	*Avena fatua*
411		茵草属	茵草	*Beckmannia syzigachne*
412		雀麦属	雀麦	*Bromus japonicus*
413		拂子茅属	拂子茅	*Calamagrostis epigeios*
414			假苇拂子茅	*Calamagrostis pseudophragmites*
415		小丽草属	小丽草	*Coelachne simpliciuscula*
416		薏苡属	薏苡	*Coix lacryma –jobi*
417		狗牙根属	狗牙根	*Cynodon dactylon*
418		野青茅属	疏穗野青茅	*Deyeuxia effusiflora*
419		马唐属	升马唐	*Digitaria ciliaris*
420			马唐	*Digitaria sanguinalis*

（续）

序号	科	属	种	
			中文名	拉丁名
421	禾本科	马唐属	紫马唐	*Digitaria violascens*
422		稗属	长芒稗	*Echinochloa caudata*
423			光头稗	*Echinochloa colona*
424			稗	*Echinochloa crusgalli*
425			无芒稗	*Echinochloa crusgalli*
426			紫穗稗	*Echinochloa esculenta*
427			湖南稗子	*Echinochloa frumentacea*
428		䅟属	牛筋草	*Eleusine indica*
429		画眉草属	大画眉草	*Eragrostis cilianensis*
430			知风草	*Eragrostis ferruginea*
431			牛虱草	*Eragrostis unioloides*
432		甜茅属	水甜茅	*Glyceria aquatica*
433		球穗草属	球穗草	*Hackelochloa granularis*
434		牛鞭草属	牛鞭草	*Hemarthria altissima*
435		白茅属	白茅	*Imperata cylindrica*
436		柳叶箬属	柳叶箬	*Isachne globosa*
437		鸭嘴草属	细毛鸭嘴草	*Ischaemum ciliare*
438		假稻属	李氏禾	*Leersia hexandra*
439			假稻	*Leersia japonica*
440		千金子属	千金子	*Leptochloa chinensis*
441			虮子草	*Leptochloa panicea*
442		粟草属	粟草	*Milium effusum*
443		芒属	五节芒	*Miscanthus floridulus*
444			南荻	*Miscanthus lutarioriparius*
445		求米草属	求米草	*Oplismenus undulatifolius*
446		稻属	野生稻	*Oryza rufipogon*
447			水稻*	*Oryza sativa*
448		黍属	糠稷	*Panicum bisulcatum*
449		雀稗属	双穗雀稗	*Paspalum distichum*
450			圆果雀稗	*Paspalum scrobiculatum*
451			雀稗	*Paspalum thunbergii*
452		狼尾草属	狼尾草	*Pennisetum alopecuroides*
453		虉草属	虉草	*Phalaris arundinacea*
454		芦苇属	芦苇	*Phragmites australis*
455		早熟禾属	早熟禾	*Poa annua*

（续）

序号	科	属	种	
			中文名	拉丁名
456	禾本科	早熟禾属	草地早熟禾	*Poa pratensis*
457		棒头草属	棒头草	*Polypogon fugax*
458			长芒棒头草	*Polypogon monspeliensis*
459		河八王属	河八王	*Saccharum narenga*
460		囊颖草属	囊颖草	*Sacciolepis indica*
461		狗尾草属	金色狗尾草	*Setaria pumila*
462			狗尾草	*Setaria viridis*
463		高粱属	苏丹草	*Sorghum sudanense*
464		稗荩属	稗荩	*Sphaerocaryum malaccense*
465		鼠尾粟属	鼠尾粟	*Sporobolus fertilis*
466		菰属	菰	*Zizania latifolia*
467		结缕草属	中华结缕草	*Zoysia sinica*

注：中文名后带有“＊”者为栽培或逸生植物。

附录2 湖南湿地调查区域动物名录

序号	目	科	种	
			中文名	拉丁名
一、脊椎动物				
(一)鱼　类				
1	鲟形目	鲟科	中华鲟	*Acipenser sinensis*
2		匙吻鲟科	白鲟	*Psephurus gladius*
3	鲱形目	鲱科	鲥鱼	*Macrura reevesii*
4		鳀科	短颌鲚	*Coilia brachygnathus*
5			长颌鲚	*Coilia ectenes*
6	鲑形目	银鱼科	大银鱼	*Protosalanx hyalocranius*
7			太湖银鱼	*Neosalanx tangkahkeii*
8			寡齿短吻银鱼	*Neosalanx oligodontis*
9			长江银鱼	*Hemisalanx brachyrostralis*
10	鳗鲡目	鳗鲡科	鳗鲡	*Anguilla japonica*
11	鲤形目	鲤科	胭脂鱼	*Myxocyprinus asiaticus*
12			马口鱼	*Opsariichthys bidens*
13			瑶山鲤	*Yaoshanicus arcus*
14			宽鳍鱲	*Zacco platypus*
15			青鱼	*Mylopharyngodon piceus*
16			鯮鱼	*Luciobrama macrocephalus*
17			草鱼	*Ctenopharyngodon idellus*
18			尖头鱥	*Phoxinus oxycephalus*
19			长江鱥	*Phoxinus lagowskii*
20			赤眼鳟	*Squaliobarbus curriculus*
21			鳡	*Ochetobius elongates*
22			鳡	*Elopichthys bambusa*
23			中华细鲫	*Aphyocypris chinensis*
24			银飘鱼	*Pseudolaubuca sinensis*
25			寡鳞银飘鱼	*Pseudolaubuca engraulis*
26			南方拟䱗	*Pseudohemiculter dispar*
27			䱗	*Hemiculter leucisculus*
28			油䱗	*Hemiculter bleekeri*
29			四川半䱗	*Hemiculterella sauvagei*
30			似鱎	*Toxabramis swinhonis*
31			翘嘴鲌	*Culter alburnus*
32			蒙古红鲌	*Erythroculter mongolicus*

（续）

序号	目	科	种	
			中文名	拉丁名
33	鲤形目	鲤科	青梢红鲌	*Erythroculter dabryi*
34			尖头红鲌	*Erythroculter oxycephalus*
35			似尖头红鲌	*Erythroculter oxycephaloides*
36			红鳍原鲌	*Cultrichthys erythropterus*
37			鲂	*Megalobrama terminalis*
38			团头鲂	*Megalobrama amblycephala*
39			大眼华鳊	*Sinibrama macrops*
40			伍氏华鳊	*Sinibrama wui*
41			鳊鱼	*Parabramis pekinensis*
42			细鳞斜颌鲴	*Plagiognathops microlepis*
43			黄尾鲴	*Xenocypris davidi*
44			银鲴	*Xenocypris argentea*
45			逆鱼	*Acanthobrama simoni*
46			圆吻鲴	*Distoechodon tumirostris*
47			大鳍刺鳑鲏	*Acanthorhodeus macropterus*
48			多鳞刺鳑鲏	*Acanthorhodeus polylepis*
49			寡鳞刺鳑鲏	*Acanthorhodeus hypselonotus*
50			斑条刺鳑鲏	*Acanthorhodeus taenianali*
51			兴凯刺鳑鲏	*Acanthorhodeus chankaensis*
52			越南刺鳑鲏	*Acanthorhodeus tonkinensis*
53			中华鳑鲏	*Rhodeus sinensis*
54			高体鳑鲏	*Rhodeus ocellatus*
55			须鱊	*Acheilognathus barbatus*
56			短须鱊	*Acheilognathus barbatulus*
57			无须鱊	*Acheilognathus gracilis*
58			广西副鱊	*Paracheilognathus meridianus*
59			彩石鲋	*Pseudoperilampus lighti*
60			刺鲃	*Spinibarbus caldwelli*
61			中华倒刺鲃	*Barbodes sinensis*
62			条纹二须鲃	*Capoeta semifasciolata*
63			吉首光唇鱼	*Acrossocheilus jishouensis*
64			厚唇光唇鱼	*Acrossocheilus labiatus*
65			侧条厚唇鱼	*Acrossocheilus parallens*
66			阔口光唇鱼	*Acrossocheilus monticola*
67			半刺厚唇鱼	*Acrossocheilus hemispinus*
68			带半刺厚唇鱼	*Acrossocheilus cinctus*

（续）

序号	目	科	种	
			中文名	拉丁名
69	鲤形目	鲤科	粗须白甲鱼	*Onychostoma barbatus*
70			细尾白甲鱼	*Onychostoma leptura*
71			多鳞铲颌鱼	*Onychostoma macrolepis*
72			白甲鱼	*Onychostoma simus*
73			小口白甲鱼	*Onychostoma lini*
74			稀有白甲鱼	*Onychostoma rara*
75			南方白甲鱼	*Onychostoma gerlachi*
76			台湾铲颌鱼	*Varicorhinus barbatulus*
77			瓣结鱼	*Tor brevifilis*
78			湘华鲮	*Sinilabeo decorus*
79			泸溪直口鲮	*Rectoris luxiensis*
80			泉水鱼	*Semilabeo prochilus*
81			四须盘鮈	*Discogobio tetrabarbatus*
82			异华鲮	*Parasinilabeo assimilis*
83			光唇裂腹鱼	*Schizothorax lissolabiatus*
84			长丝裂腹鱼	*Schizothorax dolichonema*
85			齐口裂腹鱼	*Schizothorax prenanti*
86			花䱻	*Hemibarbus maculates*
87			重唇䱻	*Hemibarbus labeo*
88			似刺鳊鮈	*Paracanthobrama guichenoti*
89			麦穗鱼	*Pseudorasbora parva*
90			华鳈	*Sarcocheilichthys sinensis*
91			黑鳍鳈	*Sarcocheilichthys nigripinnis*
92			江西鳈	*Sarcocheilichthys kiangsiensis*
93			似鮈	*Psendogobio vaillanti*
94			银色颌须鮈	*Gnathopogon argentatus*
95			济南颌须鮈	*Gnathopogon tsinanensis*
96			点纹颌须鮈	*Gnathopogon wolterstorffi*
97			铜鱼	*Coreius heterodon*
98			吻鮈	*Rhinogobio typus*
99			湖南吻鮈	*Rhinogobio hunanensis*

（续）

序号	目	科	种	
			中文名	拉丁名
100	鲤形目	鲤科	圆筒吻鮈	*Rhinogobio cylindricus*
101			片唇鮈	*Platysmacheilus exiguous*
102			棒花鱼	*Abbottina rivularis*
103			福建棒花鱼	*Abbotlina fukiensis*
104			洞庭棒花鱼	*Abbottina tungtingensis*
105			蛇鮈	*Saurogobio dabryi*
106			长蛇鮈	*Saurogobio dumerili*
107			光唇蛇鮈	*Saurogobio gymnocheilus*
108			湘江蛇鮈	*Saurogobio xianjiangensis*
109			岩原鲤	*Procypris rabaudi*
110			鲤鱼	*Cyprinus carpio*
111			鲫鱼	*Carassius auratus*
112			宜昌鳅鮀	*Gobiobotia ichangensis*
113			南方长须鳅鮀	*Gobiobotia longibarba*
114			鳙鱼	*Aristichthys nobilis*
115			鲢鱼	*Hypophthalmichthys molitrix*
116		鳅科	长薄鳅	*Leptobotia elongate*
117			大斑薄鳅	*Leptobotia pellegrini*
118			衡阳薄鳅	*Leptobotia hengyangensis*
119			紫薄鳅	*Leptobotia taeniops*
120			桂林薄鳅	*Leptobotia guiiinensis*
121			汉水扁尾薄鳅	*Leptobotia tientaiensis*
122			红唇薄鳅	*Leptobotia rubrilabris*
123			短体条鳅	*Nemachilus potanini*
124			横纹条鳅	*Neomacheilus fasciolatus*
125			无斑条鳅	*Neomacheilus barbatulus*
126			大斑花鳅	*Cobitis macrostigma*
127			花鳅	*Cobitis taenia*
128			泥鳅	*Misgurnus anguillicaudatus*
129			大鳞泥鳅	*Misgurnus mizolepis*
130			漓江副沙鳅	*Parabotia lijiangensis*
131			点面沙鳅	*Botia maculosa*

（续）

序号	目	科	种	
			中文名	拉丁名
132	鲤形目	鳅科	中华沙鳅	*Botia superciliaris*
133			江西副沙鳅	*Parabotia jiangxiensis*
134			武昌副沙鳅	*Parabotia banarescui*
135			黄沙鳅	*Botia xanthi*
136			湘西盲高原鳅	*Triplophysa xiangxiensis*
137		平鳍鳅科	毛缘犁头鳅	*Lepturichthis fimbriata*
138			刺鳞犁头鳅	*Lepturichthys nicholsi*
139			平舟前台口鳅	*Vanmanenia pinchowensis*
140			东陂拟腹吸鳅	*Pseudogastromyzon tungpeiensis*
141			中间前台口鳅	*Pareformosania intermedia*
142			珠江拟腹吸鳅	*Pseudogastromizon fangi*
143			厚唇原吸鳅	*Protomyzon pachychilus*
144			下司中华吸腹鳅	*Sinogastromyzon hsiashiensis*
145	鲶形目	鲶科	鲶鱼	*Silurus asotus*
146			南方大口鲶	*Silurus meridionalis*
147			越南鲶	*Silurus cochinchinensis*
148			西江鲶	*Silurus gilberti*
149		胡子鲶科	胡子鲶	*Clarias fucus*
150		鲿科	黄颡鱼	*Pelteobagrus fulvidraco*
151			瓦氏(江)黄颡鱼	*Pelteobagrus vachellii*
152			光泽黄颡鱼	*Pelteobagrus nitidus*
153			岔尾黄颡鱼(长须黄颡鱼)	*Pelteobagrus eupogon*
154			大眼鮠	*Leiocassis macrops*
155			圆尾拟鲿	*Pseudobagrus tenuis*
156			短尾拟鲿	*Pseudobagrus brericaudatus*
157			切尾似鲿	*Pseudobagrus truncatus*
158			长脂似鲿	*Pseudobagrus adiposalis*
159			盎堂似鲿	*Pseudobagrus ondon*
160			长吻鮠	*Leiocassis longirostris*
161			短吻鮠	*Leiocassis crassirostrils*
162			白边鮠	*Leiocassis albomarginatus*
163			乌苏里鮠	*Leiocassis ussuriensis*

（续）

序号	目	科	种	
			中文名	拉丁名
164	鲶形目	鲿科	细体鮠	*Leiocassis pratti*
165			鳠	*Hemibagrus macropterus*
166		钝头科	白缘鉠	*Leiobagrus marginatus*
167			鳗尾鉠	*Leiobagrus anguillicauda*
168			黑尾鉠	*Leiobagrus nigricauda*
169			拟缘鉠	*Leiobagrus marginatoides*
170			司氏鉠	*Leiobagrus styani*
171		鮡科	中华纹胸鮡	*Glyptothorax sinense*
172			四川宽鳍纹胸鮡	*Glyptothorax fukiensis punctatus*
173			三线纹胸鮡	*Glyptothorax trilineatus*
174			海南纹胸鮡	*Glyptothorax hainanensis*
175			福建纹胸鮡	*Glyptothorax fukiensis*
176	鳉形目	胎鳉科	青鳉	*Oryzias latipes*
177			食蚊鱼	*Gambusia affinis*
178	颌针鱼目	鱵科	鱵	*Hemiramphus kurumeus*
179	合鳃鱼目	合鳃鱼科	黄鳝	*Monopterus albus*
180	鲈形目	鮨科	鳜	*Siniperca chuatsi*
181			暗鳜（无斑鳜）	*Siniperca obscura*
182			中国少鳞鳜（石鳜）	*Coreoperca whiteheadi*
183			波纹鳜	*Siniperca undalata*
184			斑鳜	*Siniperca scherzeri*
185			大眼鳜	*Siniperca kneri*
186			长身鳜	*Coreosiniperca roulei*
187		塘鳢科	沙塘鳢	*Odontobutis obscurus*
188			黄鱼幼	*Hypseleotris swinhonis*
189		虾虎鱼科	（子陵）栉虾虎鱼	*Ctenogobius giurinus*
190			溪栉虾虎鱼	*Ctenogobius wui*
191			四川栉虾虎鱼	*Ctenogobius szechuanensis*
192			成都栉虾虎	*Ctenogobius chengduensis*
193			小栉虾虎鱼	*Ctenogobius pervus*
194			吻虾虎鱼	*Rhinogobius giurinus*
195			克氏虾虎鱼	*Rhinogobius cliffordpopei*

（续）

序号	目	科	种	
			中文名	拉丁名
196	鲈形目	虾虎鱼科	真吻虾虎鱼	*Rhinogobius similes*
197			黏皮虾虎鱼	*Rhinogobius myxodermus*
198		斗鱼科	圆尾斗鱼	*Macropotus chinensis*
199			叉尾斗鱼	*Macropodus opercularis*
200		鳢科	乌鳢	*Ophiocephalus argus*
201			斑鳢	*Ophiocephalus maculates*
202			月鳢	*Channa asiatica*
203			刺鳅	*Mastacembelus aculeatus*
204		刺鳅科	大刺鳅	*Mastacembelus armatus*
205	鲀形目	鲀科	暗纹东方鲀	*Fugu obscurus*
（二）两栖类				
1	有尾目	小鲵科	黄斑拟小鲵	*Pseudohynobius flavomaculatus*
2			挂榜山小鲵	*Hynobius guabangshanensis*
3		隐鳃鲵科	大鲵	*Andrias davitianus*
4		蝾螈科	细痣疣螈	*Tylototriton asperrimus*
5			尾斑瘰螈	*Paramesotriton caudopunctatus*
6			中国瘰螈	*paramesotriton chinensis*
7			弓斑肥螈	*Pachytriton archospotus*
8			无斑肥螈	*Pachytriton labiatus*
9			东方蝾螈	*Cynops orientalis*
10	无尾目	角蟾科	红点齿蟾	*Oreolalax rhodostigmatus*
11			崇安髭蟾瑶山亚种	*Vibrissaphora liui yaoshanensis*
12			峨嵋髭蟾	*Vibrissaphora boringii*
13			宽头短腿蟾	*Brachytarsophrys carinensis*
14			淡肩角蟾	*Megophrus boettgeri*
15			尾突角蟾	*Megophrys caudoprocta*
16			挂墩角蟾	*Megophrys kuatunensis*
17			莽山角蟾	*Megophrys mangshanensis*
18			桑植角蟾	*Megophrys sangzhiensis*
19			棘指角蟾	*Megophrys spinata*
20			短肢角蟾	*Megophuys brachykolos*
21		蟾蜍科	中华蟾蜍指名亚种	*Bufo gargarizans*
22			黑眶蟾蜍	*Bufo melanostictus*
23		雨蛙科	无斑雨蛙	*Hyla arborea*

（续）

序号	目	科	种	
			中文名	拉丁名
24	无尾目	雨蛙科	中国雨蛙	*Hyla chinensis*
25			三港雨蛙	*Hyla sanchiangnensis*
26			华西雨蛙武陵亚种	*Hyla gongshanensis wulingensis*
27		蛙科	峨嵋林蛙	*Rana omeimontis*
28			寒露林蛙	*Rana hanluica*
29			镇海林蛙	*Rana zhenhaienesis*
30			黑斑侧褶蛙	*Pelophylax nigromaculata*
31			湖北侧褶蛙	*Pelophylax hubeinensis*
32			桑植趾沟蛙	*Pseudorana sangzhiensis*
33			越南趾沟蛙	*Pseudorana johnsi*
34			沼水蛙	*Hylarana guentheri*
35			阔褶水蛙	*Hylarana latouchii*
36			弹琴蛙	*Hylarana adenopleura*
37			泽陆蛙	*Fejervarya limnocharis*
38			虎纹蛙	*Hoplobatrachus rugulosa*
39			大绿臭蛙	*Odorrana graminea*
40			绿臭蛙	*Odorrana margaretae*
41			无指盘臭蛙	*Odorrana grahami*
42			宜章臭蛙	*Odorrana yizhangensis*
43			花臭蛙	*Odorrana schmackeri*
44			竹叶臭蛙	*Odorrana versabilis*
45			福建大头蛙	*Limnonectes fujianensis*
46			小棘蛙	*Paa exilispinosa*
47			棘腹蛙	*Paa boulengeri*
48			棘侧蛙	*Paa shini*
49			棘胸蛙	*Paa spinosa*
50			隆肛蛙	*Feirana quadranus*
51			崇安湍蛙	*Amolops chunganensis*
52			华南湍蛙	*Amolops ricketti*
53		树蛙科	金秀水树蛙	*Aquixalus jinxiuensis*
54			斑腿泛树蛙	*Polypedates megacephalus*
55			无声囊泛树蛙	*Polypedates mutus*
56			大树蛙	*Rhacophorus dennysi*
57			峨嵋树蛙	*Rhacophorus omeimontis*
58			经甫树蛙	*Rhacophorus chenfui*

（续）

序号	目	科	种	
			中文名	拉丁名
59	无尾目	树蛙科	黑点树蛙	*Rhacophorus nigropumctatus*
60		姬蛙科	粗皮姬蛙	*Microhyla butleri*
61			小弧斑姬蛙	*Microhyla heymonsi*
62			饰纹姬蛙	*Microhyla ornata*
63			花姬蛙	*Microhyla pulchra*
（三）爬行类				
1	龟鳖目	鳖科	中华鳖	*Pelodiscus sinensis*
2			砂鳖	*Pelodiscus axenaria*
3		平胸龟科	平胸龟	*Platysternon megacephalum*
4		龟科	乌龟	*Chinemys reevesii*
5			黄缘闭壳龟	*Cuora flavomarginata*
6			黄喉拟水龟	*Mauremys mutica*
7			眼斑水龟	*Sacalia bealei*
8	蜥蜴目	蜥蜴科	北草蜥	*Takydromus septentrionalis*
9			南草蜥	*Takydromus sexlineatus*
10		石龙子科	中国石龙子	*Eumeces chinensis*
11			蓝尾石龙子	*Eumeces elegans*
12			股鳞蜓蜥	*Sphenomorphus boulengeri*
13			铜蜓蜥	*Sphenomorphus indicus*
14	蛇目	游蛇科	锈链腹链蛇	*Amphiesma craspedogaster*
15			草腹链蛇	*Amphiesma stolatum*
16			钝尾两头蛇	*Calamaria septentrionalis*
17			翠青蛇	*Cyclophiops major*
18			赤链蛇	*Dinodon rufozonatum*
19			黄链蛇	*Dinodon flavozonatum*
20			王锦蛇	*Elaphe carinata*
21			黑眉锦蛇	*Elaphe taeniura*
22			黑背白环蛇	*Lycodon ruhstrati*
23			红纹滞卵蛇	*Oocatochus rufodorsatus*
24			中国水蛇	*Enhydris chinensis*
25			山溪后棱蛇	*Opisthotropis latouchii*
26			灰鼠蛇	*Ptyas korros*
27			滑鼠蛇	*Ptyas mucosus*
28			虎斑颈槽蛇大陆亚种	*Rhabdophis tigrinus lateralis*
29			环纹华游蛇	*Sinonatrix aequifasciata*

（续）

序号	目	科	种	
			中文名	拉丁名
30	蛇目	游蛇科	赤链华游蛇	*Sinonatrix annularis*
31			乌华游蛇指名亚种	*Sinonatrix percarinata percarinata*
32			渔游蛇	*Xenochrophis piscator*
33			乌梢蛇	*Zaocys dhumnades*
34		眼镜蛇科	银环蛇指名亚种	*Bungarus multicinctus multicinctus*
35			中华珊瑚蛇	*Sinomicrurus macclellandi*
36			福建华珊瑚蛇	*Sinomicrurus kelloggi*
37			舟山眼镜蛇	*Naja atra*
38		蝰科	蝮蛇短尾亚种	*Gloydius brevicaudus*
39			尖吻蝮	*Deinagkistrodon acutus*
（四）鸟　类				
1	䴙䴘目	䴙䴘科	小䴙䴘	*Tachybaptus ruficollis*
2			凤头䴙䴘	*Podiceps cristatus*
3			黑颈䴙䴘	*Podiceps nigricollis*
4			赤颈䴙䴘	*podiceps grisegena*
5	鹈形目	鹈鹕科	卷羽鹈鹕	*Pelecanus crispus*
6		鸬鹚科	鸬鹚	*Phalacrocorax carbo*
7	鹳形目	鹭科	苍鹭	*Ardea cinerea jouyi*
8			草鹭	*Ardea purpurea manilensis*
9			绿鹭	*Butorides striatus actophilus*
10			池鹭	*Ardeola bacchus*
11			牛背鹭	*Bubulcus ibis coromandus*
12			大白鹭	*Egretta alba modesta*
13			中白鹭	*Egretta intermedia intermedia*
14			白鹭	*Egretta garzetta garzetta*
15			夜鹭	*Nycticorax nycticorax*
16			海南鳽	*Gorsachius magnificus*
17			黄苇鳽	*Ixobrychus sinensis sinensis*
18			紫背苇鳽	*Ixobrychus eurhythmus*
19			栗苇鳽	*Ixobrychus cinnamomeus*
20			黑苇鳽	*Ixobrychus flavicollis*
21			大麻鳽	*Botaurus stellaris*
22		鹳科	东方白鹳	*Ciconia boyciana*
23			黑鹳	*Ciconia nigra*
24		鹮科	白琵鹭	*Platalea leucorodia*
25			黑脸琵鹭	*Platalea minor*

（续）

序号	目	科	种	
			中文名	拉丁名
26	红鹳目	红鹳科	大红鹳	*Phoenicopterus ruber roseus*
27	雁形目	鸭科	红胸黑雁	*Branta ruficollis*
28			鸿雁	*Anser cygnoides*
29			豆雁	*Anser fabalis*
30			白额雁	*Anser albifrons*
31			小白额雁	*Anser erythropus*
32			灰雁	*Anser anser*
33			斑头雁	*Anser indicus*
34			雪雁	*Anser caerulescens*
35			小天鹅	*Cygnus columbianus*
36			大天鹅	*Cygnus cygnus*
37			赤麻鸭	*Tadorna ferruginea*
38			翘鼻麻鸭	*Tadorna tadorna*
39			绿翅鸭	*Anas crecca*
40			绿头鸭	*Anas platyrhynchos*
41			针尾鸭	*Anas acuta*
42			花脸鸭	*Anasformosa*
43			罗纹鸭	*Anas falcata*
44			斑嘴鸭	*Anas poecilorhyncha*
45			赤膀鸭	*Anas strepera*
46			赤颈鸭	*Anas penelope*
47			白眉鸭	*Anas querquedula*
48			琵嘴鸭	*Anas clypeata*
49			鸳鸯	*Aix galericulata*
50			青头潜鸭	*Aythya baeri*
51			红头潜鸭	*Aythya ferina*
52			凤头潜鸭	*Aythya fuligula*
53			白眼潜鸭	*Aythya nyroca*
54			棉凫	*Nettabus coromandelianus*
55			白头硬尾鸭	*Oxyura leucocephala*
56			斑脸海番鸭	*Melanitta nigra*
57			鹊鸭	*Bucephala clangula*
58			白(斑头)秋沙鸭	*Mergellus albellus*
59			普通秋沙鸭	*Mergus merganser*
60			中华秋沙鸭	*Mergus squamatus*
61			红胸秋沙鸭	*Mergus serrator*

（续）

序号	目	科	种	
			中文名	拉丁名
62	隼形目	鹗科	鹗	*Pandion haliaedus*
63		鹰科	黑耳鸢	*Milvus lineatus*
64			白尾海雕	*Haliaeetus albicilla*
65			苍鹰	*Accipiter gentilis*
66			赤腹鹰	*Accipiter soloensis*
67			雀鹰	*Accipiter nisus*
68			松雀鹰	*Accipiter virgatus*
69			日本松雀鹰	*Accipiter gularis*
70			普通鵟	*Buteo buteo*
71			白尾鹞	*Circus cyaneus*
72		隼科	游隼	*Falco peregrinus*
73			燕隼	*Falco subbuteo*
74			阿穆尔隼	*Falco amurensis*
75			红隼	*Falco tinnunculus*
76			灰背隼	*Falco columbarus*
77	鸡形目	雉科	灰胸竹鸡	*Bambusicola thoracica*
78			环颈雉华东亚种	*Phasianus colchicus torquatus*
79			环颈雉贵州亚种	*Phasianus colchicus decollatus*
80	鹤形目	鹤科	灰鹤	*Grus grus*
81			白鹤	*Grus leucogeranus*
82			白头鹤	*Grus monacha*
83			白枕鹤	*Grus vipio*
84		秧鸡科	蓝胸秧鸡	*Rallius striatus*
85			普通秧鸡	*Rallina aquaticus*
86			小田鸡	*Porzana pusilla*
87			红胸田鸡	*Porzana fusca*
88			斑胁田鸡	*Porzana paykullii*
89			花田鸡	*Porzana exquisite*
90			白胸苦恶鸟	*Amaurornis phoenicurus*
91			红脚苦恶鸟	*Amaurornis akool*
92			董鸡	*Gallicrex cinerea*
93			黑水鸡	*Gallinula chloropus*
94			紫水鸡	*Porphyrio porphyrio*
95			白骨顶	*Fulica atra*
96		鸨科	大鸨	*Otis tarda*

（续）

序号	目	科	种	
			中文名	拉丁名
97	鸻形目	雉鸻科	水雉	*Hydrophasianus chirurgus*
98		彩鹬科	彩鹬	*Rostratula benghalensis*
99		鸻科	凤头麦鸡	*Vanellus vanellus*
100			灰头麦鸡	*Vanellus cinereus*
101			灰斑鸻	*Pluvialis squatarola*
102			金斑鸻	*Pluvialis fulva*
103			长嘴剑鸻	*Charadrius placidus*
104			金眶鸻	*Charadrius dubius*
105			环颈鸻	*Charadrius alexandrinus*
106			铁嘴沙鸻	*Charadrius leschenaultii*
107			东方鸻	*Charadrius veredus*
108		鹬科	丘鹬	*Scolopaxrusticola*
109			孤沙锥	*Gallinago solitaria*
110			针尾沙锥	*Gallinago stenura*
111			扇尾沙锥	*Gallinago gallinago*
112			斑尾塍鹬	*Limosa lapponica*
113			黑尾塍鹬	*Limosa limosa*
114			大沙锥	*Gallinago megala*
115			白腰杓鹬	*Numenius arquata*
116			中杓鹬	*Numenius phaeobus*
117			小杓鹬	*Numenius minutus*
118			红腰大杓鹬	*Numenius madagacariensis*
119			泽鹬	*Tringa stagnatilis*
120			鹤鹬	*Tringa erythrobus*
121			红脚鹬	*Tringa totanus*
122			青脚鹬	*Tringa nebularia*
123			白腰草鹬	*Tringa ochropus*
124			林鹬	*Tringa glareola*
125			翘嘴鹬	*Xenus cinereus*
126			矶鹬	*Actitis hypoleucos*
127			翻石鹬	*Arenaria interpres*
128			三趾滨鹬	*Calidris alba*
129			红颈滨鹬	*Calidris ruficollis*
130			长趾滨鹬	*Calidris subminuta*
131			青脚滨鹬	*Calidris temminckii*

（续）

序号	目	科	种	
			中文名	拉丁名
132	鸻形目	鹬科	弯嘴滨鹬	*Calidris ferruginea*
133			黑腹滨鹬	*Calidris alpina*
134			红腹滨鹬	*Calidris canutus*
135			半蹼鹬	*limnodromus semipalmatus*
136			流苏鹬	*Philomachus pugnax*
137		瓣蹼鹬科	红颈瓣蹼鹬	*Phalaropus lobatus*
138		反嘴鹬科	反嘴鹬	*Recurvirostra avosetta*
139			黑翅长脚鹬	*Himantopus himantopus*
140		燕鸻科	普通燕鸻	*Glareola maldivarum*
141	鸥形目	鸥科	黑尾鸥	*Larus crassirostris*
142			海鸥	*Larus canus*
143			西伯利亚（织女）银鸥	*Larus vegae*
144			灰背鸥	*Larus schistisagus*
145			渔鸥	*larus ichthyaetus*
146			红嘴鸥	*Larus ridibundus*
147			北极鸥	*larus hyperboreus*
148		燕鸥科	普通燕鸥	*Sterna hirundo*
149			白额燕鸥	*Sterna albifrons*
150			须浮鸥	*Chlidonias hybridus*
151			白翅浮鸥	*Chlidonias leucoptera*
152	鸽形目	鸠鸽科	山斑鸠	*Streptopelia orientalis*
153			珠颈斑鸠	*Streptopelia chinensis*
154			火斑鸠	*Oenopopelia tranquebarica*
155	鹃形目	杜鹃科	红翅凤头鹃	*Clamator coromandus*
156			鹰鹃	*Cuculus sparverioides*
157			棕腹杜鹃	*Cuculus fugax*
158			四声杜鹃	*Cuculus micriopterus*
159			大杜鹃	*Cuculus canorus*
160			中杜鹃	*Cuculus saturatus*
161			小杜鹃	*Cuculus poliocephalus*
162			褐翅鸦鹃	*Centropus sinensis*
163			小鸦鹃	*Centropus bangalensis*
164	鸮形目	草鸮科	草鸮	*Tyto capensis chinensis*
165		鸱鸮科	东方角鸮	*Otus sunia malayanus*
166			领角鸮	*Otus bakkamoena*

（续）

序号	目	科	种	
			中文名	拉丁名
167	鸮形目	鸱鸮科	红脚鸮	*Otus scops*
168			领鸺鹠	*Glaucidium brodiei*
169			斑头鸺鹠	*Glaucidium cuculoides*
170	佛法僧目	翠鸟科	冠鱼狗	*Ceryle lugubris guttulata*
171			斑鱼狗	*Ceryle rudis insignis*
172			普通翠鸟	*Alcedo atthis bengalensis*
173			白胸翡翠	*Halcyon smyrnensis*
174			蓝翡翠	*Halcyon pileata*
175		戴胜科	戴胜	*Upupa epops*
176	䴕形目	啄木鸟科	斑姬啄木鸟	*Picumnus innominatus*
177	雀形目	百灵科	云雀	*Alauda arvensis*
178		燕科	小云雀	*Alauda gulgula*
179			灰沙燕	*Riparia riparia*
180			家燕	*Hirundo rustica*
181			金腰燕	*Hirundo daurica*
182		鹡鸰科	黄鹡鸰	*Motacilla flava*
183			灰鹡鸰	*Motacilla cinerea*
184			白鹡鸰普通亚种	*Motacilla alba leucopsis*
185			白鹡鸰东北亚种	*Motacilla alba baicalensis*
186			田鹨华南亚种	*Anthus novaeseelandiae sinensis*
187			田鹨东北亚种	*Anthus novaeseelandiae dauricus*
188			树鹨指名亚种	*Anthus hodgsoni hodgsoni*
189			树鹨东北亚种	*Anthus hodgsoni yunnanensis*
190			水鹨	*Anthus spinoletta*
191		鹎科	领雀嘴鹎	*Spizixos semitorques*
192			黑[短脚]鹎	*Hypsipetes leucocephalus*
193			黄臀鹎	*Pycnonotus xanthorrhous*
194			白头鹎	*Pycnonotus sinensis*
195			绿翅短脚鹎	*Hypsipetes mcclellandii*
196			栗背短脚鹎	*Hypsipetes flavala*
197		伯劳科	虎纹伯劳	*Lanius tigrinus*
198			牛头伯劳	*Lanius bucephalus*
199			红尾伯劳普通亚种	*Lanius cristatus lucionensis*
200			红尾伯劳指名亚种	*Lanius cristatus cristatus*
201			棕背伯劳	*Lanius schach*

（续）

序号	目	科	种	
			中文名	拉丁名
202	雀形目	伯劳科	灰背伯劳	*Lanius tephronotus*
203		黄鹂科	黑枕黄鹂	*Oriolus chinenesis*
204		卷尾科	黑卷尾	*Dicrurus macrocercus*
205		椋鸟科	北椋鸟	*Sturnus sturninus*
206			丝光椋鸟	*Sturnus sericeus*
207			灰椋鸟	*Sturnus cineraceus*
208			八哥	*Acridotheres cristatellus*
209		鸦科	松鸦	*Garrulus glandarius*
210			红嘴蓝鹊	*Urocissa erythrorhynchus*
211			灰喜鹊	*Cyanopica cyana*
212			喜鹊	*Pica pica*
213		河乌科	褐河乌	*cinclus pallasii*
214		鸫科	红尾歌鸲	*Luscinia sibilans*
215			红喉歌鸲(红点颏)	*Luscinia calliope*
216			蓝喉歌鸲(蓝点颏)	*Luscinia svecica*
217			红肋蓝尾鸲	*Tarsiger cyanurus*
218			鹊鸲	*Copsychus saularis*
219			北红尾鸲	*Phoenicurus auroreus*
220			红尾水鸲	*Rhyacornis fuliginosus*
221			小燕尾	*Enicurus scouleri*
222			灰背燕尾	*Enicurus schistaceus*
223			白额燕尾	*Enicurus leschenaultia*
224			斑背燕尾	*Enicurus maculates*
225			白顶溪鸲	*Chaimarrornis leucocephalus*
226			紫啸鸫	*Myiophoneus caeruleus*
227			乌灰鸫	*Turdus cardis*
228			乌鸫	*Turdus merula*
229			红尾斑鸫	*Turdus naumanni*
230			斑鸫	*Turdus eunomus*
231			宝兴歌鸫	*Turdus mupinensis*
232		鹟科	乌鹟指名亚种	*Muscicapa sibirica sibirica*
233			乌鹟西南亚种	*Muscicapa sibirica rothschildi*
234			斑胸鹟(灰纹鹟)	*Muscicapa griseisticta*
235			北灰鹟	*Muscicapa latirostris*
236			方尾鹟	*Culicicapa ceylonensis*

（续）

序号	目	科	种	
			中文名	拉丁名
237	雀形目	王鹟科	寿带	*Terpsiphone paradisi*
238			紫寿带	*Terpsiphone atrocaudata*
239		画眉科	棕颈钩嘴鹛中南亚种	*Pomatorhinusruficllis hunanensis*
240			棕颈钩嘴鹛长江亚种	*Pomatorhinus ruficollis styani*
241			红头穗鹛	*Stachyridopsis ruficeps*
242			黑脸噪鹛	*Garrulax perspicillatus*
243			画眉	*Leucodioptron canorus*
244			白颊噪鹛	*Garrulax sannio*
245			红嘴相思	*Leiothrix lutea*
246			灰眶雀鹛	*Alcippe morrisonia*
247		鸦雀科	棕头鸦雀	*Paradoxornis webbianus*
248		扇尾莺科	褐头鹪莺	*Prinia subflava*
249		莺科	树莺(短翅树莺)	*Cettia diphone*
250			强脚树莺(山树莺)	*Cettia fortipes*
251			东方大苇莺	*Acrocephalus orientalis*
252			黑眉苇莺	*Acrocephalus bistrigiceps*
253			厚嘴芦莺	*Acrocephalus aedon*
254			钝翅苇莺	*Acrocephalus concinens*
255			黄眉柳莺	*Phylloscopus inornatus*
256			黄腰柳莺	*Phylloscopus proregulus*
257			极北柳莺	*Phylloscopus borealis*
258			黑眉柳莺	*Phylloscopus ricketti*
259		绣眼鸟科	暗绿绣眼	*Zosterops japonica*
260		攀雀科	中华攀雀	*Remiz consobrinus*
261		长尾山雀科	银喉长尾山雀	*Aegithalos caudatus*
262			红头长尾山雀	*Aegithalos concinnus*
263		山雀科	大山雀	*Parus major*
264			绿背山雀	*parus monticolus*
265			黄颊山雀	*Parus spilonotus*
266			黄腹山雀	*parus venustulus*
267		麻雀科	树麻雀	*Passer montanus*
268			山麻雀	*Passer rutilans*
269		梅花雀科	白腰文鸟	*Lonchura striata*
270			斑文鸟	*Lonchura punctulata topela*
271		燕雀科	燕雀	*Fringilla montifringilla*

（续）

序号	目	科	种	
			中文名	拉丁名
272	雀形目	燕雀科	金翅	*Carduelis sinica*
273			黄雀	*Carduelis spinus*
274			黑尾蜡嘴雀	*Eophona migratoria*
275		鹀科	栗鹀	*Emberiza rutila*
276			黄胸鹀指名亚种	*Emberiza aureola aureola*
277			黄胸鹀东北亚种	*Emberiza aureola ornate*
278			黄喉鹀	*Emberiza elegans*
279			灰头鹀	*Emberiza spodocephala*
280			三道眉草鹀	*Emberiza cioides*
281			赤胸鹀(栗耳鹀)	*Emberiza fucata*
282			田鹀	*Emberiza rustica*
283			小鹀	*Emberiza pusilla*
284			黄眉鹀	*Emberiza chrysophrys*
285			白眉鹀	*Emberiza tristrami*
286			蓝鹀	*Emberiza siemsseni*
(五)哺乳类				
1	食虫目	鼩鼱科	灰麝鼩	*Crocidura attenuata*
2			中麝鼩	*Crocidura russula*
3			臭鼩	*Suncus murinus*
4			喜马拉雅水麝鼩	*Chimarogale himalayica*
5	翼手目	菊头蝠科	大菊头蝠	*Rhinolophus luctus*
6			马铁菊头蝠	*Rhinolophus ferrumequinum*
7			中菊头蝠	*Rhinolophus affinis*
8			鲁氏(栗黄)菊头蝠	*Rhinolophus rouxi*
9			小菊头蝠	*Rhinolophus pusillus*
10			角菊头蝠	*Rhinolophus cornutus*
11			皮氏(绒毛)菊头蝠	*Rhinolophus pearsoni*
12		蹄蝠科	大蹄蝠	*Hipposideros armiger*
13			福建大蹄蝠	*Hipposideros armiger swinhoei*
14			小蹄蝠	*Hipposiderospomona*
15			中蹄蝠	*Hipposideros larvatus*
16			双色蹄蝠	*Hipposideros bicolor*
17			普氏蹄蝠	*Hipposideros pratti*
18		蝙蝠科	犬吻蝠	*Tadarida plicata*
19			北京鼠耳蝠	*Myotis pequinius*

（续）

序号	目	科	种	
			中文名	拉丁名
20	翼手目	蝙蝠科	大足鼠耳蝠	*Myotis ricketti*
21			大鼠耳蝠	*Myotis myotis*
22			东方蝙蝠	*Vespertilio superans*
23			普通伏翼	*Pipistrellus abramus*
24			灰伏翼	*Pipistrellus pulveratus*
25	兔形目	兔科	华南兔	*Lepus sinensis*
26	啮齿目	松鼠科	隐纹花松鼠(豹鼠)	*Tamiops swinhoei*
27		仓鼠科	东方田鼠	*Microtus fortis*
28		鼠科	巢鼠	*Micromys minutus*
29			黑线姬鼠	*Apodemus agrarius*
30			黄胸鼠	*Rattus flavipectus*
31			褐家鼠	*Rattus norvegicus*
32			社鼠	*Rattus niviventer*
33	鲸目	鳍豚科	白鳍豚	*Lipotea vexillifer*
34		鼠海豚科	江豚	*Neophocaena phocaenoides*
35	食肉目	鼬科	黄鼬	*Mustela sibirica*
36			黄腹鼬	*Mustela kathiah*
37			鼬獾	*Melogale moschata*
38			猪獾	*Arctonyx collaris*
39			水獭	*Lutra lutra*
40		灵猫科	花面狸	*Paguma larvata*
41			小灵猫	*Viverricula indica*
42		獴科	食蟹獴	*Herpestes urva*
43		猫科	豹猫	*Prionailurus bengalensis*
44	偶蹄目	鹿科	水鹿	*Cervus unicolor*
45			麋鹿	*Elaphurus davidianus*
46			獐	*Hydropotes inermis*
二、无脊椎动物				
1	中腹足目	田螺科	中国圆田螺	*Cipangopaludina chinensis*
2			河圆田螺	*Cipangopaludina flumineals*
3			三带田螺	*viviparus trictictus*
4			梨形环棱螺	*Bellamya. purificata*
5			铜锈环棱螺	*Bellamya aeruginosa*
6			绘环棱螺	*Bellamya limnoophila*
7			包氏环棱螺	*Bellamya bottgeri*

（续）

序号	目	科	种	
			中文名	拉丁名
8	中腹足目	田螺科	厄氏环棱螺	*Bellamya heudei*
9			角形环棱螺	*Bellamya angularis*
10			耳河螺	*Rivularia auricularta*
11			双龙骨河螺	*Rivularia bicarinata*
12			球河螺	*Rivularia globosa*
13			长河螺	*Rivularia elongatea*
14			卵河螺	*Rivularia ovum*
15			河湄公螺	*Mekongia rivularia*
16			德拉维螺	*Dalavaya rupicola*
17		盖螺科	大仿雕石螺	*Lithoglyphopsis grandis*
18			钉螺指名亚种	*Oncomelania hupensis hupensis*
19			钉螺丘陵亚种	*Oncomelania hupensis fausti*
20		狭口螺科	德氏狭口螺	*Stenothyra divalis*
21		豆螺科	长角涵螺	*Alocinma longicornis*
22			槲豆螺	*Bithynia misella*
23			中华沼螺	*Parafossarulua sinensis*
24		肋蜷科	方格短沟蜷	*Semisulcospira cancelata*
25			放逸短沟蜷	*Semisulcospira libertinea*
26			格氏短沟蜷	*Semisulcospira gredleri*
27			珍珠短沟蜷	*Semisulcospira baccata*
28			微肋短沟蜷	*Semisulcospira diminute*
29			腊皮短沟蜷	*Semisulcospira pleuroceroides*
30		角崔螺科	长角涵螺	*Alocinma longicorris*
31			赤豆螺	*Bithynia fuchsisana*
32			纹沼螺	*Parafossarula siratulus*
33			中华沼螺	*Parafossarula sinensis*
34			大沼螺	*Parafossarula eximius*
35		椎实螺科	耳萝卜螺	*Pedix auricularia*
36			小土蜗	*Galba penia*
37		扁蜷螺科	半球多脉扁螺	*Potypylis hcmisphaeeuia*
38	贻贝目	贻贝科	淡水壳菜	*Limnoperna Lacustris*
39	真瓣鳃目	蚌科	圆顶珠蚌	*Unio douglasiae*
40			中国尖脊蚌	*Acuticosta chinensis*
41			卵形尖脊蚌	*Acuticost aouata*
42			勇士尖脊蚌	*Acuticosta retiaria*

（续）

序号	目	科	种	
			中文名	拉丁名
43	真瓣鳃目	蚌科	三角尖嵴蚌	*Acuticosta trisulcata traingula*
44			射线裂嵴蚌	*Schistodesmus lampreyanus*
45			棘裂嵴蚌	*Schistodesmus spinasus*
46			金黄雕刻蚌	*Parreysia aurora*
47			剑状矛蚌	*Lanceolaria gladiola*
48			短褶矛蚌	*Lanceolaria grayana*
49			三型矛蚌	*Lanceolaria triformis*
50			真柱矛蚌	*Lanceolaria eucylindrica*
51			圆头楔蚌	*Cuneopsis heudei*
52			巨首楔蚌	*Cuneopsis capitata*
53			鱼尾楔蚌	*Cuneopsis pisciculus*
54			微红楔蚌	*Cuneopsis rufescens*
55			矛形楔蚌	*Crneopsis celtiformis*
56			橄榄蛏蚌	*Solenaia oleivora*
57			背瘤丽蚌	*Lamprotula leai*
58			薄壳丽蚌	*Lamprotula lelec*
59			角月丽蚌	*Lamprotula cormmun*
60			洞穴丽蚌	*Lamprotula caveata*
61			刻裂丽蚌	*Lamprotula scripta*
62			多瘤丽蚌	*Lamprotula polyctictu*
63			猪耳丽蚌	*Lamprotula rochechouarti*
64			三巨瘤丽蚌	*Lamprotula triclava*
65			巴氏丽蚌	*Lamprotula bazini*
66			天津丽蚌	*Lamprotula tientsiensis*
67			楔形丽蚌	*Lamprotula bazini*
68			背瘤丽蚌	*Lamprotula leai*
69			环带丽蚌	*Lamprotula zonata*
70			绢丝丽蚌	*Lamprotula xibrosa*
71			长丽蚌	*Lamprotula elongatea*
72			椭圆丽蚌	*Lamprotula gottschei*
73			绢丝尖丽蚌	*Aculamprotula fibrosa*
74			失衡尖丽蚌	*Aculam tortuousa*
75			天津尖丽蚌	*Aculam tientsine*
76			扭蚌	*Arconaia lanceolata*
77			三角帆蚌	*Hyriopsis cuningii*

（续）

序号	目	科	种	
			中文名	拉丁名
78	真瓣鳃目	蚌科	尖锄蚌	*Ptychorhychus pfisteri*
79			棘裂瘤蚌	*Schistodea spinosus*
80			脊裂脊蚌	*Lamprotula leai*
81			褶纹冠蚌	*Cristaria plicata*
82			背角无齿蚌	*Anodonta woodiana*
83			圆背角无齿蚌	*Anodneta W. paeifica*
84			舟形无齿蚌	*Anodneta eascaphys*
85			蚶形无齿蚌	*Anodonta arcaeformis*
86			球形无齿蚌	*Anodonta globosula*
87			太平洋无齿蚌	*Anodontapacifica*
88			具角无齿蚌	*Anodonta angula*
89			高顶鳞皮蚌	*Lepidodesma languilati*
90		截蛏科	中国淡水蛏	*Novaculina chinensis*
91	蛤目	蚬科	河蚬	*Corbiculidae fluminea*
92			黄蚬	*Corbicula aurea*
93			刻纹蚬	*Corbicula largillierti*
94		球蚬科	湖球蚬	*Sphaerium lacustre*
95	十足目	长臂虾科	日本沼虾	*Macrobrachium nipponense*
96			喻氏沼虾	*Macrobrachium yui*
97			细螯沼虾	*Macrobrachium superbum*
98			粗糙沼虾	*Macrobrachium asperulum*
99			白虾	*Palaemon carinicuuda*
100			中华小长臂虾	*Palaemonetes sinensis*
101			秀丽白虾	*Exopalaemon modestus*
102		匙指虾科	细足米虾	*Caridlna rilotica*
103			中华齿米虾	*Caridina denticulata sinensis*
104		龙虾科	克氏螯虾	*Cambarus clarkia*
105		溪蟹科	锯齿溪蟹	*Potamon denticulatus*
106			腮刺溪蟹	*Potamon anacoluthon*
107		方蟹科	中华绒螯蟹	*Eriocheir sinensis*
108			螃蜞	*Eriocheir sesarma*

附录3　湖南重点调查湿地概况

1. 东洞庭湖国家级自然保护区

东洞庭湖国家级自然保护区重点调查湿地范围面积 113604.63 公顷，湿地总面积为 190000 公顷，主要湿地类型为永久性淡水湖湿地和永久性河流湿地。地理坐标为东经 112°43′～113°15′，北纬 28°59′～29°38′；位于湖南省岳阳市境内。

调查中记录有湿地高等植物 83 科 229 属 468 种；国家重点保护野生植物 12 种。其中，国家Ⅰ级保护野生植物 4 种，国家Ⅱ级保护野生植物 8 种。记录到外来入侵植物 19 科 34 属 43 种。

湿地植被可划分为 4 个植被型组，8 个植被型，27 个群系。

调查中记录有湿地脊椎动物 5 纲 38 目 100 科 385 种。其中，鱼类 10 目 22 科 87 种，两栖类 2 目 5 科 10 种，爬行类 3 目 7 科 19 种，鸟类 16 目 53 科 242 种，哺乳类 7 目 13 科 27 种。

记录有国家重点保护野生动物 58 种。其中，国家Ⅰ级保护野生动物 10 种，国家Ⅱ级保护野生动物 48 种。在国家重点保护野生动物中，湿地鸟类 52 种。其中，国家Ⅰ级保护鸟类 7 种，国家Ⅱ级保护鸟类 45 种。

于 1984 年建立省级自然保护区，1994 年晋升为国家级自然保护区。受岳阳市林业局管理，成立了东洞庭湖国家级自然保护区管理局。

主要受到污染、过度捕捞及外来物种入侵威胁。

2. 西洞庭湖省级自然保护区

西洞庭湖省级自然保护区重点调查湿地范围面积 31559.5 公顷，湿地总面积为 35680 公顷，主要湿地类型为永久性淡水湖湿地和永久性河流湿地。地理坐标为东经 111°48′～112°16′，北纬 28°49′～29°08′；位于湖南省汉寿县内。

调查中记录有湿地高等植物 131 科 365 属 539 种；国家重点保护野生植物 2 种，均为国家Ⅱ级。记录到外来入侵植物 17 科 29 属 36 种。

湿地植被可划分为 3 个植被型组，7 个植被型，21 个群系。

调查中记录有湿地脊椎动物 5 纲 35 目 95 科 327 种。其中，鱼类 10 目 22 科 83 种，两栖类 1 目 5 科 12 种，爬行类 3 目 7 科 20 种，鸟类 16 目 50 科 192 种，哺乳类 5 目 11 科 20 种。

记录有国家重点保护野生动物 30 种。其中，国家Ⅰ级保护野生动物 6 种，国家Ⅱ级保护野生动物 24 种。

于 1998 年建立省级自然保护区。受汉寿县林业局管理，成立了西洞庭湖省级自然保护区管理局。

主要受到基建与城市化、围垦、污染、过度捕捞等威胁。

3. 南洞庭湖省级自然保护区

南洞庭湖省级自然保护区重点调查湿地范围面积 107681.84 公顷，湿地总面积为 168000 公顷，主要湿地类型为永久性淡水湖湿地和永久性河流湿地。地理坐标为东经112°14′~112°56′，北纬28°35′~29°10′；位于湖南省沅江市内。

调查中记录有湿地高等植物92科274属437种；国家重点保护野生植物2种，均为国家Ⅱ级。

湿地植被可划分为4个植被型组，7个植被型，22个群系。

调查中记录有湿地脊椎动物5纲35目91科375种。其中，鱼类8目19科97种，两栖类2目5科12种，爬行类3目7科19种，鸟类16目50科224种，哺乳类6目10科23种。

记录有国家重点保护野生动物43种。其中，国家Ⅰ级保护野生动物8种，国家Ⅱ级保护野生动物35种。在国家重点保护野生动物中，有湿地鸟类36种。其中，国家Ⅰ级保护鸟类6种，国家Ⅱ级保护鸟类30种。

于1997年建立省级自然保护区。受益阳市林业局管理，成立了南洞庭湖湿地和水禽省级自然保护区管理局。

主要受到基建与城市化、围垦、污染、过度捕捞、外来物种入侵等威胁。

4. 横岭湖省级自然保护区

横岭湖省级自然保护区重点调查湿地范围面积34006.47公顷，湿地总面积为43000公顷，主要湿地类型为淡水湖泊湿地。地理坐标为东经112°31′~118°02′，北纬28°30′~29°03′；位于湖南省湘阴县内。

调查中记录有湿地高等植物82科225属337种；国家重点保护野生植物6种。其中，国家Ⅰ级保护野生植物1种，国家Ⅱ级保护野生植物5种。

湿地植被可划分为3个植被型组，6个植被型，14个群系。

调查中记录有湿地脊椎动物5纲34目80科270种。其中，鱼类8目17科74种，两栖类1目4科10种，爬行类3目5科15种，鸟类16目44科156种，哺乳类6目10科15种。

记录有国家重点保护野生动物26种。其中，国家Ⅰ级保护野生动物2种，国家Ⅱ级保护野生动物24种。在国家重点保护野生动物中，有湿地鸟类22种。其中，国家Ⅰ级保护鸟类2种，国家Ⅱ级保护鸟类20种。

于2003年建立省级自然保护区。受湘阴县林业局管理，成立了横岭湖省级自然保护区管理局。

主要受到基建与城市化、围垦、狩猎等威胁。

5. 衡南江口鸟洲省级自然保护区

衡南江口鸟洲省级自然保护区重点调查湿地范围面积122.12公顷，湿地总面积为210公顷，主要湿地类型为永久性河流湿地和洪泛平原湿地。地理坐标为东经112°50′~112°52′，北纬26°39′~26°41′；位于湖南省衡南县内。

调查中记录有湿地高等植物76科174种；国家重点保护野生植物2种，均为国家Ⅱ级。

湿地植被可划分为1个植被型组，2个植被型，5个群系。

调查中记录有湿地脊椎动物5纲27目73科223种。其中，鱼类4目11科43种，两栖类1目

4科11种，爬行类3目6科16种，鸟类14目42科136种，哺乳类5目10科17种。

记录有国家重点保护野生动物14种。其中，国家Ⅰ级保护野生动物1种，国家Ⅱ级保护野生动物13种。在国家重点保护野生动物中，有湿地鸟类10种。其中，国家Ⅰ级保护鸟类1种，国家Ⅱ级保护鸟类9种。

于1984年建立省级自然保护区。受衡南县林业局管理，成立了衡南江口鸟洲省级自然保护区管理所。

主要受到过度捕捞、森林采伐、外来物种入侵等威胁。

6. 湖里湿地省级自然保护区

湖里湿地省级自然保护区重点调查湿地范围面积13.73公顷，湿地总面积为280公顷，主要湿地类型为草本沼泽湿地。地理坐标为东经113°39′~112°46′，北纬26°49′~26°57′；位于湖南省茶陵县内。

调查中记录有湿地高等植物26科44属63种；国家重点保护野生植物3种。其中，国家Ⅰ级保护野生植物2种，国家Ⅱ级保护野生植物1种。

湿地植被可划分为2个植被型组，3个植被型，5个群系。

调查中记录有湿地脊椎动物5纲25目60科145种。其中，鱼类4目8科24种，两栖类1目4科12种，爬行类2目4科11种，鸟类13目35科84种，哺乳类5目9科14种。

记录有国家重点保护野生动物8种，均为国家Ⅱ级。在国家重点保护野生动物中，有湿地鸟类6种，为国家Ⅱ级。

于2008年建立省级自然保护区。受茶陵县林业局管理，成立了湖里湿地省级自然保护区管理局。

主要受到过度捕捞威胁。

7. 张家界大鲵国家级自然保护区

张家界大鲵国家级自然保护区重点调查湿地范围面积20.75公顷，湿地总面积为14285公顷，主要湿地类型为永久性河流湿地。地理坐标为东经109°40′~110°20′，北纬28°52′~29°48′；位于张家界市武陵源区内。

未发现典型湿地植物与湿地植被。

调查中记录有湿地脊椎动物5纲26目69科189种。其中，鱼类4目7科30种，两栖类2目8科27种，爬行类3目6科16种，鸟类12目37科102种，哺乳类5目11科14种。

记录有国家重点保护野生动物10种，均为国家Ⅱ级。

于1995年建立省级自然保护区，1996年晋升为国家级自然保护区。受湖南省农业厅管理，成立了张家界大鲵国家级自然保护区管理处。

主要受到自然环境的破坏、饵料生物匮乏、非法捕杀、走私贩卖大鲵等威胁。

8. 湖南华容集成垸麋鹿省级自然保护区

湖南华容集成垸麋鹿省级自然保护区重点调查湿地范围面积2139.09公顷，湿地总面积为

5093公顷，主要湿地类型为永久性河流湿地和草本沼泽湿地。地理坐标为东经112°55′~113°01′，北纬29°40′~29°48′；位于湖南省华容县内。

调查中记录有湿地高等植物75科189属264种；国家重点保护野生植物3种。其中，国家Ⅰ级保护野生植物1种，国家Ⅱ级保护野生植物2种。

湿地植被可划分为3个植被型组，6个植被型，10个群系。

调查中记录有湿地脊椎动物5纲29目61科135种。其中，鱼类8目15科43种，两栖类1目4科7种，爬行类2目6科14种，鸟类11目28科60种，哺乳类7目8科11种。

记录有国家重点保护野生动物8种。其中，国家Ⅰ级保护野生动物1种，国家Ⅱ级保护野生动物7种。在国家重点保护野生动物中，有湿地鸟类5种，为国家Ⅱ级。

于2000年建立省级自然保护区。受华容县林业局管理，成立了华容集成垸麋鹿自然保护区管理局。

主要受到过度捕捞、非法狩猎威胁。

9. 黄盖湖县级自然保护区

黄盖湖县级自然保护区重点调查湿地范围面积4380.11公顷，湿地总面积为9170公顷，主要湿地类型为永久性淡水湖湿地。地理坐标为东经113°32′~113°38′，北纬29°30′~29°39′；位于湖南省临湘市内。

调查中记录有湿地高等植物131科384属576。国家重点保护野生植物10种，其中国家Ⅰ级保护野生植物1种，国家Ⅱ级保护野生植物9种。

湿地植被可划分为3个植被型组，5个植被型，12个群系。

调查中记录有湿地脊椎动物5纲28目61科143种。其中，鱼类8目15科48种，两栖类1目3科9种，爬行类3目6科9种，鸟类12目32科68种，哺乳类4目5科9种。

记录有国家重点保护野生动物4种。其中，国家Ⅰ级保护野生动物1种，国家Ⅱ级保护野生动物3种。在国家重点保护野生动物中，有湿地鸟类3种。其中，国家Ⅰ级保护鸟类1种，国家Ⅱ级保护鸟类2种。

于2006年建立县级自然保护区。受临湘市林业局管理，成立了湖南黄盖湖县级自然保护区管理局。

主要受到基建与城市化、围垦、污染、过度捕捞、水利工程、外来物种入侵等威胁。

10. 毛里湖县级自然保护区

毛里湖县级自然保护区重点调查湿地范围面积3728.73公顷，湿地总面积为11323.80公顷，主要湿地类型为永久性淡水湖湿地。地理坐标为东经111°53′~111°58′，北纬29°23′~29° 29′；位于湖南省津市市内。

调查中记录有湿地高等植物164科492属735种；国家重点保护野生植物4种，均为国家Ⅱ级。

湿地植被可划分为3个植被型组，6个植被型，14个群系。

调查中记录有湿地脊椎动物5纲34目77科253种。其中，鱼类9目16科78种，两栖类2目

5 科 13 种，爬行类 3 目 7 科 22 种，鸟类 16 目 41 科 123 种，哺乳类 4 目 8 科 17 种。

记录有国家重点保护野生动物 17 种，为国家Ⅱ级。在国家重点保护野生动物中，有湿地鸟类 15 种，为国家Ⅱ级。

于 2005 年建立县级自然保护区。受津市市林业局管理，成立了毛里湖湿地保护管理处。

主要受到污染、过度捕捞和采集威胁。

11. 千龙湖国家湿地公园

千龙湖国家湿地公园重点调查湿地范围面积 403.94 公顷，湿地总面积为 971 公顷，主要湿地类型为永久性淡水湖湿地。地理坐标为东经 111°41′～112°42′，北纬 28°24′～28°25′；位于湖南省长沙市望城区内。

调查中记录有湿地高等植物 21 科 38 属 41 种。

湿地植被可划分为 2 个植被型组，4 个植被型，9 个群系。

调查中记录有湿地脊椎动物 5 纲 27 目 66 科 181 种。其中，鱼类 4 目 13 科 45 种，两栖类 2 目 5 科 11 种，爬行类 2 目 4 科 11 种，鸟类 15 目 39 科 108 种，哺乳类 4 目 5 科 6 种。

记录有国家重点保护野生动物 8 种，均为国家Ⅱ级。在国家重点保护野生动物中，有湿地鸟类 6 种，为国家Ⅱ级。

于 2008 年建立国家湿地公园。受望城县林业局管理，成立了千龙湖国家湿地公园管理处。

主要受到基建与城市化威胁。

12. 酒埠江国家湿地公园

酒埠江国家湿地公园重点调查湿地范围面积 1125.89 公顷，湿地总面积为 2613.40 公顷，主要湿地类型为库塘湿地。地理坐标为东经 113°33′～113°40′，北纬 27°09′～27°15′；位于湖南省攸县内。

酒埠江湿地为拦截河道而成的人工水库，几乎无湿地植物。

调查中记录有湿地脊椎动物 5 纲 28 目 64 科 145 种。其中，鱼类 4 目 11 科 41 种，两栖类 2 目 6 科 12 种，爬行类 3 目 5 科 15 种，鸟类 14 目 36 科 71 种，哺乳类 5 目 6 科 6 种。

记录有国家重点保护野生动物 8 种，均为国家Ⅱ级。在国家重点保护野生动物中，有湿地鸟类 7 种，为国家Ⅱ级。

于 2008 年建立国家湿地公园。受攸县林业局管理，成立了酒埠江国家湿地公园管理局。

主要受到围垦、泥沙淤积、污染、过度捕捞和外来物种入侵威胁。

13. 湘阴洋沙湖—东湖国家湿地公园

湘阴洋沙湖—东湖国家湿地公园重点调查湿地范围面积 1323.95 公顷，湿地总面积为 1525.90 公顷，主要湿地类型为永久性淡水湖湿地和永久性河流湿地。地理坐标为东经 112°50′～112°55′，北纬 28°36′～28°41′；位于湖南省湘阴县内。

调查中记录有湿地高等植物 121 科 361 属 565 种。

湿地植被可划分为 5 个植被型组，10 个植被型，32 个群系。

调查中记录有湿地脊椎动物 5 纲 26 目 67 科 173 种。其中，鱼类 5 目 13 科 50 种，两栖类 1 目 4 科 11 种，爬行类 2 目 7 科 17 种，鸟类 14 目 37 科 83 种，哺乳类 4 目 6 科 12 种。

记录有国家重点保护野生动物 15 种。其中，国家Ⅰ级保护野生动物 1 种，国家Ⅱ级保护野生动物 14 种。在国家重点保护野生动物中，有湿地鸟类 12 种，其中国家Ⅰ级保护鸟类 1 种，国家Ⅱ级保护鸟类 11 种。

于 2009 年建立国家湿地公园。受湘阴县林业局管理，成立了湘阴洋沙湖—东湖国家湿地公园管理局。

主要受到基建与城市化威胁。

14. 宁乡金洲湖国家湿地公园

宁乡金洲湖国家湿地公园重点调查湿地范围面积 361.79 公顷，湿地总面积为 2011 公顷，主要湿地类型为永久性河流湿地。地理坐标为东经 112°30′～112°37′，北纬 27°11′～27°17′；位于湖南省宁乡县内。

调查中记录有湿地高等植物 24 科 36 属 38 种。

湿地植被可划分为 2 个植被型组，5 个植被型，11 个群系。

调查中记录有湿地脊椎动物 5 纲 29 目 73 科 209 种。其中，鱼类 4 目 14 科 46 种，两栖类 2 目 5 科 12 种，爬行类 2 目 5 科 13 种，鸟类 15 目 41 科 126 种，哺乳类 6 目 8 科 12 种。

记录有国家重点保护野生动物 8 种，均为国家Ⅱ级。在国家重点保护野生动物中，有湿地鸟类 7 种，为国家Ⅱ级。

于 2009 年建立国家湿地公园。受宁乡县林业局管理，成立了宁乡金洲湖国家湿地公园管理局。

主要受到治河造田、乱采砂石、填土造田等威胁。

15. 吉首峒河国家湿地公园

吉首峒河国家湿地公园重点调查湿地范围面积 849.72 公顷，湿地总面积为 9300 公顷，主要湿地类型为永久性河流湿地。中心地理坐标为东经 109°44′10″，北纬 28°14′30″；位于湖南省溪县、花垣县与凤凰县内。

典型湿地高等植物种类较少，以广布种为主。

湿地植被可划分为 3 个植被型组，4 个植被型，5 个群系。

调查中记录有湿地脊椎动物 5 纲 24 目 68 科 182 种。其中，鱼类 4 目 9 科 32 种，两栖类 1 目 6 科 22 种，爬行类 2 目 5 科 15 种，鸟类 12 目 37 科 99 种，哺乳类 5 目 11 科 14 种。

记录有国家重点保护野生动物 10 种，为国家Ⅱ级。在国家重点保护野生动物中，有湿地鸟类 8 种，为国家Ⅱ级。

于 2009 年建立国家湿地公园。受吉首市林业局管理，成立了吉首峒河国家湿地公园管理局。

主要受到基建与城市化、泥沙淤积和污染威胁。

16. 汨罗江国家湿地公园

汨罗江国家湿地公园重点调查湿地范围面积2748.21公顷，湿地总面积为2945.70公顷，主要湿地类型为永久性淡水湖湿地和永久性河流湿地。地理坐标为东经112°57′~113°10′，北纬28°47′~29°3′；位于湖南省汨罗市内。

调查中记录有湿地高等植物121科365属576种；国家重点保护野生植物6种，为国家Ⅱ级。

湿地植被可划分为2个植被型组，6个植被型，18个群系。

调查中记录有湿地脊椎动物5纲31目73科206种。其中，鱼类6目16科57种，两栖类2目5科11种，爬行类3目7科16种，鸟类15目38科109种，哺乳类5目7科13种。

记录有国家重点保护野生动物20种。其中，国家Ⅰ级保护野生动物1种，国家Ⅱ级保护野生动物19种。在国家重点保护野生动物中，有湿地鸟类16种，其中国家Ⅰ级保护鸟类1种，国家Ⅱ级保护鸟类15种。

于2009年建立国家湿地公园，受汨罗市林业局管理，成立了汨罗江国家湿地公园管理局。

主要受到基建与城市化、围垦、泥沙淤积、污染、水利工程与引排水威胁。

17. 水府庙国家湿地公园

水府庙国家湿地公园重点调查湿地范围面积3051.44公顷，湿地总面积为10845.70公顷，主要湿地类型为库塘湿地。地理坐标为东经112°00′~112°19′，北纬27°33′~27°49′；位于湖南省双峰县和湘乡市内。

无典型湿地高等植物。

调查中记录有湿地脊椎动物5纲28目74科230种。其中，鱼类4目14科57种，两栖类1目5科14种，爬行类2目8科25种，鸟类16目36科116种，哺乳类5目11科18种。

记录有国家重点保护野生动物12种，为国家Ⅱ级。在国家重点保护野生动物中，有湿地鸟类9种，为国家Ⅱ级。

于2007年建立国家湿地公园。受湘乡市林业局和双峰县林业局共同管理，成立了水府庙国家湿地公园管理局。

主要受到基建与城市化、围垦、泥沙淤积、污染、水利工程与引排水威胁。

18. 东江湖国家湿地公园

东江湖国家湿地公园重点调查湿地范围面积14308.89公顷，湿地总面积为48039.10公顷，主要湿地类型为库塘湿地。地理坐标为东经113°17′~113°36′，北纬25°37′~25°59′；位于湖南省资兴市内。

调查中记录有湿地高等植物53科127属155种，以广布种较多，呈季节性出现。

调查中记录有湿地脊椎动物5纲28目73科233种。其中，鱼类5目11科41种，两栖类1目4科12种，爬行类3目6科17种，鸟类14目42科137种，哺乳类5目10科16种。

记录有国家重点保护野生动物14种。其中，国家Ⅰ级保护野生动物1种，国家Ⅱ级保护野生动物13种。在国家重点保护野生动物中，有湿地鸟类10种，其中国家Ⅰ级保护鸟类1种，国家Ⅱ级保护鸟类9种。

于2007年建立国家湿地公园。受资兴市林业局管理，成立了东江湖国家湿地公园管理局。

主要受到围垦、污染、网箱养殖、森林过度采伐及生活排污威胁。

19. 雪峰湖国家湿地公园

雪峰湖国家湿地公园重点调查湿地范围面积9450.20公顷，湿地总面积为9742.74公顷，主要湿地类型为库塘湿地。地理坐标为东经110°54′~111°18′，北纬27°48′~28°21′；位于湖南省安化县内。

湿地高等植物很少。

湿地植被可划分为1个植被型组，1个植被型，2个群系。

调查中记录有湿地脊椎动物5纲26目68科220种。其中，鱼类5目13科83种，两栖类1目4科14种，爬行类3目6科17种，鸟类12目35科94种，哺乳类5目10科12种。

记录有国家重点保护野生动物11种，为国家Ⅱ级。在国家重点保护野生动物中，有湿地鸟类8种，为国家Ⅱ级。

于2009年建立国家湿地公园。受新化县林业局和安化县林业局共同管理，成立了雪峰湖国家湿地公园管理局。

主要受到围垦、泥沙淤积、污染、过度捕捞、外来物种入侵和森林过度采伐威胁。

20. 大通湖湿地

大通湖湿地重点调查湿地范围面积7842.81公顷，湿地总面积为8266.67公顷，主要湿地类型为永久性淡水湖湿地。地理坐标为东经112°25′~112°34′，北纬29°09′~29°15′；位于湖南省南县内。

调查中记录有湿地高等植物65科172属224种；国家重点保护野生植物2种，为国家Ⅱ级。

湿地植被可划分为3个植被型组，4个植被型，6个群系。

调查中记录有湿地脊椎动物5纲33目81科285种。其中，鱼类8目17科92种，两栖类1目4科9种，爬行类3目7科17种，鸟类16目45科155种，哺乳类5目8科12种。

记录有国家重点保护野生动物19种。其中，国家Ⅰ级保护野生动物1种，国家Ⅱ级保护野生动物18种。在国家重点保护野生动物中，有湿地鸟类17种。其中，国家Ⅰ级保护鸟类1种，国家Ⅱ级保护鸟类16种。

未建立自然保护区或湿地公园。受南县大通湖管理区农林水利局管理，成立了大通湖湿地保护管理站。

主要受到泥沙淤积、外来物种入侵威胁。

21. 珊珀湖湿地

珊珀湖重点调查湿地范围面积2596.11公顷，湿地总面积为6600公顷，主要湿地类型为永久性淡水湖湿地。地理坐标为东经111°58′~112°04′，北纬29°23′~29°28′；位于湖南省安乡县内。

调查中记录有湿地高等植物13科22属23种；国家重点保护野生植物2种，为国家Ⅱ级。

湿地植被可划分为2个植被型组，3个植被型，7个群系。

调查中记录有湿地脊椎动物5纲32目70科204种。其中，鱼类8目14科45种，两栖类1目3科10种，爬行类3目5科15种，鸟类16目41科122种，哺乳类4目7科12种。

记录有国家重点保护野生动物12种，均为国家Ⅱ级。在国家重点保护野生动物中，有湿地鸟类11种，为国家Ⅱ级。

未建立自然保护区或湿地公园。受安乡县林业局管理。

主要受到基建与城市化、围垦、泥沙淤积、污染、过度捕捞、外来物种入侵威胁。

22. 团头湖湿地

团头湖重点调查湿地范围面积339.43公顷，湿地总面积为574.50公顷，主要湿地类型为永久性淡水湖泊湿地。地理坐标为东经112°39′~112°41′，北纬28°24′~28°29′；位于湖南省长沙市望城区内。

调查中记录有湿地高等植物19科29属31种，无国家重点保护野生植物。

湿地植被可划分为2个植被型组，4个植被型，7个群系。

调查中记录有湿地脊椎动物5纲27目67科189种。其中，鱼类4目14科45种，两栖类2目5科12种，爬行类2目4科12种，鸟类15目39科113种，哺乳类4目5科7种。

记录有国家重点保护野生动物10种，均为国家Ⅱ级。在国家重点保护野生动物中，有湿地鸟类9种，为国家Ⅱ级。

未建立自然保护区或湿地公园。受望城区人民政府管理。

主要受到基建与城市化威胁。

23. 柳叶湖湿地

柳叶湖重点调查湿地范围面积2017.85公顷，主要湿地类型为永久性淡水湖湿地。地理坐标为东经110°29′~112°18′，北纬28°24′~30°29′；位于湖南省常德市内。

调查中记录有湿地高等植物19科36属53种。国家重点保护野生植物2种，为国家Ⅱ级。

湿地植被可划分为2个植被型组，3个植被型，5个群系。

调查中记录有湿地脊椎动物5纲28目67科196种。其中，鱼类5目13科61种，两栖类1目4科11种，爬行类3目7科19种，鸟类16目38科95种，哺乳类3目5科10种。

记录有国家重点保护野生动物8种。其中，国家Ⅰ级保护野生动物1种，国家Ⅱ级保护野生动物7种。在国家重点保护野生动物中，有湿地鸟类7种，其中国家Ⅰ级保护鸟类1种，国家Ⅱ级保护鸟类6种。

未建立自然保护区或湿地公园。受柳叶湖旅游度假区管理委员会管理。

主要受到基建与城市化、围垦、水利工程建设等威胁。

24. 南湖湿地

南湖重点调查湿地范围面积1193.35公顷，湿地总面积为1250.00公顷，主要湿地类型为永久性淡水湖湿地。地理坐标为东经113°05′~113°09′，北纬29°19′~29°21′；位于湖南省岳阳市内。

调查中记录有湿地高等植物15科19属19种；未见国家重点保护野生植物。

湿地植被可划分为2个植被型组，3个植被型，4个群系。

调查中记录有湿地脊椎动物5纲27目69科216种。其中，鱼类6目14科62种，两栖类1目3科9种，爬行类3目4科14种，鸟类14目43科120种，哺乳类3目5科11种。

记录有国家重点保护野生动物11种，均为国家Ⅱ级。在国家重点保护野生动物中，有湿地鸟类10种，为国家Ⅱ级。

未建立自然保护区或湿地公园。受岳阳市人民政府管理。

主要受到基建与城市化威胁。

25. 团结水库湿地

团结水库重点调查湿地范围面积17.99公顷，属于康龙国家级自然保护区(面积为5561.00公顷)，主要湿地类型为库塘湿地。地理坐标为东经110°07′~110°09′，北纬27°20′~27°21′；位于湖南省中方县内。

调查中记录有湿地高等植物6科9属9种。未见国家重点保护野生植物。

湿地植被可划分为2个植被型组，2个植被型，5个群系。

调查中记录有湿地脊椎动物5纲28目74科185种。其中，鱼类4目9科37种，两栖类2目9科17种，爬行类3目9科24种，鸟类14目38科90种，哺乳类5目9科17种。

记录有国家重点保护野生动物16种，均为国家Ⅱ级。在国家重点保护野生动物中，有湿地鸟类14种，为国家Ⅱ级。

于1996年建立省级自然保护区，2008年晋升为国家级自然保护区。受中方县林业局管理。

主要受到过度捕捞与放牧、森林过度采伐威胁。

26. 欧阳海水库湿地

欧阳海水库重点调查湿地范围面积2514.25公顷，主要湿地类型为库塘湿地。地理坐标为东经112°37′~112°45′，北纬25°49′~26°05′；位于湖南省桂阳县内。

调查中记录有湿地高等植物9科14属14种。未见国家重点保护野生植物。

湿地植被可划分为2个植被型组，3个植被型，7个群系。

调查中记录有湿地脊椎动物5纲28目72科224种。其中，鱼类5目13科63种，两栖类1目4科11种，爬行类3目6科19种，鸟类14目39科116种，哺乳类5目10科15种。

记录有国家重点保护野生动物14种，均为国家Ⅱ级。在国家重点保护野生动物中，有湿地鸟类12种，为国家Ⅱ级。

未建立自然保护区或湿地公园。受欧阳海灌区管理局管理。

主要受到围垦、泥沙淤积、污染、过度捕捞、森林砍伐威胁。

27. 五强溪水库湿地

五强溪水库重点调查湿地范围面积13809.66公顷，主要湿地类型为库塘湿地。地理坐标为东经110°10′~111°04′，北纬28°15′~28°48′；位于湖南省沅陵县内。

调查中记录有湿地高等植物57科136属168种。未见国家重点保护野生植物与典型湿地植物群落。

调查中记录有湿地脊椎动物5纲28目67科183种。其中，鱼类4目12科56种，两栖类1目4科10种，爬行类3目6科16种，鸟类15目38科90种，哺乳类5目7科11种。

记录有国家重点保护野生动物10种。其中，国家Ⅰ级保护野生动物1种，国家Ⅱ级保护野生动物9种。在国家重点保护野生动物中，有湿地鸟类9种。其中，国家Ⅰ级保护鸟类1种，国家Ⅱ级保护鸟类8种。

于2011年建立国家湿地公园。受沅陵县林业局管理，成立了五强溪国家湿地公园管理局。

主要受到围垦、泥沙淤积、污染和过度捕捞威胁。

28. 凤滩水库湿地

凤滩水库重点调查湿地范围面积3080.54公顷，主要湿地类型为库塘湿地和永久性河流湿地。地理坐标为东经109°33′~110°16′，北纬28°41′~28°46′；位于湖南省沅陵县内。

调查中记录有湿地高等植物56科131属163种。

湿地植被可划分为3个植被型组，3个植被型，3个群系。

调查中记录有湿地脊椎动物5纲30目81科349种。其中，鱼类4目15科136种，两栖类1目5科18种，爬行类4目7科24种，鸟类16目41科144种，哺乳类5目13科27种。

记录有国家重点保护野生动物20种，均为国家Ⅱ级。在国家重点保护野生动物中，有湿地鸟类17种，为国家Ⅱ级。

未建立自然保护区或湿地公园。受湘西土家族苗族自治州水库管理局管理。

主要受到围垦、泥沙淤积、污染和过度捕捞威胁。

29. 仰天湖山地湿地

仰天湖重点调查湿地范围面积88.70公顷，主要湿地类型为永久性淡水湖湿地。地理坐标为东经112°49′~112°50′，北纬25°30′~25°31′；位于湖南省郴州市内。

调查中记录有湿地高等植物14科20属21种；国家重点保护野生植物1种，为国家Ⅱ级。

湿地植被可划分为2个植被型组，3个植被型，5个群系。

调查中记录有湿地脊椎动物5纲23目56科146种。其中，鱼类2目4科17种，两栖类2目6科13种，爬行类2目4科21种，鸟类12目33科79种，哺乳类5目9科16种。

记录有国家重点保护野生动物8种，均为国家Ⅱ级。在国家重点保护野生动物中，有湿地鸟类7种，为国家Ⅱ级。

未建立自然保护区或湿地公园。受仰天湖旅游资源保护与开发工作领导小组办公室管理。

主要受到过度放牧威胁。

30. 三浪田山地湿地

三浪田重点调查湿地范围面积19.62公顷，主要湿地类型为草本沼泽湿地。地理坐标为东经110°03′03″~110°03′25″，北纬26°15′09″~26°15′35″；位于湖南省城步县内。

调查中记录有湿地高等植物19科23属26种；国家重点保护野生植物1种，为国家Ⅱ级。

湿地植被可划分为3个植被型组，5个植被型，7个群系。

调查中记录有湿地脊椎动物5纲27目69科213种。其中，鱼类4目10科41种，两栖类1目3科11种，爬行类3目6科17种，鸟类14目40科126种，哺乳类5目10科18种。

记录有国家重点保护野生动物14种。其中，国家Ⅰ级保护野生动物1种，国家Ⅱ级保护野生动物13种。在国家重点保护野生动物中，有湿地鸟类12种，其中，国家Ⅰ级保护鸟类1种，国家Ⅱ级保护鸟类11种。

未建立自然保护区或湿地公园。受城步苗族自治县林业局管理。

主要受到过度捕捞、森林采伐威胁。

31. 韭菜岭山地湿地

韭菜岭重点调查湿地范围面积14.35公顷，属于都庞岭国家级自然保护区(面积为20066公顷)，主要湿地类型为草本沼泽湿地。地理坐标为东经111°18′~111°19′，北纬25°30′~25°31′；位于湖南省道县内。

调查中记录有湿地高等植物4科6属6种；未见国家重点保护野生植物。

湿地植被可划分为1个植被型组，2个植被型，2个群系。

调查中记录有湿地脊椎动物5纲24目61科146种。其中，鱼类3目8科20种，两栖类2目6科28种，爬行类3目7科24种，鸟类10目29科55种，哺乳类6目11科19种。

记录有国家重点保护野生动物9种，均为国家Ⅱ级。在国家重点保护野生动物中，有湿地鸟类6种，为国家Ⅱ级。

于1982年建立省级自然保护区，2000年晋升为国家级自然保护区。受永州市林业局管理，成立了都庞岭国家自然保护区管理局。

尚未受到不利因子的威胁。

32. 浪畔湖山地湿地

浪畔湖重点调查湿地范围面积17.55公顷，属于莽山国家级自然保护区(面积为19833.00公顷)，主要湿地类型为草本沼泽湿地。地理坐标为东经112°53′~112°54′，北纬24°55′~24°56′；位于湖南省宜章县内。

调查中记录有湿地高等植物9科21属21种。国家重点保护野生植物1种，为国家Ⅰ级。

湿地植被可划分为2个植被型组，3个植被型，7个群系。

调查中记录有湿地脊椎动物5纲25目64科179种。其中，鱼类2目5科12种，两栖类1目6科26种，爬行类3目6科24种，鸟类13目36科98种，哺乳类6目11科19种。

记录有国家重点保护野生动物16种，均为国家Ⅱ级。在国家重点保护野生动物中，有湿地鸟类14种，为国家Ⅱ级。

于1984年建立省级自然保护区，1994年晋升为国家级自然保护区。受郴州市林业局管理，成立了莽山国家级自然保护区管理局。

尚未受到不利因子的威胁。

33. 挂榜山山地湿地

挂榜山重点调查湿地范围面积36.27公顷，属于祁阳小鲵省级自然保护区(面积为6060公顷)，主要湿地类型为森林沼泽湿地。地理坐标为东经111°57′~112°0′，北纬26°35′~26°38′；位于湖南省祁阳县内。

调查中记录有湿地高等植物6科6属6种；未见国家重点保护野生植物。

湿地植被可划分为1个植被型组，1个植被型，1个群系。

调查中记录有湿地脊椎动物5纲25目59科138种。其中，鱼类3目4科13种，两栖类2目5科12种，爬行类2目5科19种，鸟类13目35科80种，哺乳类5目10科14种。

记录有国家重点保护野生动物8种，均为国家Ⅱ级。在国家重点保护野生动物中，有湿地鸟类6种，为国家Ⅱ级。

于2004年建立省级自然保护区，受祁阳县林业局管理。成立了祁阳小鲵省级自然保护区管理处。

主要受到过度放牧威胁。

34. 桃源洞山地湿地

桃源洞重点调查湿地范围面积197.62公顷，属于桃源洞国家级自然保护区(面积为23786.00公顷)，主要湿地类型为灌丛沼泽湿地。地理坐标为东经113°58′~114°04′，北纬26°18′~26°34′；位于湖南省炎陵县内。

调查中记录有湿地高等植物14科18属18种；未见国家重点保护野生植物。

湿地植被可划分为3个植被型组，3个植被型，3个群系。

调查中记录有湿地脊椎动物4纲15目41科76种。其中，两栖类1目5科7种，爬行类2目4科12种，鸟类7目21科43种，哺乳类5目11科14种。

记录有国家重点保护野生动物9种。其中，国家Ⅰ级保护野生动物1种，国家Ⅱ级保护野生动物8种。在国家重点保护野生动物中，有湿地鸟类7种。其中，国家Ⅰ级保护鸟类1种，国家Ⅱ级保护鸟类6种。

于1982年建立省级自然保护区，2002年晋升为国家级自然保护区。受炎陵县林业局管理，成立了桃源洞国家级自然保护区管理处。

主要受到非法狩猎及过度采集威胁。

参考文献

[1] 安树青. 湿地生态工程(湿地资源利用与保护的优化模式)[M]. 北京：化学工业出版社, 2003.

[2] 曹小玉, 张晓蕾, 李际平. 湖南省湿地资源可持续利用探讨[J]. 安徽农业科学, 2008, 36(25)：11035 ~ 11037.

[3] 储蓉. 洞庭湖湿地生态系统保护与管理研究[D]. 长沙：中南林业科技大学, 2007.

[4] 邓帆, 王学雷, 厉恩华, 等. 1993 – 2010 年洞庭湖湿地动态变化[J]. 湖泊科学, 2012, 24 (4) ：571 ~ 576.

[5] 邓学建. 洞庭湖脊椎动物监测及鸟类资源[M]. 长沙：湖南师范大学出版社, 2007.

[6] 郭建平, 吴甫成, 熊建安. 洞庭湖水体污染及防治对策研究[J]. 湖南文理学院(社会科学版), 2007, 32 (1)：91 ~ 94.

[7] 郭世民. 湖南病险水库除险加固项目建设成效显著[J]. 中国水利, 2011, 1：41.

[8] 何介南, 康文星, 袁正科. 洞庭湖湿地污染物的来源分析[J]. 中国农学通报, 2009, 25 (17)：239 ~ 244.

[9] 何沙. 湖南湿地资源现状分析与保护对策研究[D]. 长沙：中南林业科技大学, 2013.

[10] 侯志勇, 谢永宏, 陈心胜, 等. 洞庭湖湿地的外来入侵植物研究[J]. 农业现代化研究, 2011, 32 (6)：744 ~ 747.

[11] 湖南省发展与改革委员会, http：//www. hnfgw. gov. cn/site/QYGH1/22182. html.

[12] 湖南省水源管理局. 发展中的湖南水运[J]. 湖南交通科技, 2013, 4.

[13] 李长看, 王威, 马灿玲, 等. 郑州黄河湿地生物资源及保护研究[J]. 安徽农业科学, 2010, 38(32)：18297 ~ 18299, 18318.

[14] 李姣. 洞庭湖湿地生态系统价值评估[M]. 长沙：湖南师范大学出版社, 2007.

[15] 李有志, 洞庭湖湿地杨树人工林对林下植物多样性的影响及机理[D]. 长沙：湖南农业大学, 2014.

[16] 李有志, 张灿明, 刘芬. 洞庭湖湿地水环境变化趋势及其成因分析[J]. 生态环境学报, 2011, 20 (8 – 9)：1295 ~ 1300.

[17] 廖伏初, 何兴春, 何望, 等. 洞庭湖渔业资源与生态环境现状及保护对策[J]. 岳阳职业技术学院学报, 2006, 21(6)：32 ~ 37.

[18] 陆胤昊. 洞庭湖的演变及其驱动因子研究[D]. 武汉：华中师范大学, 2009.

[19] 吕咏, 陈克林. 国内外湿地保护与利用案例分析及其对镜湖国家湿地公园生态旅游的启示[J]. 湿地科学, 2006, 4(4)：269 ~ 273.

[20] 马元旭, 来红州. 荆江与洞庭湖区近 50 年水沙变化的研究[J]. 水土保持研究, 2005, 12 (4)：103 ~ 106.

[21] 宁佐敦, 胡利平. 洞庭湖区杨树产业化发展对区域社会经济的影响分析[J]. 林业调查规划, 2009, 34 (3)：86 ~ 90.

[22] 秦建新, 尹晓科. 洞庭湖区湿地生态环境问题与对策[J]. 人民长江, 2009, 40 (19)：12 ~ 14.

[23] 唐玥. 近 20 余年东洞庭湖湿地格局变化及其水文成因[D]. 北京：中国科学院大学, 2013.

[24] 田冰, 张义文, 魏立涛. 河北湿地现状及其可持续利用[J]. 河北师范大学学报：自然科学版, 2007, 31(1)：130 ~ 133.

[25] 涂继武. 洞庭湖区的区域环境水文地质现状[J]. 湖南地质, 2001, 20 (3)：203 ~ 206.

[26] 王国杰, 姜彤, 王艳君, 等. 洞庭湖流域气候变化特征(1961 – 2003 年)[J]. 湖泊科学, 2006, 18 (5)：

470 ~ 475.

[27] 吴昕，董磊华，李文哲，等．三峡水库建设对减轻洞庭湖洪灾作用分析[J]．广东水利水电，2007，36（4）：58 ~ 65.

[28] 谢永宏，黄群，王晓龙．长江保护与发展报告，中下游地区重要湖泊湿地保护[M]．武汉：长江出版社，2011：144 ~ 168.

[29] 袁德青．湖南省湿地资源现状与发展对策[J]．企业技术与开发，2010，3(29)：148 ~ 150.

[30] 袁正科．洞庭湖湿地资源与环境[M]．长沙：湖南师范大学出版社，2008.

[31] 中华人民共和国水利部，水利部检查湖南省病险水库除险加固工作，http：//www. zswater. gov. cn/.

[32] Michel Wiliams. Wetlands：A Threatende landscape[M]. Basil Blackwell Ltd.，1990.

附　件

湖南湿地资源调查主要参与单位及人员

王先柱　向周一　陈　明　胡文艺　晏明光　高光照　曾庆龙　腾建利　谭振美
曾庆凯　罗　焕　石华云　谭　晶　向玉习　刘伯平　陈跃林　董名波　黄东旭
李小辉　李延平　陆安信　唐晓兵　吴松阳　杨周旺　郑天喜　周　雨　申华跃
朱坦利　江　涛　吴金烛　张占平　胡　南　钟小耀　郭学远　龚全富　蒋从武
刘承虎　刘绍兴　刘雪峰　李雄跃　谷　建　张远恒　陈旺群　段光亮　谢庆凯
吴渊政　周家文　周绪兵　胡维军　蒋本毛　何秋云　陈正球　练佑明　黄文辉
黄　毅　盛卫平　熊立宪　王盛腾　帅　红　朱远军　刘　平　杨　杰　陈必建
武　林　黄忠禹　董立军　廖花爱　王玉柱　刘新平　李永松　杨彦辉　肖和平
张东旭　陈　昀　邵荣华　钟志坚　熊清主　马华元　文国华　帅玉亮　刘三林
李中杰　周德芳　段　芬　唐来斌　唐朝晖　杨　佳　杨诗平　沈金辉　张友慧
陈照亮　欧启斌　戴跃进　任　杰　赵　理　谭新辉　潘志华　王光明　何　红
邹兰平　张建平　洪需要　谭永林　宋　平　李准超　肖龙祥　易颂来　徐茂林

后　记

湿地被誉为“地球之肾”“生命的摇篮”“文明的发源地”，与森林、海洋并称为全球三大生态系统，是自然界最富有生物多样性的生态景观和人类最重要的生存环境之一。它不仅向人类提供大量的生产和生活资料，还具有涵养水源、调节气候、蓄洪防旱、物质生产、净化水体、降解污染、维持生物多样性等重要生态功能，在我国生态文明建设中发挥着不可替代的作用。

近年来，湖南省高度重视湿地保护与建设工作，实施了一大批湿地保护工程，形成了由湿地自然保护区、国际重要湿地、省级重要湿地以及国家湿地公园组成的湿地保护网络，湿地保护体系进一步完善，保护管理能力明显增强，工程区的民生得到进一步改善，湿地保护和合理利用的成功经验得到推广，湿地保护事业取得了重大进展。如今，全省湿地退化趋势基本得到遏制，湿地生物多样性明显增加，湿地生态功能价值逐步提高，关键区域湿地生态功能明显恢复。洞庭湖重现了“沙鸥翔集、锦鳞游泳”的生态景观，曾经消失的野生麋鹿与河麂种群重新回归，极大地增强了湖南省湿地保护的信心。

随着国家生态文明、绿色湖南建设的推进与洞庭湖生态经济区建设的批准，赋予了林业部门建设绿色国土、保护美丽湿地的重要历史使命。开展湿地保护与建设，是加强生态文明建设的重要举措，是推进林业可持续协调发展，建设绿色湖南的基础性工程，是洞庭湖生态经济区建设的关键环节。然而，湿地保护是一项系统、复杂而长期的生态工程，希望全社会行动起来，一起认识湿地、关注湿地、保护湿地，共同建设美丽湿地。

《中国湿地资源·湖南卷》集成了湖南省第二次湿地资源调查成果，全面地反映了湖南省湿地资源概貌以及保护管理的成就，将为湿地自然保护区与湿地公园建设、野生动植物资源保护和合理利用提供翔实的本底资料，是进行湿地资源保护与管理的科学依据，同时必将增强公众对湿地的认识，提高公众参与湿地保护的意识，促进湿地保护科学管理，推动湖南省湿地保护事业的健康发展。

《中国湿地资源·湖南卷》编写组

2015 年 12 月